KB103350

표리부동

표리부동

지은이 정유나
발 행 2023년 12월 22일
펴낸곳 주식회사 부크크
출판사등록 2014.07.15.(제2014-16호)
주 소 서울특별시 금천구 가산디지털1로 119 SK트윈타워 A동 305호
전 화 1670-8316
이메일 info@bookk.co.kr

ISBN 979-11-410-6178-4

www.bookk.co.kr

표리부동

차례

너희도 겉은 다른 사람들에게 의인으로 보이지만,
속은 위선과 불법으로 가득하다.

마태 23, 28

——

"저기, 휴대폰 좀 빌려줄 수 있어요?"

강한 장미향이 덮치듯 풍겨오며 해준의 눈에 낯선 여자의 얼굴이 들어왔다. 뒤에서 다가와 다짜고짜 앞을 막고서는 휴대폰을 빌려달라고 말하는 여자의 당돌함에 해준은 언짢은 표정을 감추지 못했다. 그런 그의 대답이 지연되자, 여자는 애타는 얼굴로 해준에게로 한 발짝 다가섰다.

"이 근처에서 잃어버렸어요. 근데, 어딨는지를 몰라서…. 제가 급한 용무가 있어서 꼭 찾아야 해요. 부탁할 수 없을까요."

당연하다는 듯 손을 내미는 여자를 해준은 말없이 빤히 바라봤다. 부탁하는 쪽에서 저런 배짱을 부릴 수 있을까. 친한 지인도 아니며, 한두 번 만난 애매한 사이도 아닌. 당장 오늘 초면인 사이에 조금의 미안한 기색도 없이 이런 부탁을 할 수 있을까. 그런 여자의 심리가 해준은 궁금하고 이해가 되지 않았지만, 두 번째 부탁에서 거절했다가는 오히려 자신이 찜찜하게 끝날 것 같다는 그런 우스운 생각이 들었다.

"여기요."

짧은 한마디와 함께 주머니 속에서 휴대폰을 꺼내 내밀자, 근심이 가득했던 여자의 얼굴이 밝아졌다. 이어 미소를 지은 여자가 해준의 휴대폰을 받아들며 고개를 숙였다.

"감사합니다. 정말 감사해요."

감사 인사를 두 번이나 할 정도로 급했던 모양이다. 휴대폰의 다이얼을 누른 뒤, 주변을 살피는 여자를 바라보며 해준은 생각에 잠겼다. 휴대폰 하나 잃어버린 게 뭐가 대수인가 싶었지만 그건 해준에게만 해당하는 사항이었다. 저 여자는 휴대폰에 대한 애착이 강한 사람일지도 모른다. 아니면 아까 말했던 급한 용무라는 게 인생의 중대사로 꼽힐 정도로 귀중하다던가. 그렇다면 아까 보인 그 표정들이 얼추 이해는 간다. 이런저런 쓸데없는 잡념을 머릿속에서 정리할 때쯤 용무가 끝난 여자는 해준에게 다시 휴대폰을 건넸다.

"죄송해요. 이 근처에는 없나 보네요…. 이상하다. 대체 어디 있는 거지."

중얼거리며 해준의 앞을 벗어나지 않는 여자를 보며 해준이 고개를 숙여 작별 인사를 건넸다. 이어 여자가 해준을 따라 머리를 숙이며 자리를 떠나자, 해준은 그 자리에 가만히 서서 여자의 뒷모습을 바라봤다. 급한 얼굴로 부탁하던 여자의 향기가 아직도 코에 맴도는 기분이었다.

사라진 여자가 조금 전까지 있었던 자리를 바라보던 해준은 이내 발을 돌렸다. 몇 분이나 더 걸었을까. 집과 가까워질수록 도로의 경적이 잦아들었다. 해준이 다니는 회사의 주변 교통은 번잡했다. 사람들이 몰리는 지금 시간대 외에도 차가 많이 지나다녔다. 주변 빌딩이 많아 어쩔 수 없는 소음이었지만 해준에게는 그리 큰 걸림돌이 아니었으며 딱히 관심을 두지 않으면 고요하게 들릴 때도 있었다. 우스갯소리라고 생각될 수 있겠지만 해준에겐 그러했다.

어제와는 다를 게 없는 평범한 저녁 귀갓길이다. 아, 딱 한 가지만 제외하고. 아파트 현관에 다다른 해준은 아까 마주친 여자의 얼굴을 떠올렸다. 지금쯤이면 휴대폰을 찾았으려나…. 아니, 아니다. 헛된 생각이다. 남의 일에는 큰 관심을 두지 않는다. 괜히 오지랖을 부렸다가는 안 좋은 일에 휩쓸릴 우려가 있다. 고개를 내저은 해준은 머릿속에 든 쓸데없는 잡념을 버리고 걸음을 재촉했다.

—

“경찰입니다. 서해준 씨 되시죠?”

모르는 번호. 예기치 못한 전화에 심장이 덜컥 내려앉았다. 경찰이 갑자기 왜 전화를 한 건지, 왜 자신인지 파악하기 위해 머리를 굴렸으나 머릿속은 새하얬다. 아무것도 없었다.

“네…. 근데 무슨 일이죠?”

“아, 다름이 아니고 신예선 씨 실종사건 관련해서 조사를 부탁드릴까, 합니다만.”

“신예선 씨라뇨…?”

“…신예선 씨. 모르십니까?”

“모릅니다.”

해준의 대답에 상대방 쪽에서 짧은 침묵이 흘렀다. 그 침묵의 시간 동안 해준은 신예선이라는 이름을 입안에서 굴리며 그 이름과 자신의 관계에 대해 생각했다. 하지만 아무리 떠올리려 애써봐도 신예선이라는 이름은 자신의 인생과 전혀 관련이 없었다.

“하지만 신예선 씨의 마지막 통화기록이 서해준 씨 본인이던데요.

신예선 씨에게 전화는 왜 걸었습니까?"

"전화를 걸었다고요?"

"어제 오후, 일곱 시쯤입니다. 서해준 씨 본인이 신예선 씨에게 전화를 걸었다고요. 모르시겠습니까?"

어제. 오후. 전화. 세 단어로 인해서 해준의 뇌리에 한 여자가 스쳐 지나갔다. 어제 휴대폰을 빌려달라며 곤란한 표정으로 미안한 기색 없이 손을 내밀던, 그 여자.

"아…. 그거라면, 설명해 드릴 수 있습니다."

급속도로 차가워진 머리를 식히며 해준은 어제저녁의 일을 설명했다. 그와 동시에 자신은 아무것도 모른다는 분위기를 넌지시 흘려주자, 휴대폰 너머 남자의 긴 한숨 소리가 들려왔다.

"알겠습니다. 근데, 저…. 송구하지만, 사건 조사차 서에 오셔서 말씀 좀 여쭤봐도 되겠습니까?"

이건 또 무슨 소리야.

"아무런 정황이 없는데도 그래야 합니까?"

"마지막으로 통화기록이 남아있으니까요."

"전 참고인도 아닌 것 같은데요."

"하하, 맞죠. 참고인 조사차 부른 건 아닙니다. 다만, 잠깐이나마 얼굴 뵙고 말씀을 듣고 싶어서요. 연쇄 실종사건 관련해서 여쭙고 싶은 것도 있고요."

경찰이 맞긴 맞는 걸까. 이 낯선 여덟 자리 번호가 여자의 소행이라면? 어제 전화를 빌려달라고 부탁한 것도, 모두 계획한 일이었다면? 그래서 해준에게 뭐라도 뜯어내기 위해 사기 행위를 벌인 거라면 그건 그거대로 어이가 없어 웃음이 나올 것 같았다. 경찰의 말에 해준은 입술을 깨물고 머리를 쓸어올리던 손을 내렸다.

"그러면 언제 방문하면 됩니까?"

경찰의 말을 귀담아들은 해준은 방금의 통화로 입맛이 뚝 떨어졌다. 망쳐버린 저녁 식사를 지속하고 싶지 않았다. 식어버린 된장국을 바라보며 홀로 중얼거렸다. 경찰서에 방문이라. 경찰이라는 단어만으로 역정이 날 것 같다. 해준의 인생에서는 절대 없을 거라는 확신. 전혀 없어야 하는 준칙. 두 눈을 질끈 감은 해준은 주먹에 힘을 주었다. 방문 날짜는 내일. 너무 섣부른 판단으로 방문을 결정했다는 후회감이 뒤늦게 들었지만 거기서 방문을 거절했다간 경찰 측에서 의심을 살지도 모른다는 판단을 내렸으니 옳은 선택은 분명했다. 여하튼, 방문이 결정됐으니 후회해봤자 소용없는 일이다. 지금은 그것보다는 다른 게 더 중요했다.

여자의 실종. 어제까지만 해도 잘 있었던 여자의 실종. 그렇다는 건 가족이나 여자와 가까운 사이인 누군가의 신고로 경찰이 움직였다는 뜻이다. 불과 하루밖에 지나지 않았는데도 신고를 한 걸 보면 집안이 꽤 엄격한 모양일지도 모른다. 아니면 이렇게 하루 동안 모습을 감출 사람이 아니었거나.

연쇄 실종 사건이라…. 그러고 보니 요새 사람을 찾는 문자가 꽤 왔었다. 사실 요새라고 할 것도 없다. 때때로 휴대폰을 울리는 문자는 사라진 어린아이나 노인을 찾는 내용을 담고 있었다. 하루빨리 실종자를 찾을 수 있도록 특징을 함께 적어서 말이다. 하지만 경찰이 말한 실종 사건은 그런 게 아닐 것이다.

연쇄 실종사건. 단순한 실종이 아닌 범인이 존재하는 연쇄적인 사건이었다. 경찰이 말한 실종 사건은 아마, 뉴스에도 나왔던 '은정동 연쇄 실종사건'을 말하는 것일 터. 자세히 살펴보진 않았지만, 해준이 사는 이곳 은정동에서 사람이 몇 실종됐다는 뉴스를 오다가다 얼핏 본 기억이 있었다. 아마 해준에게 전화를 건 경찰은 신예선이라는 여자가 은정동 사건과 관련성이 있다고 판단한 건지도 모른다. 연쇄 실종 사건의 여파가 아직 가시지 않아, 해준의 동네에선 모두가 예민해진 채 낯선 사람과의 접촉을 꺼렸다. 어쩌면 그런 이유로 여자의 실종을 신고했을지도 모른다. 이게 가장 큰 이유겠지. 그렇다면, 그런 시기에 낯선 해준에게 다가와 휴대폰을 빌려달라고 말하던 여자는 대체 어떤 사람일까. 실종사건 따위는 관심도 없는 사람이었던 걸까. 아니면 정말로 휴대폰 찾는 것에 급급해 지나가는 사람 중 아무나 붙잡았던 걸까. 그게 운이 좋지 않던 해준이었고 그로 인해 해준은 경찰과 대면하게 돼버렸다. 아, 젠장. 그런 생각을 하니 머리가 지끈거렸다.

몇 년 동안 쌓아왔던 신념이 단 한 순간의 선의로 인해 무너질 줄은 꿈에도 몰랐다. 아니. 사실, 선의가 아니었을지도 모른다. 정확히 말하자면 완전한 선의는 아니었다. 조금의 두려움은 있었으니까. 낯선 사람과의 접촉을 꺼린다. 그건 해준도 마찬가지였다. 갑자기 다가온 여자가 휴대폰을 빌미로 날붙이를 찔러 넣으면? 해준의 휴대폰을 들고 도주해 버린다면? 이 사람이 휴대폰에 뭔 짓을 할 줄 알고? 어떤 생각을 하든 최악의 상황으로 이어졌고 그렇기에 처음에는 망설일 수밖에 없었다. 하지만 여자는 해준의 걱정이 무색하게 아주 평온하게 지나갔다. 그렇기에 해준은 더욱더 이상한 기분이 들었다. 휴대폰을 찾던 여자. 그리고 그 여자의 실종. 두 사건에 관련성이 있을까. 복잡해진 머릿속을 정리하고 싶었으나 방법은 존재하지 않았다. 해준은 그 여자를 모르며 앞으로도 계속 모를 사람이니.

시간이 흘러 다음 날 오후. 평소보다 적은 업무와 빠른 일 처리로 정시간에 퇴근하게 된 해준이 경찰서 앞에 다다랐다. 노을 진 하늘에 경찰서의 창문이 주황빛으로 반짝였다. 하지만 그 모습은 해준에겐 아름다울 수 없었다. 두 눈에 저 건물의 모습이 담긴 것만으로도 기분이 퍽 나빠지니 말이다.

동네의 흔한 파출소가 아닌 큰 규모의 경찰서는 해준의 인생에서는 접하기 힘든 풍경이었다. 게다가 실종이라는 꺼림칙한 사건의 관계자 신분으로서는 더더욱. 길게 숨을 몰아쉬고 내뱉은 해준이 천천히 걸음을 뗐다. 두 대의 차가 들어서는 경찰서의 정문에 다다르자, 벽에 기댄 채 누군가를 기다리는 듯한 남자와 해준의 눈이 마주쳤다. 이어 해준이 눈을 피하지 않고 남자에게 다가가 입을 열었다.

"서해준입니다."

"아, 오셨네요. 이거…. 죄송합니다. 바쁘실 텐데, 귀찮게 해드려서요."

벽에서 몸을 뗀 남자는 재킷에 손을 비빈 후 해준에게로 손을 내밀며 미소를 지었다. 그 목소리를 통해 눈앞의 남자가 어제 통화한 상대임을 짐작할 수 있었다. 해준이 다가가 그의 손을 가볍게 맞잡자 그가 손을 흔들었다.

"네. 그래서…. 제가 어떤 협조를 하면 됩니까?"

"아, 그 전에 제 소개부터 해드리죠. 최유한이라고 합니다."

그의 품에서 나온 명함을 받아 든 해준은 가만히 명함을 바라봤다. 최유한. 직급은 경위. 게다가 강력계 형사다.

"일단은 편하게 최 경위라고 불러주세요. 저는 해준 씨라고 부르는 게 편하실까요?"

"상관없습니다."

해준의 대답에 고개를 끄덕인 최 경위가 주머니에 손을 찔러넣고는 입에서 긴 입김을 뿜어냈다. 경찰서 안으로 들어갈 생각은 아니겠지. 최 경위의 눈치를 살피며 그의 질문을 기다리던 해준은 불어오는 차가운 바람에 눈살을 찌푸렸다. 그러자 최 경위가 넌지시 말을 걸었다.

"추우시면 어디로 들어가서 대화 나눌까요? 좀만 걸어가면 카페가 하나 있습니다. 커피는 제가 살게요."

생각했었군. 그 여자와는 깊은 관계도 없는데 굳이 건물로 들어가서 긴 대화를 나눠야 하나? 근데 경찰서가 아닌 굳이 카페를 언급하는 이유는 뭐지?

"시간이 많이 소모됩니까?"

"아, 아뇨. 그런 건 아닙니다."

고개를 내저으며 멋쩍게 머리를 긁적인 최 경위는 방금 해준의 말을 통해 해준이 안으로 들어가길 원하지 않다는 걸 읽은 모양이었다. 무안하게 할 생각은 아니었지만 전하고자 하는 뜻은 전해졌으니, 해준은 상관없었다.

"그럼 몇 가지 질문만 드리기 전에 한 번만 더 확인하고 싶은데요. 신예선 씨를 처음 만난 게 그날 당일인 게 확실합니까?"

방금까지의 무안한 표정. 웃던 미소가 사라졌다. 진지하고 예사로운 눈빛. 정말 형사에 걸맞은 눈빛이었다. 저 검은 눈동자 속의 위압감이 온몸의 털을 곤두세웠다. 그의 그런 행동이 불편하게 느껴진 해준이 입술을 깨물었으나, 목구멍까지 올라온 말을 내뱉을 순 없었다. 민감하게 나와선 안 된다. 이곳에 오는 것으로 열심히 지키던 신념이 깨져버렸는데 그 조각을 더욱 짓밟아 흔적도 없이 만드는 건 바보 같은 짓이다. 그건 자기 자신이 제일 잘 알았다. 그렇기에 해준은 기분 나쁜 티를 내지 않고 최대한 평온한 얼굴을 유지하며 최 경위를 마주 봐야 했다.

"네. 확실합니다. 그날 처음 봤고, 신예선 씨는 물론…. 주변 인물과 아무런 관련이 없습니다."

"알겠습니다…. 그럼, 혹시 신예선 씨를 만난 당일, 수상쩍은 일이나 이상한 행동은 없었습니까?"

"어제 말씀드린 것 말고는 없습니다."

"그렇군요. 그러면 그 상황에 대해 더욱 자세히 말씀해 주실 수 있을까요. 가령, 어떤 표정을 했고 어떤 행동을 했는지도요."

이런 사소한 것조차 필요한 건가? 의구심이 든 해준의 심장이 꿈틀거렸다.

"급한 용무가 있다고 했습니다. 휴대폰을 간절히 찾는 눈치였고

제 휴대폰을 빌려 간 뒤로도 초조한 얼굴이었습니다."

똑같은 얘기를 반복하는 기분이었다. 대체 저 남자는 이 무의미한 대화에서 뭘 얻어가려는 걸까. 여자가 휴대폰을 간절히 찾았다? 그게 실종의 원인이라고 생각하는 건 아니겠지. 그러고도 형사라고 말한다면 해준은 자신의 시간을 소모해 가며 여기에 있는 게 너무나 아깝게 느껴졌다.

"그렇습니까…. 어떤 용무인지는 모르고요?"

"모릅니다."

처음 만난 상대에게 그런 것을 말할 리가 있나. 해준은 조금의 짜증을 섞어, 허나 상대에게 티는 나지 않도록 짧게 대답했다. 숨겨진 속뜻을 알지 못한 최 경위가 턱에 손을 얹고는 곰곰이 생각에 잠겼다. 사람을 앞에 두고 혼자서 무엇을 하는 건지. 이런 생각조차 이제는 쓸모없다고 생각하던 찰나-

"최유한. 여기서 뭐 하는 거야."

낯선 남성의 목소리에 두 사람이 동시에 고개를 돌렸다. 최 경위를 마주하고 있던 남자는 험상궂은 인상으로 다가와 최 경위의 목에 팔을 두르고 장난스럽게 끌어당겼다.

"어디 갔나 했더니, 밖에서 농땡이를 부리고 있어?"

"농땡이는 아니거든, 형."

억울한 표정의 최 경위의 말에 남자는 시선을 돌려 해준을 바라봤다. 남자와 눈이 마주치자, 이번에는 더욱 묵직한 긴장감이 해준의 온몸을 짓눌렀다. 얼굴빛에 긴장을 띄우지 않게 정신을 바로잡은 해준이 최 경위를 마주할 때의 표정을 그대로 유지했다.

“그쪽 분은 누구시죠? 어쩐 일로 오셨는지요?”

해준이 말없이 최 경위를 바라보자, 그는 조금 곤란한 표정으로 해준에게 눈짓을 주다, 이내 시선을 떨구었다. 그의 행동에서 그는 무언가 뜻을 전했다는 걸 알았지만 그 뜻이 무엇인지, 해준이 어떤 행동을 하길 바라는지는 읽지 못했다.

“최 경위님께서 부르셔서 왔습니다. 신예선 씨 실종사건 관련해서요. 제가 신예선 씨와 마지막 통화를 했고, 그 이유로 절 부르셨습니다.”

“신예선 씨라뇨. 그 건은….”

말끝을 흐린 남자가 최 경위를 바라보더니 이내 험상궂은 얼굴을 더욱더 구기며 그에게 매섭게 물었다.

“너 말이야. 또 이러기냐?”

“아니, 또 이러는 거 아냐! 신중하게 생각해 봤어. 신예선 씨 사건 그냥 실종 사건이 아냐.”

“그냥 실종이 아니라고? 실종 신고 처리된 사람마다 그 소리냐. 정신 차려. 참고인 조사도 아닌데 왜 애먼 사람을 불러.”

“형, 정말이야. 지난 사건이랑 똑같은 놈의 짓이라고, 형도 봐서 잘 알잖아. 게다가 내 감이…!”

언성을 높이던 최 경위가 해준을 보고는 말을 멈췄다. 이어서 입을 다물고 또다시 시선을 떨어뜨리며 해준의 눈을 피했다. 하지만 해준은 그것에 연연하고 있을 겨를이 없었다. 감. 감이라는 건 저 사람이 받은 느낌. 형사의 감. 그 말인즉슨…. 자신을 의심했다는 것. 그 생각이 머릿속에서 번쩍하고 떠오르자, 해준은 어금니를 물었다. 눈을 피하는 행위 따위에 화가 난 건 아니었다. 저 남자의 형사의 감이라는 추상적인 이유로 자신이 이곳에 불려 오게 된 이 상황이 너무나도 화가 났다. 그 이유로 자신의 신념은 깨졌으며 소모한 시간은 되돌릴 수 없게 됐지 않은가.

"저, 서해준 씨. 이만 가보셔도 돼요. 이런 일로 불러서 다시 한 번 죄송합니다."

생각에 잠긴 해준을 다시 현실로 끌어당긴 건 다름 아닌 최 경위의 사과였다. 고개를 숙인 채 사과의 말을 전하는 최 경위의 뒤로 다른 형사가 팔짱을 낀 채 이곳을 보고 있었다. 그와 눈이 마주치자, 그 또한 말없이 고개를 숙였다. 한순간에 사과받는 처지가 된 해준의 머리는 천천히 식어갔다. 장난이라도 치는 건지, 아니면 해준을 의심하며 간을 봤던 건지. 최 경위의 속내를 해준은 알 수 없었지만 보내준다는 사람 앞에서 나를 의심하기라도 하는 거냐며 시간 아깝게 이게 무슨 짓이냐며 화를 낼 순 없었다. 다른 사람이면 몰라도, 서해준이라는 사람은 그러했다.

"네. 그럼 수고하세요."

두 사람을 따라 고개를 숙이고 인사를 마친 해준이 걸음을 돌렸다. 드디어 시야에서 저 갑갑한 건물이 사라졌다. 경찰서라는 묵직한 건물이 아닌, 평화로운 거리의 풍경을 바라보니 해준은 마음이 한결 편해졌다. 하지만 오늘 있었던 일을 잊을 수는 없을 것 같다는 생각이 은연중에 떠올랐다. 그야, 신념이 깨진 게 제일 첫 번째고. 다음은⋯.

"저기요. 저기, 잠깐 저 좀 봅시다."

뒤에서 강하게 붙잡은 손길에 해준이 고개를 돌렸다. 최 경위도 그 옆에 있었던 다른 형사도 아닌, 낯선 남자가 해준을 바라보고 있었다. 정정하자면 바라보는 게 아닌 노려보는 쪽에 가까웠다. 처음 보는 상대가 자신을 노려본다는 건 그리 달갑지 않은 상황이었다. 게다가 해준에게는 받아들이기 어려운 상황이었다.

"누구시죠? 절 압니까?"

"알죠. 그러니까 붙잡았죠."

"전 당신을 모릅니다."

"네. 하지만 제 여자친구는 아실 텐데요."

여자친구…. 이 남자의 여자친구가 누군지 해준이 알 리가 없다. 처음 만난 남자의 애인을 어떻게 알겠는가. 설령 해준의 여자 지인 중 누군가의 남자친구라고 해도 그 남자친구가 해준에게 오게 만들 일은 하지 않았다. 조금의 오해가 생길 일조차 만들지 않았다. 그렇다면 저 남자가 말하는 여자친구는….

"신예선이라는 이름 알죠? 그 사람, 알죠?"

그런가. 실종됐다던 여자의…. 해준은 남자의 얼굴을 낱낱이 살피며 급하게 휴대폰을 찾던 여자를 떠올렸다. 급한 용무는 남자친구와의 연락이었나.

"압니다."

"압니다…. 거기서 끝나면 안 될 텐데요? 예선이 어디로 데려갔습니까?"

분노한 남자의 얼굴 근육이 꿈틀하더니 해준을 붙잡은 어깨에 힘이 들어갔다. 강하게 눌러오는 남자의 힘에 눈살을 찌푸린 해준이 그의 손을 뿌리치고 붙잡혔던 부위를 털었다.

“무슨 짓입니까. 이게.”

“무슨 짓이긴, 바른대로 말하라는 겁니다. 예선이가 당신을 만나고 나서 사라졌는데, 그게 무슨 의미겠습니까?”

웃음 섞인 목소리로 다가온 남자에게 해준은 최대한 침착한 표정을 보였다. 여기서 도망가거나 똑같이 맞섰다간 아까 벗어났던 그곳으로 다시 돌아갈 터. 그건 끔찍이도 싫었다. 그렇다면 최대한 갈등을 만들지 않는 게 최선의 방법이다. 침착한 얼굴과 말로 남자를 상대하는 게 해준이 내린 결정이었다.

“전 당신의 여자친구에 대해 모릅니다. 휴대폰을 잃어버렸다고 해서 빌려준 게 답니다.”

“왜 빌려준 거죠? 예선이한테 관심이라도 갔나봐요?”

개소리다. 세상에는 왜 저런 사람들이 득실거릴까. 남에게 어떻게 들릴지 생각하지도 않고 뇌에서 떠올린 말을 바로 내뱉는 그런 생각 없는 사람들을 해준은 가장 싫어했다. 비록 그런 생각이 들어도 참고 삼켜내는 게 사람으로서 해야 할 도리다. 그런데도 제 생각이 옳다는 듯, 강하게 나서면 다 맞는 말이 되는 줄 아는 것마냥 행동하는 부류가 해준은 탐탁지 않았다.

가장 싫어하고 탐탁지 않은 부류의 사람이랑 맞서는 기분은 생각보다 더욱 더러웠다. 침착하게 행동하려고 할수록 진흙탕 속에 빨려 들어가는 기분이었다. 마음 같아선 저 무식한 남자를 뒤로하고 자리를 뜨고 싶었지만, 신예선이라는 그 여자의 실종과 실종 전 마지막으로 만난 사람이 자신임을 확신하고 있는 남자를 만난 상황에서 이대로 도피하게 된다면 여러 가지로 문제가 생길 것이다. 빠르게 생각을 정리한 해준이 천천히 심호흡했다.

"그런 건 아닙니다. 그 여자분께서 급한 용무가 있다며 먼저 휴대폰을 빌려주길 요청했습니다. 다른 이유는 없습니다. 그리고 빌려준 후에는 바로 헤어졌습니다."

"하, 새끼가 거짓말을 쳐? 아니잖아, 바로 헤어진 거."

아까보다 인상을 더욱 구긴 남자가 해준에게로 한 발짝 다가왔다. 정말이지 말이 통하지 않는다.

"거짓말 아닙니다. 방금도 서에 다녀오는 길이고요."

서에 다녀왔다는 해준의 말에 남자의 눈빛이 흔들리더니 이내 그 얼굴에 미소가 지어졌다. 기쁨과 즐거움의 웃음이 아닌 확신. 건수를 잡았다는 확신의 미소였다.

"그래, 맞네. 어느 정도 의심을 한 거겠지. 경찰들도."

"무슨 말씀이신지…. 모르겠는데요."

"여자친구가 사라졌어. 데이트가 끝나고 집에 가려는데 휴대폰을 두고 갔더라고? 그래서 나중에 만날 때 주려고 했는데, 밤이 되어도 집에 안 들어와. 그럼 내가 걱정되겠어, 안 되겠어?"

쓸데없는 말을 덧붙이며 횡설수설하는 남자를 바라보며 해준이 입술을 깨물었다. 단 하나의 정보를 제외하면 나머지는 모두 쓸데없는 이야기들이었으나 방금 남자의 말에서 해준의 의문을 풀어줄 단서가 나왔다. 휴대폰. 휴대폰은 남자친구인 이 사람이 가지고 있었나. 그랬으니 그 여자한테 없지. 어제의 그 선의가 무쓸모였다는 사실에 해준이 주먹을 쥐었다. 됐다. 휴대폰이 어떻게 됐든 간에 지금 중요한 건 이게 아니었다. 저 남자가 휴대폰의 마지막 통화기록 상대를 어떻게 알았는가. 이것이 지금 당장 해소해야 할 큰 의문이다. 남자의 모습을 보니 경찰 측 관계자는 아니고 평범한 일반 시민 같은데, 경찰들이 사건에 대해 발설하고 다닐 일을 없을 테고 그렇다면 애인의 통화기록에 남겨진 낯선 번호의 주인이 해준이란 걸 알 겨를이 없을 것이다. 하지만 저 남자는 확신에 가득 찬 얼굴로 마지막 통화기록이 해준이라고 말했다.

"여자친구분의 마지막 통화기록이 저란 사실은 어떻게 아신 거죠?"

해준의 물음에 남자가 멈칫했다. 당황한 모양이다. 신경질적인 얼굴에서 동공이 흔들리고 있었다. 찌푸린 눈썹은 그대로지만 주체하지 못하고 해준의 시선을 피하며 움직이는 동공의 상태로 보아 말하기엔 껄끄러운 경로로 정보를 얻은 모양이었다. 그렇다면 그 경로는 대체 뭘까. 뒤라도 밟은 건가.

"아까 서에서 절 목격한 후 따라오신 겁니까."

확신은 아니다. 추측일 뿐이다. 여러 경로를 생각해 봤지만, 저 남자에게 있어 제일 쉬운 방법은 몰래 뒤를 밟아 해준과 최 경위의 대화를 듣는 것. 해준이 자기 스스로 여자의 마지막 통화 상대가 자신임을 밝혔고 경찰이 불렀다는 맥락의 흐름으로 경찰서에서 벗어난 해준에게 다가와 여자친구를 찾는다. 그래서 서에 갔다 왔다는 얘기를 꺼냈는데도 놀라거나 당황하는 반응 없이 '맞다'고 말했다. 물론 해준의 말에 맞장구치는 모양새일지도 모르겠지만, 아무래도 뒤를 밟은 게 확실하다는 생각이 머릿속을 가득 채웠다.

"따라온 게 아니지. 난 처음부터 경찰서에 있었고 네가 다음으로 온 거니까."

지금은 따라온 게 아니라는 건가. 해준이 짧은 한숨을 내뱉으며 남자와 거리를 두었다. 피곤하다. 사람을 상대하는 건 피곤한 일이었다. 그 사람의 기분을 맞춰주고 적당히 고개를 끄덕이며 인간관계를 쌓는다. 해준은 그 행위를 이해할 수 없었다. 인간은 어째서 홀로 살아갈 수 없는가. 그에 대해 해결법을 찾고 싶어도 해준 또한 인간이기에 완벽하지 않았고 따라서 찾을 수 없고 만들 수도 없었다. 신이 창조한 피조물에 불과한 인간이 어떻게 신의 영역을 접할 수 있을까. 하늘에 계신 아버지께 물어도 긴 침묵만을 안겨주신다. 해준이 항상 질문을 던져도 대답은 들려오지 않는다. 하지만 해준은 느낄 수 있었다. 비록 들리지 않지만, 그분들의 대답은 해준의 삶에 천천히 녹아들어 뜻을 전하고 있노라고 보여주고 있노라고. 해준의 아버지 또한 그렇게 말했다.

어쩌면 이 상황조차 그 뜻일지 모른다. 어쩌면 뜻을 잘못 이해했기에 시련을 주시려는지도 모르겠다고 해준은 생각했다.

"그래서 하고 싶은 말이 뭡니까?"

"몇 번 말하게 해? 내 여자친구 어딨냐니까."

"죄송하지만 전 모릅니다. 헛된 걸음인 것 같네요."

"헛된 걸음이 아니지. 네가 데려갔잖아."

이 남자는 아니라는 말의 의미를 모르는 걸까. 아니면 사라진 애인의 행방을 찾느라 미쳐서 불만을 품을 대상을 해준으로 잡은 걸까. 분노가 사라지지 않은 남자의 얼굴에 해준의 머리가 지끈거리며 울렸다.

“제가 데려갔다는 주장의 근거는요?”

차가운 해준의 말에 남자가 말문을 잃었다. 물론 화가 잔뜩 난 얼굴은 풀 생각이 없어 보였지만.

“다시 말하지만, 저는 그쪽 여자친구분에 대해 모릅니다. 어제 오후에 휴대폰을 잃어버렸다고 하시길래 빌려준 게 다고요. 그 뒤로는 만난 적 없습니다. 서에 가서도 똑같이 말했습니다. 여자친구분께서 실종되신 건 안타까운 일이나, 저는 관련 없습니다. 그쪽이 저를 의심하고 추궁해도 소용이 없는 일이라고요. 제가 데려갔다는 주장에도 근거가 없으시고, 이런 식으로 나오기 전에 여자친구분이 어디로 가셨을지 생각하며 직접 찾아다니는 게 더 의미 있을 거라고 생각되는데요. 남자친구라면.”

한마디 한마디에 힘을 실어 남자에게 제 뜻을 전했다. 수그리지 않고 너무 자만하지도 않는 말투로 남자가 순순히 물러날 수 있길 바라며 남자의 대답을 기다렸다.

“그럴 리 없는데….”

예상외로 강하게 나오지 않은 남자는 입가를 틀어막으며 중얼거렸다. 화낼 때와는 다른 눈빛으로 큰 충격이라도 받은 것마냥 혼자서 중얼거리는 남자를 보고 해준은 그대로 몸을 돌렸다. 해준의 말에 큰 충격을 줄 만한 말은 없었다. 어쩌면 저 남자의 정신이 온전치 못한 걸지도 모른다는 생각이 들자, 방금의 행동들이 어느 정도 이해가 갔다. 몇 걸음 떨어진 거리에서 뒤를 돈 해준은 눈에 보이지 않는 남자의 모습에 안도감을 느꼈다. 똑같이 화를 내지 않고 침착하게 대응하는 방법이 역시 맞았던 거다. 남자가 사라진 걸 확인하고 다시 길을 걷던 해준은 다정하게 붙어서 걷는 남녀를 힐끗 바라봤다. 그 남자가 저렇게나 화를 내고 당황한 건 다정한 저 남녀처럼 자신과 여자친구와의 일상이 사라져 버릴지도 모른다는 두려움 때문일지도 모른다. 발상을 전환해서 어제 전화를 받았던 때처럼 사실 여자는 사라진 게 아니며 여자와 남자의 합으로 해준의 돈을 뜯어내려는 사기 행위는 아닐까 하는 의구심도 들었지만, 경찰까지 동원해서 벌이는 사기 행위는 이루어질 수 없다는 걸 잘 알기에 그런 생각들은 버리기로 했다. 이런저런 생각으로 묵묵히 길을 걷다 보니, 어느새 하늘에 어둠이 깔리고 있었다. 사라지는 불그스름한 주황빛 하늘을 바라보며 모든 일이 끝난 평화를 해준은 조용히 느꼈다.

——

"해준아."

다정하고 따뜻한 목소리가 포근하게 해준을 감쌌다. 어린 해준이 여자의 품에 앉아, 그림책을 들고 집중한 얼굴로 시선을 고정했다.

"해준이는 책을 왜 이렇게 좋아할까."

중얼거리는 그녀의 목소리가 귀에 들어왔으나 딱히 대답을 바라는 말투는 아니었기에 해준은 입을 다물고 책의 다음 장을 넘겼다. 그 순간 뇌리에 스쳐 지나간 기억이 해준의 다물었던 입을 떨어뜨려 놓았다.

해준의 또래 친구들이 삼삼오오 모여 하던 얘기들. 그리고 해준에게 던졌던 질문. 그 질문에 대답하지 못하는 해준을 보던 얼굴들이 떠올랐다.

"엄마, 전 돌잡이 때 무엇을 잡았어요?"

해준의 물음에 그의 어머니는 흐뭇한 미소를 지었다. 그의 작은 머리를 쓰다듬으며 그녀가 입을 열었다.

"그건 왜 궁금한데?"

"학교에서 친구들이 물어봤어요. 친구들은 다 자기가 뭘 잡았는지 알아요."

"그래? 그럼 이왕 이렇게 된 거 엄마가 알려줄까?"

그의 어머니는 해준이 들고 있는 그림책의 책장을 넘기곤, 웃으며 책에 그려진 그림을 가리켰다.

"해준이 네가 읽고 있는 책. 그리고 여기 그려진 그림을 봐봐."

"경찰차잖아요."

"응, 우리 해준이는 경찰차를 잡았어. 청진기도 있고 연필도 있고, 소방차, 축구공…. 엄청 많았는데 해준이는 고민도 없이 경찰차를 잡았었어."

"경찰차…."

"봐, 지금 해준이가 읽고 있는 책에서도 경찰이 나오잖아? 책을 고를 때마다 경찰이 나오는 책을 좋아하고. 어쩌면 해준이는 커서 멋진 경찰이 될지도 모르겠는데?"

자기 머리를 부드럽게 쓰다듬는 어머니의 얼굴을 살피던 해준이 시선을 옮겨 경찰차가 그려진 그림책을 바라봤다.

경찰.

그 단어를 입에 머금어 보니, 왠지 모르게 온몸이 간질거렸다.

"경찰이 되면 좋은 건가요?"

"응? 물론 해준이 네가 경찰이 되고 싶으면 엄마는 열심히 응원할 거야. 해준이는 착하고 용기 있으니까 커서 누군가를 도와줄 의로운 경찰이 될 거야. 모두가 외면해서 힘든 사람에게 손을 내미는 멋진 경찰."

시끄러운 알람 소리와 함께 눈이 번쩍 뜨였다. 몸을 일으켰으나, 잠을 잘못 잔 것인지, 밤사이 꾸었던 꿈 때문인지, 정신이 몽롱했다. 어둠 속에서 방안을 응시하며 해준은 멈춰있던 머리를 천천히 굴렸다. 꿈이었던 건가. 너무나 생생한 기분에 손을 내려다보며 따뜻했던 목소리와 그 손길을 떠올렸다.

오랜만이다. 어머니의 목소리를 들은 것도, 그 품에 안긴 것도.

어렸을 적, 어머니가 돌아가신 후로 어머니는 해준의 꿈에 나온 적이 없었다. 자라면서 그녀의 목소리도 손길도 잊어가며 어른이 되었다. 어머니에 대한 기억이 점점 희미해져 가는데도 자신의 꿈에 나오지 않는 어머니께 서운함은 없었다. 꿈에 나온다는 건 꿈을 꾸는 당사자가 원했다는 것. 스스로가 어머니를 뵙는 것을 원하지 않기에 어머니가 꿈에 나오지 않는다고 생각했다. 그럼에도 막상 꿈에 나온 어머니의 또렷한 얼굴을 떠올리니, 자신도 몰랐던 서운함을 마주하는 기분이 들었다. 늘 어머니를 그리워했다. 항상 어머니를 떠올렸다. 그것과 동시에 어머니가 꿈에 나오지 않길 바랐다. 두려웠기 때문이었다. 하지만, 꿈에 나온 어머니는 어렸을 적 기억 그대로 다정한 미소로 해준의 머리를 쓰다듬었다. 어머니와의 대화. 꿈에서 제일 강렬했던 건 그녀와의 대화였다. 어렸을 적 해준에 관한 이야기. 그리고 경찰에 관한 이야기. 어렸던 해준은 경찰이 되고자 했던가. 눈살을 찌푸리며 기억을 되짚어 보아도 그런 기억은 존재하지 않았다. 하지만 분명한 사실은 태어나고 백일이 지난 돌잔치에 자신은 경찰차를 잡았다는 것. 그리고 어머니는 해준을 많이 사랑했다는 사실이었다. 그 따뜻함이 사랑의 증거였다.

몽글거렸던 꿈을 뒤로하고 해준은 밖에 나갈 채비를 마쳤다. 꿈을 제외하면 어제와 같은 아침이었다.

집 밖을 나선 해준은 날마다 걸어서 출근했다. 직장과 집이 가깝기도 했고, 걷다 보면 머릿속을 채운 잡념이 깨끗이 사라졌다. 미래라든지, 과거라든지. 머리를 떠나지 못하는 생각들을 겨울바람에 흘려보내면 머리가 시원해지는 기분을 느낄 수 있었다. 또 다른 이유를 꼽자면 수많은 사람과의 짧은 스침이었다.

사람을 상대하는 것을 좋아하지 않는 해준은 여러 사람의 모습을 보는 걸 좋아한다. 이 말 자체가 모순일 수 있지만, 상대하는 것과 지켜보는 것은 확연히 다른 차이가 있다. 해준은 그 차이를 두고 좋은 것과 싫은 것을 나눌 뿐이었다. 사람들은 각자의 아침을 각자의 방식으로 보낸다. 버스를 타고 출근하는 직장인. 대학생. 가끔가다 보이는, 학교에 지각한 어린 학생들까지. 보기 좋다고 말할 것까진 아니지만 그 일상 틈에 자신도 평범하게 섞여 누군가는, 해준이 다른 상대를 생각하는 것처럼, 해준을 평범한 직장인으로 봐줄 것 같았기에 그런 마음으로 출근길의 거리를 보고 싶어 하는 걸지도 모른다. 평범하게 보이고 싶은 건 누구나 가지고 있는 생각이다. 누군가는 거기서 핀잔을 주며 특별하고 눈에 띄어야 한다고 말하지만, 해준은 모두의 동경을 받는 위치는 달갑지 않았다. 스포트라이트를 받는 주인공보단, 평범한 엑스트라로 남고 싶었다. 그편이 인생을 살아가는데 더욱 편리하다고 생각했다.

"해준 씨 왔어요?"

"안녕하세요."

"좋은 아침이에요~"

해준이 자신의 자리로 향하면, 기획팀의 사람들은 상냥하게 웃으며 해준에게 인사를 건넨다. 이에 해준도 그들을 따라 고개 숙여 아침 인사를 건네면 직장에서의 하루가 시작된다.

해준은 지금의 직장생활이 마음에 들었다. 안정적인 직장은 해준에게 딱 적합했고 회사 생활에서 깊은 인간관계를 형성하지 않은, 앞으로도 만들지 않을 해준에겐 일과 관련된 연락만 취해주는 부서 사람들은 최적이었다. 게다가 이번 직장만큼은 일 외에 사적인 연락이 와도 그다지 불편하지 않았다. 게다가 서로의 시간을 존중해준다는 점이 해준에게 있어 더할 나위 없이 좋았다.

"벌써 점심시간이네. 얼른 밥 먹으러 갑시다."

"성연 씨. 오늘은 나가서 먹지 않을래?"

"어, 좋죠. 다른 분들은요?"

"저는 오늘 식당에서 먹으려고요. 지안 씨는요?"

"저도요. 같이 가요. 유림 씨."

"해준 씨, 오늘 점심 같이 안 먹을래요? 혹시 샌드위치 어때요? 요 앞에 체인점 생겼던데요."

"네. 샌드위치 괜찮아요."

책상을 정리하던 해준이 성연의 물음에 고개를 끄덕이며 대답했다. 해준의 의견에 엄지와 검지를 말아 오케이 표시를 만든 성연이 다른 직원들에게 말을 전할 동안 해준은 파일철을 서랍에 넣었다. 정리가 끝난 그와 성연이 합류해 세 사람은 가벼운 대화를 나누며 사무실 밖으로 나섰다.

"오늘 진짜 춥네요. 올해 눈은 언제 오려나."

성연이 입은 외투를 여미며 팔짱을 꼈다. 그런 성연에게 손사래를 치며 동환이 실없이 웃었다.

"안 왔으면 좋겠는데 난."

"조금이라면 괜찮지 않아요? 펑펑 오는 것만 아니면 전 좋던데요."

"나도 그 정도면 좋지 뭐."

"형, 이번 겨울은 율이 데리고 썰매장 가봐요. 이제 율이도 썰매 탈 나이는 되지 않았어요?"

"어, 그래. 안 그래도 얘가 썰매장 가자고 난리다. 사람 없는 비수기에 가야지. 몰릴 때 가면 사람 꽉 차서 썰매는커녕 발 디딜 데도 없을 테니까…. 시기를 잘 골라야겠지. 아무래도."

"평일에 가는 게 아무래도 나을 것 같은데요? 오전 입장 시간에 맞춰서 일찍 가는 게 즐기기 편할 것 같은데."

대화를 나누는 두 사람의 말에 귀를 기울이며 해준이 걸음을 옮겼다. 두 사람의 대화에 자신이 끼어 있지 않았지만, 소외감 따위는 느껴지지 않았다. 애초에 해준은 말이 많은 사람이 아니었고 두 사람 또한 해준과 함께하는 시간이 늘며 그 사실을 잘 알고 있었다. 게다가 대화에 끼지 않는다고 두 사람이 해준을 소외시킬 만한 사람이 아니라는 것도 잘 알고 있었다. 대화하기 위해 해준이 억지스러운 질문을 꺼내지 않아도 되고, 또 종교가 있는 해준에게 딴지를 걸지 않는 두 사람의 행실로 인해 해준은 그들과의 식사 자리가 나쁘게 느껴지지 않았다.

과거의 해준은 다른 사람들과 밥을 먹는 것을 불편하게 생각했다. 특히, 종교가 없는 사람들은 더욱 그랬다. '특히'라고 말했으나 종교가 없는 사람들이 나쁘다는 말은 아니었다. 세밀히 말하자면, 해준의 이런 점을 못마땅해하는 사람들과의 식사가 해준은 불편하고 싫었다. 식사 전 기도를 드리는 것이 일상인 해준은 식사 전, 매일 기도를 드렸다. 하지만 그것이 남들 눈에는 이상하게 비쳤던 모양이다.

"해준 씨, 해준 씨가 종교가 어디라고 했죠? 교회? 아니면 성당?"

"성당 다닙니다."

"아, 그래요? 좋아요. 좋은데…. 남들 다 먹는 자리에서까지 기도드리고 먹는 건 조금 그렇지 않나 싶은데. 아니 한두 번 그러는 것까진 이해해 보겠는데 계속 그러니까. 해준 씨가 이해 좀 해줄 수 없어요? 저희도 해준 씨가 그러니까 밥 먹기 눈치 보이고 기다리게 되잖아요. 게다가 다 같이 먹는 자리에서 해준 씨만 홀로 늦게 먹고 그러면 미안하고. 그리고…. 옆 테이블에서 자꾸 쳐다보잖아요. 다른 사원분들도 별로 안 좋아하고 그래서 제가 대표로 말하는 거예요. 해준 씨가 이해 좀 해줘요. 응?"

이해. 사람들은 해준에게 늘 이해를 강요했다. 전에 다녔던 직장에서는 더욱 해준의 이해를 요구했다. 해준이 남들과 조금 다른 모습을 보이면, 그 모습이 자신들의 마음에 들지 않으면 모두가 편하다는 이유로 해준이 고쳐야 한다고 말했다. 하지만 해준은 그 말을 납득하기 어려웠다.

"그럼, 내일부턴 저를 제외하고 식사하세요. 저는 집에서 도시락을 가져오겠습니다."

합리적인 방법이라고 생각했다. 해준의 식사 전 기도가 불편하다면 같이 식사하지 않으면 된다. 그러면 남들은 편하게 식사할 수 있고 해준 또한 사람들 틈에 섞여 불편했던 점심 식사를 끝낼 수 있어 더할 나위 없이 좋았다. 하지만 그것마저 남들에게는 이상하게 비칠 뿐이었다.

"해준 씨 말이에요. 사람이 좀 이상하달까. 어딘가 사회성이 결여된 것 같지 않아요?"

"내 말이…. 아니 누가 성당 다니지 말라고 했냐고. 밥 먹기 전에 기도 한 번 안 한다고 죄짓는 것도 아니고…. 바로 혼자서 밥 먹겠다고 빠지니까 우리가 잘못한 것 같잖아."

"옆 부서에서 저희더러 해준 씨 따돌리는 거 아니냐고 물어보는데. 장난인 거 알면서 괜히 짜증 나는 거 있죠?"

"내 생각에는 사회성 부족이 맞는 것 같아. 몇 달을 일했는데 일 빼고는 우리랑 대화도 안 나눠. 밥 먹을 때도 조용하고 회식할 때도 조용하고. 얼굴 멀쩡하게 생겨봤자 뭐해? 사람이 사람이랑 교류하면서 살아야지. 자기 혼자 잘난 맛으로 살아가는 것 같다니까. 저번에 내가 여행 다녀오면서 기념품 나눠줬을 때 기억나지? 그때도 대놓고 초콜릿은 좋아하지 않는다고 거절했잖아. 사람이 주는 성의를 생각해서 받아놓고 집에 두던가, 다른 사람 주든가 해야지. 사람 무안하게 앞에서 거절하면 되겠냐고."

"맞다. 그랬죠? 그때 저까지 무안했어요. 언니가 열심히 고른 기념품이잖아요. 정성을 봐서 받는 게 예의인데 설마 그런 것도 모르는 건 아니겠죠?"

"내 생각에는 좀 이상한 사람 같아. 인격적으로"

"그죠? 같이 대화 나누면 관심 없다. 모르겠다. 대충 대답만 하고. 지금까지 어떻게 살아왔나 싶더라고요. 말을 걸어도 심드렁하니…."

전에 있었던 직장은 해준과는 잘 맞지 않았다. 점점 멀어져가는 해준을 뒤에서 몰래 얘기하기 바빴으며, 해준이 어떻게든 불행해지길 바랐다. 물론 모두가 해준을 싫어한 게 아닌, 팀원 중 일부가 해준을 시기해서 벌인 짓들이었지만 갈수록 심해지는 팀원들의 불편한 행동에 해준은 직장을 옮기기로 했다. 다행히도 옮긴 이곳의 회사에서는 사람들과의 관계도 일의 적합성도 모두 해준의 마음에 들었다. 출근길이 멀지 않다는 점 또한 좋았다. 평온한 일상. 하루하루 똑같이 안정된 이 일상이 해준은 너무나 편안했다.

퇴근길. 다른 날보다 좀 더 늦게 일을 마친 해준은 피곤한 몸을 이끌고 집으로 향하기 위해 발걸음을 내디뎠다. 그 순간이었다.

"해준 씨! 집에 들어가요?"

긴 머리카락을 찰랑거리며 지안이 다가와 물었다. 해준의 기억대로라면 지안의 자택은 이 방향이 아니었다. 게다가 퇴근길에 길이 겹친 적도 없다. 떠오르는 의문을 뒤로한 채, 고개를 끄덕이자, 그녀가 웃으며 말을 이어갔다.

"오늘 밤하늘 너무 좋네요. 이런 풍경을 볼 때마다 저는 해준 씨가 부러워요. 집이 가까워서 하늘을 구경하면서 다닐 수 있잖아요."

"그럼, 지안 씨도 걸어 다니세요."

"네? 아하하! 전 안 돼요. 집이 멀잖아요. 걸어서는 밤늦게 도착해요. 야근하면 완전 새벽이에요."

지안의 말에 그녀를 돌아보자, 그녀가 입꼬리를 올리며 물었다.

"왜 그래요?"

"집으로 가는 길이에요?"

"네! 퇴근했으니까요?"

"이쪽 방향 아닌 걸로 아는데요."

해준의 말이 끝나자마자, 지안이 머리를 넘기며 사람이 붐비는 가게 안으로 시선을 돌렸다.

"친구랑 약속이 있어서요. 잠깐 만나고 집에 가려고요."

고개를 끄덕이며 그녀의 말에 경청하는 태도를 보이자, 그녀가 다시 해준에게로 시선을 고정했다.

"해준 씨는 친구분들이랑 놀 때, 주로 어떻게 보내요?"

"전 친구 없습니다."

"에이, 장난이죠?"

지안이 웃으며 해준의 팔을 툭 쳤지만, 해준의 얼굴에는 미동이 없었다. 말없이 지안을 빤히 바라보자, 그녀가 입술을 깨물었다.

"왜…. 없어요?"

"그냥, 혼자가 편해서요."

덤덤하게 나오는 해준의 태도에도 불구하고 그녀는 자기 행동이 무례하다고 생각했는지, 이미 뱉어버린 말을 수습하기 위해 애쓰기 시작했다.

"저, 전 혼자가 편한 사람의 입장도 충분히 이해돼요. 저도 그런 적 있으니까요!"

"안 그러셔도 돼요. 괜찮습니다."

"아뇨! 억지로 그런 거 아니에요. 진심이에요. 세상에는 다양한 사람이 있으니까, 각자의 뜻대로 사는 거죠. 혹시 알아요? 나중에 같이 있어도 편한, 좋은 친구를 사귀게 될지?"

"그런가요."

"네! 앞날은 모르는 거니까요."

앞날이라. 흥미있는 주제에 저절로 고개가 끄덕여졌다.

"그런 날이 오면 해준 씨는 그 친구한테 의지하세요!"

"도움이 안 되면 어떡합니까."

"도움이 안 될 리 없죠. 힘든 일이 있을 때는 옆에 있어 주는 것만으로 위로가 된다고요."

"그런가요."

대화가 끝나고 적막이 흘렀다. 이런 적막에서 보통의 사람들은 어색함에 새로운 주제 거리를 꺼내곤 하지만, 해준은 아니었다. 오히려 적막의 고요함이 좋았다. 억지로 말을 꺼내지 않아도 되니까.

"그럼, 여가시간에는 주로 뭘 하세요?"

"딱히 하는 건 없습니다."

"영화나, 드라마 시청은 안 하세요?"

"가끔 봅니다."

"게임도 많이 하세요? 남자들은 게임 많이 한다던데. 전 외동이라서 잘 모르지만, 제 친구 중에 오빠가 있는 친구들이 그러더라고요.

주말 내내 방에 틀어박혀서 게임만 한다고요. 대체 뭐가 그렇게 좋은지 모르겠다고 말하면서 질색하는 표정으로 오빠분 얘기를 하는데…."

말하는 동안 지안은 그때의 대화를 떠올렸는지 입가를 가리며 웃음을 터뜨렸다. 소중한 사람을 생각하며 짓는 웃음이었다. 정말이지, 얼굴로 감정이 너무나 잘 드러나는 사람이다.

"그렇군요."

"해준 씨는요? 형제자매 있어요?"

지안의 물음이 끝나자마자 두 사람의 귓가에 휴대폰 벨소리가 들려왔다. 놀란 얼굴의 지안이 허둥대며 가방을 뒤졌다.

"아, 제 휴대폰이에요. 잠시만요…."

급하게 휴대폰을 꺼내든 지안은 전화를 받아들며 미소를 지었다. 그 모습을 바라보던 가만히 해준이 그녀의 통화가 끝나는 타이밍에 맞춰 목례하며 말했다.

"저는 이만 가볼게요. 조심히 들어가세요."

"어, 잠깐만요!"

자리를 떠나려던 해준을 붙잡은 지안의 행동에 해준이 조금 놀란 표정을 지어 보이자, 오히려 그녀가 토끼눈을 한 채 해준의 팔을 놓았다.

"아, 그게…. 붙잡으려던 게 아니고요."

"네. 압니다. 하지만 전 이제 이쪽으로 가야 해서요."

해준이 신호가 깜빡이는 횡단보도를 가리키자, 지안이 잔뜩 움츠러진 얼굴로 고개를 숙였다.

"미안해요! 저 때문에 건너지도 못하고…."

"아닙니다. 정말 괜찮아요."

너무나 미안해 보이는 표정을 지으니 더더욱 뭐라 할 수 없었다. 애초에 딴지를 걸 생각은 없었으나, 기분을 상하게 하거나 화나게 하는 행동을 하지 않았는데도 저리 사과하는 지안이 조금 특이하게 느껴지기도 했다.

지안과 헤어진 후, 해준은 추위를 피해 주머니에 차가운 손을 넣었다. 주머니 안은 따뜻했다. 손을 녹여주며 위안을 주고 있었다.

해가 빨리 지는 겨울의 밤거리에는 여전히 사람이 많았다. 해준과 마찬가지로 막 직장을 마친 사람도 있을 테고, 교복을 입은 학생들도 보였다. 출근길의 풍경을 살피며 걷는 것처럼, 퇴근길도 똑같다. 하지만 퇴근길에서는 출근길에서는 보지 못했던 풍경을 더 많이 볼 수 있었다. 시끄럽게 떠들며 술에 잔뜩 취한 사람들. 다정하게 붙어 집으로 향하는 연인. 학원을 마친 자녀를 기다리는 부모들까지 하루의 시작과 끝의 모습은 확연한 차이를 보인다. 그런 사람들 틈에 섞여서 집에 가는 길은 해준에게는 조금 불편하게 느껴졌다. 저 사람들의 퇴근길은 해준의 분위기와는 전혀 달랐기에, 출근길이든 퇴근길이든 똑같은 얼굴로 살아가는 그에게선 볼 수 없는 다양한 표정들이 있어서, 저 표정을 짓고 있는 지금, 그들은 무슨 기분일까, 생각하면서도 애써 따라 지어볼까, 생각한 자신이 우스워 그만두었던 기억이 존재해서, 싫고 화가 나는 감정은 전혀 아니었지만 그렇다고 좋은 감정이 느껴지지도 않은 애매모호한 그 감정을 불편하다고 정의 내린 것이다.

해준을 지나쳐 간 버스에서 다양한 사람이 내리고 뒤이어 무거운 물체가 우수수 떨어지는 소리가 들려왔다.

"어머, 어머나…."

그 소리에 자신도 모르게 고개가 돌아갔고 그 눈에 중년의 여성이 비쳤다. 시장에서 장이라도 본 건지, 두 손에 검은 비닐봉지가 쥐여 있었는데 그 중 왼쪽 손에 들린 비닐봉지의 끈을 놓치기라도 한 건지, 그 안에 든 귤이 모두 땅으로 떨어져 굴러다니고 있었다. 그 모습이 눈에 들어온 것과 동시에 해준이 말없이 다가가 굴러가는 귤을 줍기 시작했다. 지나가는 사람들의 시선이 해준과 당황하는 중년의 여성에게로 향했다. 그럼에도 묵묵히 여성이 떨군 귤을 모두 주운 해준이 그녀에게로 다가가 귤을 내밀었다.

"고마워요…."

주름진 얼굴을 활짝 웃어 보이며 여성이 해준의 손등을 쓰다듬었다. 그러고는 봉투 안을 뒤적거리더니 귤 세 개를 내밀었다.

"이거 받아요."

"아닙니다. 괜찮습니다."

"아니에요. 도와줬는데 뭐라고 주고 싶어서 그래요. 받아요."

거절하는 해준의 의사에도 불구하고 여성은 해준의 손에 억지로 귤을 쥐여주었다. 그런 후에 조심히 들어가라는 말을 남기고는 그 자리를 떠났다. 여성이 사라진 거리에 홀로 남은 해준은 손에 쥐어진 차가운 귤을 바라보며 희미한 미소를 지었다.

집에 돌아오자마자 가장 먼저 지친 몸을 씻는다. 샤워 후에는 저녁 식사를 준비하고 식사를 마치면 뉴스 시간을 기다린다. 매일 아홉 시마다 하는 뉴스를 시청하면 세상이 어떻게 돌아가고 있는지 잘 알 수 있었다. 여러 사건 사고를 알려주는 기자들의 표정, 몸짓, 목소리. 세세한 것들을 다 눈여겨보며 하루를 끝낼 준비를 한다.

물이 뚝뚝 떨어지는 머리를 수건으로 털어내며 거실로 나온 해준의 시선을 끄는 텔레비전의 화면에서는 뉴스가 아닌 가끔 챙겨보던 미스터리 프로그램이 한창 진행되고 있었다.

진중한 표정의 진행자는 최근 연달아 발생하는 실종 사건에 관해 설명하고 있었다. 실종 사건의 미스터리와 범인의 존재를 주제로 방송인들이 대화를 나누고 있었다. 실종이라는 단어로 인해 해준은 경찰서 앞에서 있었던 일이 떠올라 기분이 더러워졌다.

피곤하니 오늘은 이만 잘까. 계속해서 얘기를 나누는 출연진의 목소리가 끊기고 텔레비전의 화면이 어두워지자, 그 검은 화면 속에 해준의 모습이 비쳤다. 흐릿한 그 형체가 자신을 빤히 쳐다보고 있었다. 남들이 모르는 자기 자신만이 아는 그 얼굴이.

꺼진 텔레비전을 멍하니 바라보던 해준은 이내 정신을 차리고 자리에 앉아 두 손을 모은 뒤 눈을 감았다. 긴 하루의 끝. 하루를 마치기 전에 제일 중요한 시간. 마음을 정리하는 시간이었다.

“성부와 성자와….”

사람은 누구나 죄를 짓는다. 죄의 크기에 따라 인간들이 정한 법으로 처벌을 내리거나, 처벌 없는 사과의 말이 오간다. 완벽한 인간상에서 벗어나 죄를 짓고 살아가는 나약한 인간이 되어버린 후로 천국에 가기 위해 자신의 죄를 뉘우치고 살아야 한다. 해준의 아버지는 그렇게 말씀하셨고, 지금 해준은 그런 삶을 살고 있다. 안정적이고 평안한 나날. 그것들은 모두 이 시간을 통해 만들어진다. 쓸데없는 잡념들과 근심 걱정들도 모두 이 시간을 통해 씻어낸다. 한참을 그렇게 있던 해준은 천천히 눈을 떴다. 시간은 열 시를 훌쩍 넘은 시간을 가리키고 있었다. 이제는 잠들어야 한다. 어차피 더 이상 할 것도 없고, 지금 잠들어야 다음날의 일상생활에 지장이 없으니, 해준은 그만 잠을 청하기로 했다. 몸을 일으켜 텅 빈 거실 풍경을 바라보던 그는 손을 들어 올려 스위치를 눌렀다.

아침이 밝았다. 현관문을 나선 해준은 평소와는 다른 분위기에 걸음을 멈추었다. 달라진 게 없는 복도 풍경이 오늘따라 신경 쓰였다.

가만히 서서 복도를 바라보던 중, 앞집의 문이 열리고 잠옷 차림의 남성이 해준을 바라봤다. 그의 손에 들린 초록색 쓰레기봉투가 그에게는 민망함과 창피함을 느끼게 하는 것 같아, 그에게 간단한 목례 후 계단이 있는 비상구의 문을 열었다. 엘리베이터를 타고 그대로 내려가도 됐지만, 단둘뿐인 엘리베이터에서 서로 어색한 분위기를 해결하기 위해 마음에도 없는 질문을 마구 꺼내어 주고 답할 걸 생각하니 피곤함이 몰려왔기 때문이었다.

또 하나는 앞집 남자와의 첫인상이 딱히 좋은 편에 속하지는 않았다는 사실이었다. 해준이 이곳에 이사 오고 얼마 지나지 않아, 앞집 남자와의 층간소음 문제로 잦은 마찰이 많았다. 현재는 갈등이 해소됐지만, 사람의 감정이란 게 모두 사라지는 건 아니었다. 그때의 기억으로 인해 해준에게는 아직도 저 남자가 달갑게 느껴지지 않았다. 또 이걸 이유라고 포함할 수 있다면, 최근의 일 때문이기도 하였다. 짧은 순간에 엮인 여자가 실종되고, 경찰과 대면하고, 어머니의 꿈을 꾸었다. 평소 일상과는 다른 일들로 인해 심경의 변화가 생긴 걸지도 모르겠다고 생각하자, 자신이 우습게 느껴졌다. 평소의 해준이었다면, 과거의 해준이었다면 저 남자가 어떻든 무시하고 하루의 시간을 최대한 아껴 효율적으로 행동했을 것이다.

하지만 오늘은 그러지 않았고, 이렇게 남자를 피해 계단을 통해 내려가는 중이다. 엉망이네. 입안을 구르는 단어를 다시 머금어봤다. 엉망이다. 계단을 내려가던 발을 멈추고 해준이 긴 한숨을 내쉬었다.

오늘 하루는 오전부터 최악이다. 어쩐지 손이 가볍다 싶었는데, 서류가 든 가방을 집에 두고 왔다. 추가로 수정할 게 있어, 이른 아침에 일어나 자판을 두드렸는데 그 피곤함이 이런 실수를 낳은 모양이다. 한숨을 깊게 쉬어도 해결될 건 없었다. 직접 올라가 다시 집으로 들어갈 수밖에 없다. 이럴 때는 높은 층에 살지 않는 것이 다행이었다. 머릿속에서 내린 명령에 따라 계단을 올라 다시 집으로 들어간 해준은 소파 위에 올려진 서류 가방을 챙겼다. 이렇게 잘 보이는 곳에 뒀는데 아까는 왜 몰랐던 건지, 이런 작은 것도 놓치는 자신이 정말 엉망이라는 생각을 다시 하던 그때였다.

해준의 귓가에 낯선 인기척이 들려왔다. 현관문 너머. 저 복도에서 누군가의 발소리가 들렸다. 앞집 남자의 소리가 아니었다. 앞집 남자가 해준의 현관문 바로 앞으로 찾아올 일은 없다. 그리고 이 기시감은 앞집 남자를 말하고 있는 게 아니었다. 침묵을 유지한 채 발소리를 내던 낯선 이가 멈춰 섰다. 그 소리를 통해 낯선 이가 해준의 집 앞에 서 있다는 사실을 알 수 있었다. 걸음을 옮겨 천천히 현관으로 향한 해준은 서늘한 눈으로 현관문을 바라봤다.

현관문을 사이에 둔 저 바깥에 누군가가 서 있다. 이렇게 이른 시간에 해준의 집에 방문할 사람은 없다. 아파트 주민일까. 층을 착각해서 서 있는 걸까. 가지각색의 생각이 들었지만, 꼬리를 물고 늘어지면 이해가 안 되는 행동이라 해준은 일단 잠자코 기다리기로 했다.

잠시 뒤, 해준이 조금 전에 들었던 발소리가 다시 들리더니 이내 천천히 멀어져갔고 뒤이어 엘리베이터의 문이 열리는 소리가 들려왔다. 그제야 해준은 문을 열고 나와 현관문을 바라봤다. 현관문은 변한 게 없었다. 아무 짓도 하지 않고 집 앞에 있다가 사라졌다. 대체 무슨 생각이었던 거지. 해준이 곰곰이 생각하며 귀에 담아두었던 발걸음 소리를 떠올렸다. 그 소리는 구두 소리였다. 여자보다는 남자의 구두 소리에 가까운. 둔탁하고 무거운 감이 있는 그런 소리. 물론 구두의 재질에 따라 다르겠지만 해준이 신고 있는 이 남성용 구두에서 나는 소리와 비슷했기에 이러한 판단을 내리게 되었다.

하지만 판단을 내린다고 해서 확인할 방도는 없고 딱히 아무 짓도 하지 않았으니, 해준은 그것에 대해선 그만 생각하기로 했다. 지금은 회사에 출근하는 게 제일 우선이었다. 우선순위를 먼저 실행해야 흘러가는 시간을 최대한 아껴서 효율적으로 사용할 수 있다. 효율. 해준에게는 효율이 중요했다. 어떤 것이든 이성적이고 합리적인 판단을 통해 효율을 얻어야 했다. 인간관계에서도.

밖으로 나간 해준의 눈썹이 꿈틀했다. 고개를 들어 하늘을 보니 상태가 영 좋지 못했다. 구름이 낀 하늘 아래에서 사람들은 전날보다 어두운 얼굴로 길을 걷고 있었다. 오늘은 정말 되는 게 없다.

평범한 생활을 유지하고 싶다. 어긋나는 생활은 용납할 수 없다. 괜스레 쳐지는 기운에 해준이 고개를 내저었다. 최근의 일 때문에 심경이 복잡한 거다. 그래서 오늘 하루가 엉망인 거다. 그런 일은 해준의 삶에서 처음 겪는 일이었다. 애초에 이런 경험을 하게 되는 사람도 드물겠지만, 해준은 자꾸만 떠오르는 아버지의 얼굴에 떨어질 생각을 안 하는 더러운 감정을 씻어낼 수 없었다. 입술을 깨물며 걸음을 옮기던 해준은 복잡한 머리를 천천히 식히며 생각에 잠겼다. 감정. 이 감정에 관한 생각을 버려야 한다. 감정에 치우쳐져선 안 된다. 그런 자기 암시를 걸며 해준은 회사로 향했다.

그날 오후. 모두가 퇴근을 준비하는 사이, 성연이 살갑게 다가와 해준에게 물었다.

"해준 씨는 오늘도 헬스장 가요?"

"네."

짧은 대답과 함께 고개를 끄덕이자, 옆에서 대화를 듣던 지안이 눈을 반짝이며 해준을 바라봤다.

"대단해요…. 헬스장도 다니면 피곤하지 않아요?"

지안의 물음에 해준이 대답을 생각하는 사이, 성연이 앉아있던 해준의 어깨에 팔을 기댔다.

"에이. 어떻게 알아요. 이렇게 조용하지만, 은근히 운동을 즐길 수 있는 거 아니에요? 내가 보기엔, 해준 씨 운동 좋아하는데 안 좋아하는 척하는 거라니까요. 어떻게 일 끝나고 바로 운동하러 가? 안 좋아하는데."

"그렇지만 저번에 물었을 때 좋아하는 건 아니라고 했잖아요. 저는 체력 관리하려고 다니는 건가 싶었어요."

"체력 관리라고 하더라도 헬스장 비용 좀 들지 않나? 해준 씨, 좋아서 다니는 거예요?"

"아뇨. 좋아서 다니는 건 아닙니다."

"봐요. 제가 맞았죠? 해준 씨는 변함없이 한결같은 사람이라 매번 똑같다고요."

"정말이에요? 그러면 왜 다니는 건지 물어도 돼요?"

성연의 물음에 시선을 떨구어 생각에 잠긴 해준은 자신을 바라보는 두 사람의 눈빛에는 조금 무색한 대답을 내놓았다.

"그냥, 생각이 정리되거든요."

"그게 다니는 이유에요? 진짜 이럴 때마다 해준 씨가 적응이 안 돼요. 은근히 엉뚱하다고 해야 하나…."

"전 참신했어요. 나도 해준 씨처럼 헬스장이나 다녀 볼까, 싶지만…. 회사가 끝나면 너무 피곤해서 엄두도 안 나네요."

"저도요. 그래서 해준 씨 참 대단한 사람이다 싶어요. 주변 사람들이 재미없다는 말을 많이 하시지만, 저는 그렇게 생각 안 해요. 열심히 사는 모습 보기 좋아요."

밝은 미소로 내뱉은 지안의 말에 세 사람 사이의 분위기가 묘하게 변했다. 어깨에 올려진 손이 천천히 떨어지더니 성연이 헛기침하며 애꿎은 넥타이를 매만졌다. 어색해진 분위기에 성연이 웃으며 말을 꺼냈다.

"자, 그럼 두 사람 오늘 수고 많았어요. 전 먼저 가볼게요."

"네! 조심히 들어가세요!"

지안이 성연에게 인사한 후, 시선을 돌려 해준과 눈을 마주쳤다. 여전히 미소를 지은 그녀는 웃는 얼굴로 입을 열었다.

"해준 씨도 조심히 들어가요. 먼저 가볼게요."

"네. 내일 봬요."

인사를 나눈 지안이 떠난 후, 해준은 지안의 말을 떠올렸다. 열심히 사는 모습이라. 지안의 눈에는 자신이 그렇게 비쳤던 걸까. 이상한 기분에 목덜미를 쓸며 해준 또한 사무실 밖으로 향했다.

해준의 동네에 있는 헬스장은 사람이 그리 많은 편은 아니었으나 그렇다고 너무 적지 않았다. 이 인구 밀도가 해준은 괜찮다고 생각하고 있었다. 너무 적다는 것은 이곳의 인식이 좋지 않다는 것이었고 너무 많으면 그것도 그거대로 피곤해지기 때문이었다. 많은 사람 틈에 섞여 운동한다는 것은 상상하기도 싫었다. 갑자기 말을 걸어오는 것도, 친근하게 다가오는 것도 싫었다.

그렇기에 해준이 정한 헬스장은 해준에게 안성맞춤이었다. 누군가 말을 거는 일도, 친해지자는 말도 없었다.

건물 안으로 들어간 해준은 미리 계획한 대로 운동을 시작했다. 근력 운동에 집중해서 어제보다 조금씩 숫자를 늘린다. 날짜에 따라 다른 운동으로 교체하며 꾸준히 하다 보면 체력은 점점 좋아진다. 이미 현재 체력도 평범한 성인 남성에 비해 좋았지만, 해준은 더 많이 체력을 길러야 했다. 금방 피곤해지고, 지치면 안 되니까. 일을 계속하며 오래 살아야 하니까. 그러니 꾸준히 쉬지 않고 운동을 해야 했다. 체력이 좋다면 안전하기도 하니까.

러닝머신에서 내려온 해준의 이마에서 땀이 흘렀다. 이만하면 됐다. 시간도 늦어가니 집으로 가야겠다고 생각하며 물건을 챙기려던 해준은 걸음을 멈추고 텅 빈 의자를 바라봤다.

의자 위에 잠깐 올려둔 텀블러가 사라졌다. 주변을 둘러봤지만, 텀블러를 가져갈 만한 사람은 보이지 않았다. 착각한 건가. 공용공간에서는 그럴 수 있다. 남의 것과 자기 것을 착각해 저도 모르게 물건을 훔치는 경우. 물론 해준은 그런 적이 한 번도 없고, 항상 주의하는지라 그런 경우가 없었지만, 물건을 도난당하는 처지에 놓일 줄은 예상하지 못했다. 아니. 꼭 처지라고 해야 할까. 텀블러는 다시 사면 된다. 물건을 가져간 사람도 실수로 한 행동이니 굳이 찾아내서 텀블러와 용서를 받아내고 싶지 않았다. 흐르는 땀을 수건으로 닦아내며 해준은 집으로 가기 위한 발걸음을 뗐다.

—

"서해준."

낮고도 진중한 목소리가 해준의 시선을 끌었다. 눈가에 주름이 진 남성은 무표정한 얼굴로 해준을 내려다보고 있었다. 해준의 아버지였다. 젊은 시절의 아버지.

"그날의 일, 잊지는 않았겠지?"

어깨를 부여잡은 두 손이 더욱 무겁게 느껴졌다. 아버지의 두 눈 속에서는 아무런 감정도 읽을 수 없었다.

"잊지 않았어요."

"그래. 지금도 시간이 흘러서도 잊지 않아야 한다. 명심하거라."

"명심할게요."

해준의 대답에 그는 두 어깨에 힘을 주어 해준에게 무거운 압박을 불어넣고 있었다.

"그 말도 잊지 않았겠지?"

"잊지 않았어요."

짧은 대답을 하며 아버지를 응시했다. 무표정의 아버지는 화난 얼굴이 아니었다. 항상 그런 얼굴을 짓고 있었다. 감정을 알 수 없는 무뚝뚝한 얼굴. 그 얼굴이 해준에게는 제일 익숙했다. 아버지는 지금, 그런 익숙한 얼굴로 예전에 전했던 그 말을 다시 꺼내어 해준에게 당부하고 있다. 약속, 약속인 셈이다. 아버지와 자식 간의 약속. 굳건한 관계가 지속되는 약속. 지키지 않으면 아버지가 곤란하다. 지키지 않으면 나 자신이 곤란해진다.

"마음이 흔들린다면 넌 아버지가 했던 말을 지키지 못할 거다. 그러니 항상 마음을 굳건히 하고 살아라. 네가 살아가야 하는 이유를 항상 되새겨라. 네가 해야 할 일을 잊지 말아야 한다. 그리고 마음속에 담아둬라."

텅 빈 눈. 아버지의 두 눈은 텅 빈 눈에 가까웠었다. 검은색 눈동자 속에서는 빛이 보이지 않았다. 어둡고, 적막한 그 눈은 이때만큼은 환희에 찬 듯 빛나고 있었다. 그 이유는 아버지의 신념이 담겨 있기 때문이겠지. 아버지의 신념. 우리의 약속 또한 아버지의 신념으로 인해 생겨난 것이며 그 일로 인해 점점 살이 붙어 비밀이라는 형태로 완성된 것이겠지.

이해한다. 아버지를 이해한다. 그날의 일을 이해한다. 머리로는 받아들이기 힘들어도 이해하기 위해, 이해한 척 행동하기 위해 약속을 지켜야 했다. 비밀을 지켜야 했다. 이대로 지내고 싶다면 이 관계를 유지하고 싶다면 그래야만 했다.

차오르는 감정을 꾹 눌러 담고 해준은 과거 아버지가 말했던 약속의 내용을 떠올렸다. 그리고는 저도 모르게 주먹을 쥐었다.

'경찰은 절대로 믿어선 안 된다.'

"이건…."

집 앞을 나선 해준은 현관문 바깥 손잡이에 묻어있는 이물질에 눈살을 찌푸렸다. 어제까지만 해도 없었다. 그렇다면 해준이 집에 들어가 있는 사이에 이 이물질이 묻었다는 말이었다.

누가 이런 짓을 한 거지. 몰려오는 피곤함에 한숨을 쉬며 해준은 일단 걸음을 돌렸다. 오늘 아침. 어릴 적의 꿈과 함께 잠에서 깨어난 해준은 기분이 이상했다. 저번에는 어머니의 꿈을 꿨으며 이번에는 아버지가 모습을 비췄다. 이미 세상을 떠난 두 사람이 어째서 지금 꿈에 나왔는지 해준은 알 수 없었다. 꿈은 꿈일 뿐이라는 말을 현관 밖으로 나서기 전에 생각했지만, 아무래도 요새 안 좋은 일들이 일어나 그 영향을 받은 것이라는 판단을 내렸다. 어제도 똑같은 판단을 내렸으니 이건 사실에 대한 자기 암시에 더 가까웠다.

여하튼 꿈에 관한 생각으로 가뜩이나 복잡한 머릿속에 또 다른 문제가 끼어드니 머리가 지끈거렸다. 전날 아침에도 현관문 앞에 누군가가 서 있었다. 그리 오랜 시간은 아니었으나, 신상정보를 모르는 낯선 이가 집 앞에 서 있었다는 사실만으로 텅 빈 집을 보고 있자면 소름이 돋았다. 오늘 아침의 이물질도 전날의 낯선 이의 소행이라는 추측을 하며 사무실 안으로 들어가자, 모두의 시선이 해준에게로 쏠렸다.

"해준 씨! 진짜 서운한 거 알아요? 왜 말 안 해줬어요?"

"네? 그게 무슨…."

해준이 말을 마치기도 전에 신난 얼굴의 직원들이 그의 말을 잘랐다. 해준을 제일 먼저 반긴 성연이 그에게 어깨동무하며 물었다.

해준이 지금껏 봤던 표정 중 제일 신난 얼굴이었다.
“해준 씨 애인 있다는 거요. 왜 숨기고 있었어요?”
반기는 얼굴, 놀란 얼굴. 즐기는 얼굴. 여러 표정의 얼굴들이 해준에게 다가와 이해할 수 없는 말들을 쏟아부었다. 아침부터 일어나는 소란에 해준이 눈살을 찌푸리며 그들의 말을 주워들었다.
“애인이라뇨. 없습니다. 그런 거.”
“그런 거라뇨. 숨기려고 해도 너무 심하게 말했다. 여기 증거도 있는데 발 빼실 거예요?”
유림이 들고 온 작은 장미 화분과 화분에 붙여져 있는 분홍빛 편지지에 해준은 다시 한번 눈살을 찌푸렸다. 장미는 생화가 아닌 조화. 게다가 해준의 회사 근처 꽃집에서 파는 화분이었다. 그리고 저 분홍빛 편지 봉투에 적혀 있는 글씨는….
‘사랑하는 서해준님께-’
자필로 쓴 글씨였다. 하지만 해준의 인맥 중에서 저런 글씨체를 가진 사람은 없었다. 즉, 이 부서 안에 사람 중 누군가의 소행은 아니라는 말이었다.
“누가 장난친 것 같습니다. 제 주변에는 이런 걸 보낼 사람이 없습니다.”
“에이, 잘 생각해 봐요. 친구 중에 있는 거 아녜요?”
“친구 없습니다.”
짧은 대답을 마친 해준은 편지를 들어 가방 속에 집어넣었다.
“그럼 버리는 게 낫지 않아요? 가져가게요?”
“네.”

편지를 가져가는 의도가 무엇인지 그들은 알고 싶어 하는 눈치였지만 해준은 말없이 컴퓨터의 전원을 켰다. 해준의 그 행동은 이제 조용히 업무를 보겠다는 의미이며 직원들은 그 의미를 누구보다 잘 알기에 아쉬운 얼굴을 하며 각자의 자리로 돌아갔다. 자판을 두드리던 해준은 가방 속에 넣은 편지 봉투에 대해 생각했다.

발신자가 누구인지 궁금한 건 해준도 마찬가지였다. 추측할 수 없었다. 사무실 안의 사람들은 아니다. 모두의 얼굴을 살핀 결과 거짓된 얼굴을 꾸미는 사람은 없었다.

그리고 화분…. 회사 앞의 꽃집에서 파는 저 화분을 들고 들어왔다면 다른 사람 눈에 띄었을 것이다. 숨기고 온다고 해도 해준의 자리에 화분과 편지를 놓는 과정에서 들키겠지. 하지만 방법은 더 있다. 바로 꽃 배달을 맡기는 것. 화분과 함께 편지를 부탁해 이곳으로 배달했다면, 배달원이 사무실에 들어와도 위화감이 전혀 없게 돼버린다. 이곳 회사에서 업무를 보던 사람들이 오다가다 한 번쯤은 만나본 사람이니까. 이 가설로 생각해 본다면 낯선 누군가가 해준의 직장 위치를 알고 있다는 말이 됐다. 같은 부서 사람이 아닌 낯선 이가. 도대체 누구지. 편지의 주인이 누구인지 생각하기 위해 머리를 굴리느라 일이 손에 잡히지 않았다. 편지 속 내용을 살펴보고 싶다는 충동이 들자, 해준이 눈을 질끈 감았다. 그만 생각해야 한다. 지금은 그런 편지 따위에 신경 쓸 시간이 아니다. 그렇게 스스로 암시를 걸며 일에 집중했다. 하지만 시간이 빨리 지나가길 비는 마음만큼은 자신도 모르게 새어 나오고 있었다.

창문 너머로 붉은 노을이 진다. 시계가 퇴근 시간을 넘어가자, 사무실 안에서 부스럭거리는 소리가 들려왔다.

"이만 퇴근하겠습니다."

"안녕히 들어가세요."

저녁 시간이 다가오면 모두가 밝아진 얼굴로 인사를 나눴다. 평소 같으면 해준 또한 몇 마디 나누고 헤어졌겠지만, 오늘은 아니었다. 빠르게 걸음을 옮겨 회사 밖으로 나간 해준은 가방 속의 편지 봉투를 꺼냈다. 그제야 편지와 함께 받은 화분을 사무실에 놓고 왔다는 생각이 들었으나, 뜯긴 편지의 내용이 눈에 들어오자, 그 생각을 비집은 큰 충격이 머리를 울렸다.

'죽어버려.'

빨간색 펜으로 도배된 A4용지에서 해준을 향한 증오가 보였다. 죽어버리라는 붉은 글자에 잠시 당황했으나 이내 침착함을 되찾은 해준은 종이를 가방에 다시 구겨 넣었다. 편지의 외관과는 전혀 다른 내용. 편지 봉투의 필적과 내용의 필적이 유사한 결과 한 사람이 벌인 짓이다. 이유가 뭘까.

이런 편지를 보낸 이유. 그리고 느껴지는 증오심의 출처. 두 눈을 감고 머릿속에 관계도를 그렸다. 뻗어나가는 관계도 속에서 몇 명을 추려내 봤지만, 제일 먼저 떠오른 그 얼굴은 오래전 연락이 끊긴 사람이기에 불가능했다. 또 누군가는 이런 짓을 벌일 이가 아니었으며 누군가는 편지를 보낼 정도의 증오심을 가진 자가 아니었다. 결국 얻어낸 것 없이 다시 눈을 뜬 해준은 일단 걸음을 옮겼다. 일단 움직이면 절반은 해결된다. 걷다 보면 떠오를지도 모른다.

모든 인간관계를 기억하는 것이 아닌 이상, 오랜 시간 신중히 생각해야 했다. 잠깐의 인연이라고 해도 상대에겐 본인이 강렬한 인상으로 남을 수 있다는 결점이 있으나 당장 해결할 방법은 없었다. 죽으라는 말은 진심이었을까. 걷다 보니 문득 그런 생각이 들어 해준이 걸음을 멈추었다. 해준과 얼마 떨어지지 않은 거리에서 횡단보도의 초록색 신호등이 깜빡거리고 있었다. 멍하니 그 신호등을 보던 해준의 머릿속이 복잡하게 움직였다.

죽었으면 좋겠다는 생각은 진심에서 우러나온 말이었을까. 사람이 사람을 보며 죽어버리라는 말을 전하는 건, 그 사람이 죽게 된 상황에도 유지될까. 죽지 못한다면 직접 나서서 죽이게 될까. 해준은 그 가정에서 자신도 포함될 수 있는 확률을 생각했다. 당장 뒤에서 달려와 등에 칼을 꽂아 넣을 정도의 증오가 담긴 죽어버려인지, 해준의 존재가 마음에 들지 않아 눈앞에서 사라졌으면 좋겠다는 마음이 담긴 죽어버려인지 해준은 도통 알 수가 없었다. 증오하는 마음과 그 깊이를 이해하기 어려웠다. 사람의 생명이 사라지길 바랄 정도로 증오한 상대는 없었다. 명확히 따지자면 살아오며 증오했던 상대는 있었지만, 손에 꼽았다. 그마저도 잠깐의 분노에 해당하는 감정이었을 뿐. 죽이고 싶을 정도의 증오 따위는 없었다. 누군가를 증오해 잘못된 행동을 저지르는 것은 해준에겐 일어날 수 없는 일이었다. 그런 해준에게 편지를 보낸 자는 누구일까.

빠르게 지나다니는 자동차를 보며 생각에 잠긴 그때였다. 짧은 순간이었지만, 강렬한 기운이 해준의 몸을 스치고 지나갔다.

시선. 시선이 느껴진다. 이곳 근처에서 해준의 시야를 피해 누군가가 자신을 보고 있었다. 오싹한 기분에 걸음을 떼지 않고 해준은 주위를 둘러봤다. 길거리의 사람들은 해준에게 관심도 주지 않은 채 그저 앞으로 걷고 있었다. 거리의 사람들이 아니다. 대체 어디지, 어디에 있는 거지. 고개를 돌려봐도 시선의 대상은 보이지 않았다. 기분 탓일까. 착각했던 걸까. 이렇게 생각해 보니 충분히 그럴 수 있겠다는 생각이 들었다. 지금 본인은 이상한 협박 편지를 받은 상태이며 그로 인한 예민함에 평소보다 더욱 주변을 대하는 신경이 날카로워졌는지도 모른다.

다시 횡단보도의 초록불이 켜지고 해준은 멈췄던 발을 떼 앞으로 향했다. 걸음을 옮기며 근처 쓰레기통을 향해 가방 속에 들어있던 편지를 꺼내 힘주어 던져버린 해준은 머릿속에 아른거리는 붉은 글씨를 애써 무시한 채 집으로 향했다.

“서해준 씨가 누구시죠?”

사무실 입구에 서 있던 배달원의 외침에 모두의 시선이 해준에게로 향했다. 이에 해준이 자리에 서서 그에게 다가가자, 동료들의 시선 또한 해준을 따라 움직였다.

“접니다.”

“네, 여기…. 애인 분께서 전달해달라고 말씀하셨습니다. 어제 편지는 잘 받았냐고, 오늘은 꽃바구니라고 추가로 말씀 전해달라고 하셨네요.”

남자의 말을 듣던 해준의 표정은 변함이 없었다. 적어도 남들 눈에는 그렇게 비쳤다. 하지만 그의 속마음은 크게 요동치고 있었다. 어제부터 나타난 이름 모를 애인. 계속해서 해준의 일상에 끼어들어 신경을 거스르는 낯선 애인의 존재가 궁금해서 미칠 지경이었다.

“자, 여깄습니다. 그럼, 이만….”

해준에게 바구니를 넘긴 배달원이 자리를 떠나자, 홀로 우두커니 서 있던 해준은 바구니를 내려다봤다. 형형색색의 꽃들이 정말로 아름다웠다.

“해준 씨, 이번에도 애인이에요?”

커피를 손에 든 채 장난스러운 미소를 지은 성연을 보며 해준이 고개를 저었다. 아니다. 애인이 없다는 말을 이미 전했는데도 이곳 사람들은 쉽게 믿지 않았다.

“에이, 애인 아니라잖아요. 장난치지 말아요.”

정수기에 물을 뜨고 자리로 돌아가던 지안의 말에 해준이 시선을 돌려 그녀를 바라봤다.

애인. 사람들은 이런 사소한 일에도 사랑을 떠올린다. 해준의 인생에서는 찾아볼 수 없는 사랑. 같이 있으면 행복하고, 보고 싶은 감정을 해준은 알 수 없었다. 혼자가 편했고, 어울리는 걸 꺼렸으니, 연인이 없는 것이 당연했다. 그 빈자리를 채우기 위한 노력 또한 시간 낭비라고 생각했다. 주변 사람들의 주선으로 소개팅을 몇 번 했었으나, 결과는 모두 좋지 못했고 하나같이 그런 말을 했었다.

‘사람한테 관심이 없는 것 같다.’

그 말이 귀에 들려오는 순간, 해준 스스로도 조금은 인정했다. 자신이 얼마나 평범하지 못한 사람인지를 관계를 쌓아가며 계속해서 깨닫게 되었다. 하지만 그것과 동시에 조금의 오기도 생겼다. 평범해지기 위해, 남들과 다르지 않은 평온한 일상을 보내기 위해 자신이 얼마나 노력하는지 사람들은 모른다. 다르다고 해서 살아가지 못하는 건 아니다. 해준의 어머니는 그렇게 말씀하셨다. 해준이 부족한 게 있더라도 남들과 다르지 않게 살아갈 거라고 말했다. 그 말이 맞았다. 어머니가 하신 말씀이기 때문이 아니라, 스스로 질문을 던지면 그 대답이 자연스레 나왔다. 이게 어머니의 영향일까. 꿈에 나온 어머니의 얼굴이 아직도 생생했다. 그 품에 안기던 시절이 문득 그리워졌지만 이내 고개를 가로저었다. 과거를 생각해봤자, 현재와 미래에 도움 되는 건 없다. 그저 크나큰 후회만이 가득할 뿐이다. 자리로 향하니 어제 받았던 화분과 꽃바구니가 책상의 반을 차지했다. 이 두 개도 퇴근하고 버려야겠다. 컴퓨터의 본체 버튼을 누르고 큰 부피로 공간을 많이 차지하는 바구니를 의자 옆에 내려놓은 순간이었다.

몸이 굳어버릴 정도의 충격이 해준의 머리를 강타했다. 그것과 눈이 마주친 순간, 아무 말도 아무 생각도 할 수 없었다.

붉게 깜빡이는 그것은 바구니 속에서 아주 잘 보이는 위치에 존재했다. 마치 자기를 발견하길 바라는 것처럼, 대놓고 부착돼 있었다. 멍하니 그것을 바라보던 해준이 충격에서 벗어난 그제야, 머릿속의 사고회로가 다시 돌아가기 시작했다.

카메라가 왜 있는 거지.

어제의 협박 편지가 떠오른 해준은 어제 자신이 궁리했던 문제를 다시 제기했다. 죽어버리라는 그 말과 그 말에 담긴 의미의 관계. 그건 어쩌면 불행하게도 진심일지도 모른다는 판단이 앞섰다. 깜빡이는 붉은 눈에 손을 뻗어 그것을 바구니에서 떼어버린 해준은 남들이 눈치채지 못하도록 자신의 코트 주머니 속에 넣었다. 회사에서 처리한다면 훗날 발견될 우려가 있다. 그 몰래카메라를 버린 자가 해준이라는 걸 알게 되면 아무 일이 없었다고 한들 곤란해진다. 회사에 가져온 이유를 캐물을 것이며 만약 바구니에서 나왔다는 사실을 고하면 경찰에 신고해야 한다느니, 자신들이 도와주겠다느니 참견하고 간섭할 것 같았다. 이건 따로 밖에서 처리해야 한다. 그렇다고 집까지 가져가기에는 위험 요소가 많았다.

하지만 만약, 만약 도청 기능도 있다면…. 몰래카메라에 그런 기능까지 있을까. 도청 기능이 있다면 단시간에 부숴버리는 게 옳다. 그렇지만 해준이 알기로는 카메라에 그런 기능까지는 존재하지 않았다. 따로 도청 장치를 설치한 게 아니라면 말이다. 아니, 안심하긴 이르다. 해준은 이런 쪽에 대한 지식이 전혀 없으니. 도청이라는 또 하나의 새로운 의문이 떠오르자, 해준이 곁눈질로 바구니 속을 들여다봤다. 대놓고 설치된 몰래카메라 외에는 수상한 점이 보이지 않았다.

“해준 씨, 무슨 생각해요. 애인 생각해요?”

의자를 끌고 다가와 장난스럽게 물어오는 성연의 얼굴을 바라봤다. 생글거리며 웃는 그의 얼굴을 보며 카메라의 존재를 물을까 잠시 고민했지만 분명 안 좋은 결과를 낳을 게 분명했다. 자신의 비밀, 고민, 과거. 그 무엇이든 최대한 말을 아끼며 남들에게 말하지 않는 것이 우선이다. 그래야 남들에게 약점을 잡히지 않으며 자신이 곤란해지지 않는다. 남들이 틀렸다고 생각할지라도 해준에게는 그게 옳았다. 고민을 털어놓고 비밀을 공유하는 그런 행위는 그 당시에는 평화로울지 모른다. 하지만 사람의 관계는 영원하지 않고 언젠가는 끊어지기 마련이다.

"아뇨."

짧은 대답으로 성연의 흥미를 식게 만든 해준은 손을 올려 주머니 위에 올렸다. 코트 너머로 느껴지는 감촉에 섬찟한 기운이 온몸을 쓸었다.

침착하자. 침착해. 동요해서는 안 돼. 평온한 사람처럼, 아무 일도 없는 사람처럼 보여야 한다. 끊임없는 자기 암시를 하며 해준은 떨리는 손목에 가득 힘을 주었다.

주머니 속에 든 무거운 시한폭탄이 머릿속에서 그려지는 것을 지우고 또 지우며 등줄기에 흐르는 땀을 애써 무시했다.

"어? 해준 씨, 어디 가요?"

모두가 나간 빈 사무실 안, 홀로 휴식을 취하던 지안이 한 손에 커피를 든 채 사무실 밖을 나가려던 해준에게 다가갔다.

"아, 네. 잠시 바깥에 나가려고요."

"점심 밖에서 먹게요? 웬일이에요?"

"그게 아니라, 들릴 데가 있어서요."

애써 대답을 마친 해준이 걸음을 떼려는 순간, 지안이 손이 해준의 코트 자락을 붙잡았다.

"혹시, 무슨 일 있어요?"

뒤를 돌아본 그녀의 표정은 해준이 처음 보는 얼굴이었다. 생글거리던 웃음은 사라지고, 눈꼬리와 눈썹은 축 처졌고 얼굴빛은 어두웠다. 지안이 던진 질문은 본인이 아닌 해준이 하는 게 맞지 않을까 하는 생각이 들 정도로 그녀의 표정은 해준에겐 어색하게 다가왔다.

"아뇨. 아무 일도…."

"오전부터 얼굴이 어두워 보여서요. 무슨 일이 있거나 어디 아픈가 해서요."

"정말 아무 일도 없습니다. 그러…."

말끝을 흐리던 해준은 목구멍까지 올라온 말을 삼켜버렸다. 지안 씨야말로 무슨 일 있습니까. 그 한마디가 밖으로 나가지 못하고 속으로 들어가 버렸다. 관심도 없는 사람인데, 이런 질문해봤자 달라질 게 없었기 때문이라고 생각하며 천천히 입을 뗐다.

"그럼, 이만 가보겠습니다."

인사를 마친 후 건물을 빠져나온 해준은 아까 좋지 못했던 그녀의 얼굴을 떠올렸다. 무슨 일이 있었길래 그런 얼굴을 하고 있었을까. 이런저런 생각을 하며 무심코 주머니에 손을 넣자, 소름 끼치는 물체의 감촉이 손을 타고 느껴졌다.

그제야 다시 현실을 직시한 해준의 머리는 다시 몰래카메라에 관한 생각으로 가득 찼다. 다른 생각할 때냐며, 너의 상황을 직시하지 못하는 거냐는 누군가의 목소리가 들려오는 듯했다. 심장이 다시 빠르게 뛰기 시작했다. 오늘 보낸 바구니 속에 대놓고 부착돼 있던 몰래카메라. 어제 보낸 화분에도 부착돼 있었는지 확인해 봤지만, 화분에서는 확실히 찾을 수 없었다. 왜일까. 왜 어제 보낸 화분에는

붙이지 않고 오늘에서야 보낸 걸까. 두 번이나 꽃을 보냄으로써 보낸 쪽에서 비용을 청구했을 텐데. 굳이 그런 노력까지 들여서 나에게 하고자 하는 말은 뭐지. 원하는 바. 얼굴도 모르는 상대가 하는 행동의 이유를 계속 생각해 봐도 여전히 미지의 상태였다. 인적이 드문 버스정류장 옆에 다다른 해준은 주머니에서 꺼낸 몰래카메라를 떨어뜨리고는 힘껏 밟았다.

부서지는 감촉이 느껴지고 천천히 발을 드니 산산조각이 난 카메라 조각이 눈에 들어왔다. 그러자 왠지 모를 안도감이 들었다. 쭈그려 앉아, 카메라 조각을 주우며 해준은 생각했다. 이런 일로 불안해해선 안 된다. 지금까지 너무 동요했다. 보통의 사람이라면 경찰에 신고했겠지만, 해준은 그러지 못했다. 아니, 그러고 싶지 않다는 게 올바른 표현이겠지. 경찰의 도움 따위는 바라지 않는다. 받고 싶지 않다. 이것은 해준의 일이며 해준이 스스로 해결해야 할 문제다.

일단 해준은 잠자코 있기로 했다. 나서지 않고 가만히 기다리면 상대는 모습을 드러낸다. 해준이 아무런 반응도 하지 않아야 보낸 이가 먼저 다가온다. 내일 또다시 꽃이 배달된다면 그럼에도 해준이 반응하지 않는다면 만날지도 모른다. 물론 해준의 예상대로 흘러가지 않을 확률도 있겠지만 지금으로선 이게 최선이었다. 들고 오지 못한 꽃바구니는 밖에서 처리하고 집으로는 가져가지 않는다. 아파트 분리수거장이나, 길가의 쓰레기통…. 후자는 양심에 찔리지만 제일 안전하게 처리할 수 있었다. 허나 누군가가 가져가서 이 일에 연루된다면 큰일이다. 후자보다는 전자를 선택하는 게 나은 판단이라고 해준은 결정지었다. 집에는 가져가지 않고 가는 길에

종량제 봉투를 사서…. 화분. 화분은 어떻게 버려야 하지. 해준의 머릿속에는 화분을 버리는 것에 대한 지식은 없었다. 하는 수 없이 휴대폰을 든 해준은 눈에 들어온 주소록 앱에 멈칫했다. 이 모든 일은 그날의 선의를 시작으로 일어났다. 무시하려고 해도, 신경 끄려고 해도 의식하지 않았는데도 불구하고 이렇게 갑작스럽게 찾아와 해준의 신경을 거스른다. 휴대폰을 쥔 손에 힘을 주어 머릿속에서 그 여자의 얼굴을 지워내야 했다. 사라진 여자. 자기 자신을 만나 실종된 여자. 전혀 모르고 살던 제삼자인데도 불구하고 타오를 듯한 죄책감은 해준의 발목을 붙들고 있었다. 그 무게는 너무나도 무거웠다.

죄책감을 느낀다고 해서 사라진 여자가 멀쩡한 모습으로 발견될까. 아니, 극히 드물 것이다. 그러니 죄책감 따위에 신경 쓸 필요는 없다. 그렇다. 해준은 원래 그런 사람이었으니. 지금까지 살아온 것처럼 자기 자신만을 생각하면 된다. 이기적으로 살면 된다. 동요하던 마음을 붙잡은 해준은 휴대폰을 꺼낸 목적을 상기시켰다. 자신에게 온 화분과 카메라가 부착돼 있던 꽃바구니를 처리하는 것. 지금은 그게 중요하다.

"서해준 씨. 꽃 배달 왔는데요."

이른 아침부터 사무실에 낯선 남자의 목소리가 울렸다. 어제와 똑같은 목소리가 꽃바구니를 들고 해준을 찾았다. 해준의 예상이 얼추 맞았다. 오늘도 꽃이 배달됐다. 해준이 자리에서 일어나 그에게 다가가자, 그가 상냥한 목소리로 해준에게 바구니를 내밀었다.

"애인분께서…. 전달해달라고 하셨습니다."

애인. 또다시 언급된 단어에 해준은 입술을 깨물었다. 어제 받은 것과는 다른 구성, 다른 색깔로 채워져 있다. 이틀 연속으로 같은 사람에게 꽃을 배달한 눈앞의 남자는 이 상황이 상당히 재밌었던 모양이다. 해준에겐 들리지 않을 것이라고 생각했는지 코웃음을 친 배달원은 뒤돌아 자리를 떠났고, 성연이 슬그머니 다가와 속삭였다.

"해준 씨. 나도 그만 놀리고 싶은데, 애인한테 계속 꽃이 오네요. 연애 기간이 얼마예요?"

"애인 없습니다."

"알죠, 알죠. 난 해준 씨의 말은 다 믿어요. 그냥 반응이 재밌어서 잠깐 놀린 거예요."

"네."

짧은 대답을 마치고 걸음을 옮기려는 해준의 앞을 성연이 급하게 가로막았다.

"알았어요. 근데 제가 못한 말이 하나 있거든요."

해준을 멈춰 세운 성연은 누가 들을세라 손으로 입가를 가리며 아까보다 더 작은 목소리로 입을 열었다.

"음, 그니까…. 본론은 계속 이런 상황이 발생하면 부장님이 꾸중할 게 뻔하니까. 주의했으면 좋겠다는 말이에요. 과장님도 그래서 눈치 보시는 것 같고요."

아, 짧은 탄식이 목구멍을 올라왔다. 허나 입 안에서 맴돌아 천천히 녹아들어 간 탄식은 해준의 정신을 바르게 붙잡아줬다. 주변의 못마땅한 시선이 그제야 뼈저리게 느껴졌다. 다른 부서 사람들의 불편한 얼굴이 해준의 눈에 들어왔다. 얼굴에 드러나진 않았지만, 아마 해준의 부서 사람들도 불편해하고 있을 것이다. 왜 미처 알아채지 못했는가. 워낙 친근한 팀이었지만, 각자의 적정선을 넘는다면 화를 내거나 불편함을 보이는 건 당연했다. 더군다나 이곳은 직장이었다. 깨를 볶으며 사랑하는 연인 사이에서도 직장에서만큼은 주의해야 한다. 물론 해준에게는 그런 연인이 없고, 일방적으로 원치 않는 꽃을 받는 처지니 이 일에 대해서는 조금 억울하게 느껴졌다.

“네. 주의하겠습니다.”

성연에게 고개를 숙여 사과를 표하고 자리로 돌아온 해준은 당장 바구니 속을 뒤적거렸다. 없다. 눈살을 찌푸리며 바구니에서 손을 뗀 해준의 머리는 의문으로 가득했다. 이번에는 카메라가 없다. 카메라를 떼어버렸기 때문에 부착하지 않은 걸까. 그럼, 바구니를 보낼 필요가 없었을 텐데. 바구니를 보낸 이유는 분명히 있을 거다. 이번에는 카메라를 보이지 않는 곳에 숨겨놨다던가. 그렇게 되면 회사에서 카메라를 찾아내기에는 무리였다. 대놓고 꽃을 헤집으며 바구니를 뒤집는 꼴을 보이고 싶지 않다. 그럼 어떡해야 할까. 어제는 점심시간을 빌려 카메라를 부쉈다. 화분과 꽃바구니는 종량제 봉투에 넣어 처리했다. 그 두 개는 잘 처리했고 버리기 전 마지막으로 확인해 본 결과 바구니에서 또 다른 카메라는 찾지 못했다. 어제 보낸 꽃바구니에 부착됐던 카메라는 해준이 찾았던 한 개뿐. 그럼, 이번 꽃바구니는 어떨까. 곁눈질로 확인해 본 결과 카메라는 보이지 않았다. 정말 깊숙이 숨겨놓은 걸까. 하지만 지금 당장 카메라를 찾지도 못하고 그렇다고 점심시간에 들고 나갔다간 꽃을 들고 어딜 가냐는 소리를 들을 것이 분명했다. 최대한 관심 밖에서 조용히 처리하고 싶었다.

일단 책상 아래에 놓을까. 아래라면 어둡고 삼면이 다 벽으로 막혀 있으니, 카메라가 있다고 한들 볼 수 있는 게 없을 것이다. 물론 업무를 보는데 걸리적거리긴 하겠지만 그 정도쯤은 참을 수 있었다. 걱정되는 건 도청 장치가 부착된 상황이다. 따로 찾아보니 카메라에 도청 기능이 포함된 것도 있다고 하던데…. 그렇지만 그런 카메라를 구하는 과정은 쉽지 않을 것이다. 몰래카메라나 도청 장치는 시중에서도 구하기 어렵다. 어제 부신 것만 해도 값이 꽤 나가겠지.

감시하고 있는 쪽에서는 카메라가 부서졌다는 걸 알 테고 그렇기에 이번 꽃바구니 속에는 아무것도 발견되지 않았다. 이 가능성으로 추측해 보자면…. 카메라를 부숴버린 모습을 봤기에 이번에도 그런 상황이 발생하지 않게끔 카메라를 부착하지 않았다. 오늘 보낸 꽃바구니에서 카메라가 보이지 않는 건 깊게 숨겨놓았기 때문이 아니라 애초에 카메라가 부착되지 않아서 보이지 않는 것이다. 이 이유라면 카메라가 없는 것도 납득이 갔다.

하지만, 그럼에도….

눈에 거슬렸던 꽃바구니를 아래로 치웠지만 여전히 마음에 쌓인 불안감은 사라지지 않았다. 정확히 확인한 바가 없어 확신할 수 없었다. 가능성과 추측들이 머릿속에서 난무했지만, 마음만큼은 크나큰 불안감에 휩싸여 부정적인 감정을 불러일으켰다.

정말로 카메라가 없을까?

이 작은 의심을 시작으로 불안감의 불씨는 조금씩 타오르기 시작했다. 카메라가 부서진 모습을 보았음에도 불구하고 또 카메라를 부착했다면…. 이번에는 도청 기능까지 장착된 카메라라면 얘기가 달라진다. 해준뿐만이 아니라 직장 내 다른 사원들의 정보를 얼굴도 이름도 모르는 상대가 알게 돼버린다.

카메라만의 문제가 아니다. 카메라를 부착할 정도라면 다른 수를 썼을지도 모른다. 가령 폭탄이라던가. 아니, 그 정도까진 아니겠지. 폭탄 같은 위험한 게 있을 리는 없다. 구하기도 어렵고 그랬다면 눈에 띄었을 테니. 한심한 생각이다. 불안감으로 인해 어처구니없는 생각까지 해버렸다. 멍하니 컴퓨터의 화면을 바라봤다. 화면의 글씨와 복잡한 심경이 뒤엉켰다. 울렁거리는 글씨가 눈에 잘 들어오지 않았다. 마우스를 쥔 손에 힘을 주었다. 무시하자고 무시해 버리자고 뇌에서는 지시를 내렸지만, 손이 따라주지 않았다. 마우스에 달라붙은 손을 떼어놔야 하는 생각은 손에 전달되지 않은 채 해준의 머릿속에서 맴돌았다.

"해준 씨."

자신을 부르는 지안의 목소리와 함께 눈앞에 커피가 든 컵이 들어왔다. 생각에 잠겨있던 해준이 놀란 반응을 보이자, 지안이 웃으며 물었다.

"아침 커피요. 해준 씨는 아메리카노 맞죠?"

"아, 네…. 감사합니다."

컵을 받아 든 해준은 업무를 보는 다른 동료들에게도 커피를 나눠주는 지안의 뒷모습을 바라봤다.

"지안 씨, 커피 고마워."

"아니에요. 오늘은 제가 출근하면서 사기로 어제 약속했잖아요."

아침부터…. 컵을 통해 전달되는 뜨거운 온기에 해준의 손이 간질거렸다. 손을 타고 올라온 그 간질거리는 기분은 심장까지 뻗어나갔다. 간질거리는 기분이, 따뜻함이 해준의 불안감을 조금씩 지워주고 있었다.

컵홀더를 조심스럽게 빼낸 뒤 보이는 작은 문구가 눈에 들어오자, 주변에서 웅성거리며 지안을 찾았다.

"지안 씨, 이거 뭐야? 감동인데?"

"나 이거 찍어도 돼?"

"네, 당연하죠! 오늘 금요일이니까, 다들 힘내자고 써봤어요."

"진짜 고마워. 덕분에 아침은 힘차게 시작할 수 있겠다."

기획팀의 분위기가 밝아지고 그 중심의 인물인 지안 또한 뿌듯한 미소를 짓고 있었다. 해준 또한 컵에 적힌 문구를 바라보고는 엄지로 천천히 쓸어보았다.

'오늘 하루 힘내요!'

글씨 옆, 웃는 얼굴의 조그마한 그림은 그녀의 미소와 비슷했다. 그녀 자신을 그려놓은 것 같다고 생각하자, 왠지 웃음이 나왔다.

조금 웃고 나니, 아까부터 들었던 불안감이 경감된 건지 더 이상의 부정적인 감정이 해준을 붙잡지 않았다.

이 작은 커피 하나가 감정을 뒤엎어줬다. 왠지 이상해져 눈살을 찌푸려 봤지만, 커피의 온기가 자꾸만 머릿속을 흐려지게 했다. 그런 나른한 기분으로 꽃바구니에 관한 생각도 점점 사그라들었다.

해가 진 어두운 밤. 많은 업무량으로 인해 야근까지 마친 해준은 팀원들과 짧은 인사를 마친 후 집으로 향했다.

지친 발걸음을 옮기며 해준은 손에 들린 꽃바구니를 내려다봤다. 해준의 발걸음에 맞춰 꽃들이 살랑거렸다. 물론 진짜가 아닌 가짜기에 향기로운 냄새는 없었다. 바라지도 않았고.

팀원들과 헤어진 후, 골목길로 들어가 헤집어 봤지만 역시 카메라 따위는 없었다. 오전에 했던 걱정들은 모두 쓸데없는 염려였다. 해준의 생각대로 카메라를 떼어낸 걸 보게 된 발송인은 카메라가 소용없다는 걸 알고 부착하길 그만둔 것이다.

부질없는 짓이 맞다. 협박 편지를 보내도, 카메라가 부착된 꽃바구니를 보내도 그쪽이 원하는 바를 들어줄 생각은 없으니까. 겁을 잔뜩 먹은 채 경찰의 도움을 바라는 행위는 하지 않을 테니까. 절대로, 자신이 손해 보는 행동 따위는 하지 않을 거다. 할 리가 없다. 그렇게 다짐하는 해준의 눈은 흔들림이 없었다. 평소처럼, 평온하고 고요한 눈으로 시선을 돌리는 그 순간이었다.

저 멀리, 익숙한 얼굴의 남자가 서 있었다. 누구지. 누구더라. 눈살을 찌푸린 해준은 우뚝 서 있는 남자를 바라봤다. 빛이 새어 나오는 편의점의 외벽에 붙어 절묘하게 몸을 숨긴 남자는 여전히 해준을 바라보고 있었다. 거리가 멀어 이목구비가 뚜렷하게 보이지 않았지만, 얼굴을 알아볼 수 있을 정도는 됐다. 예전이라면 한눈에 알아볼 수 있었을 텐데. 전보다 시력이 많이 떨어진 것을 체감하게 되는 순간이었다. 흐릿한 남자의 얼굴을 보던 해준의 뇌리에 한 남자의 얼굴이 스쳤다. 천천히 되짚기 시작하자 두 얼굴이 일치됐다.

똑같은 사람이었다. 아니, 해준이 알고 있던 그 남자가 맞았다.

그 남자다. 신예선의 남자친구.

해준을 의심하며 화를 냈던 남자. 그 남자가 골목길 사이에서 해준을 바라보고 있었다. 그와 눈이 마주친 순간, 해준의 발밑에서 알 수 없는 감정이 꿈틀거리며 올라왔다. 몸을 타고 올라오는 역겨운 기분에 해준은 침을 삼켰다. 편지. 꽃바구니. 애인.

설마….

눈살을 찌푸리며 해준이 다가가려 하자, 그가 몸을 돌려 황급히 자리를 떠났다. 당장 달려가면 붙잡을 수 있는 거리였지만 해준의 발은 더 이상 떨어지지 않았다.

지금까지의 일과 평온한 일상에 끼어든 불행. 그 모든 게 저 남자의 짓이었다면, 애인이 보냈다는 화분과 편지, 꽃바구니가 얼추 들어맞았다. 하지만 그것만으로 저 남자의 짓이라고는 판단을 내릴 수 없었다. 오늘의 마주침이 우연일 수도 있다. 하지만 조금 전 마주친 그 눈에서는 큰 증오가 담겨있었다.

그 증오심이 지금까지의 짓들을 벌이기엔 충분한 이유가 되지 않을까. 죽어버리라는 그 편지 또한 저 남자가 보냈고, 그 속에 담긴 증오심은 여자친구를 사라지게 만든 요인인 해준에 대한 불만이었을지 모른다. 카메라 또한 저 남자의 짓이라면…. 대체 왜? 해준에게 협박 편지와 카메라를 보내봤자, 전혀 도움 되는 건 없다. 해준은 신예선의 행방을 모른다. 카메라를 붙여 감시한다고 얻을 것도 없다. 아직도 의심하고 있는 건가. 해준은 최 경위를 만난 그날, 화를 내던 남자의 얼굴을 떠올렸다. 그날 그렇게 보내긴 했지만, 아직도 의심을 거두지 못하고 해준이 자신의 애인에게 무슨 짓을 했다고 확신하고 있다. 이렇게 가정하면 남자의 짓이라는 게 더욱 확실해진다. 그 남자 외에는 딱히 찾을 수 없었고 해준을 직접 찾아온 걸 봐서 해준이 반응이 자신에게 탐탁지 않으니 찾아온 모양이었다.

"하아…."

길게 한숨을 쉰 해준은 지끈거리는 머리를 붙잡았다. 골칫거리가 생긴 것 때문인지 머리가 아팠다.

그날 그렇게 헤어져서는 안 됐던 건데. 자신이 범인이 아닌 이유를 더 확실하게 이해시켰어야 했다. 저 등신 같은 놈은 해준이 자신의 애인을 사라지게 했다고 맹신하고 있는 게 분명하다. 범인을 대충 추려냈으니, 이젠 해결할 일만 남았다. 휴대폰의 화면을 켠 해준은 긴급 전화 버튼을 조용히 바라봤다. 경찰의 도움을 받는 건 싫다. 도움 따위 필요 없다. 그럼 어떡해야 할까. 혼자서 해결할 수 있는 일인가.

혼자서….

화면을 바라보던 해준은 천천히 손을 떨구었다. 무슨 생각을 한 거야. 당연히 혼자서 해결해야 할 일이다. 지금까지 잘 해왔던 것처럼 혼자서, 자신만을 위해 행동하면 된다. 지금 당장 남자를 잡으러 가는 것은 힘든 일이었다. 잡는다는 가정이 있어도 폭력을 행사하거나 소란스럽게 하는 행위로 경찰과 엮이는 것은 싫었다. 그렇다면 그 타이밍이 적절했다. 오늘처럼 남자가 다시 자신에게로 찾아오는 그때를 이용해 그와 마주한다. 만약 그쪽에서 먼저 해준을 위협한다면…. 그렇게 된다면 경찰의 간섭을 피하는 건 어렵게 되겠지만, 해준이 불리한 상황에 빠지는 요소는 없을 것이다. 최대한 간결하게 그 남자와의 갈등을 해결한다. 길게 심호흡하며 해준은 생각을 정리했다.

이만하면 됐다. 남자와의 일을 해결할 방안을 찾았으니 이제 그 생각은 하고 싶지 않았다. 얼른 집으로 돌아가 몸에 달라붙은 이 더럽고도 불쾌한 기운을 씻겨내고 싶었다. 손에 들린 꽃바구니를 멍하니 바라보던 해준은 천천히 걸음을 옮겼다.

아침 햇살이 집 안을 드리우고 해준의 눈이 저절로 떠졌다. 손을 뻗어 휴대폰을 들어보니 맞춰놨던 시간보다 무려 두 시간이나 이른 시간이 해준의 눈에 들어왔다.

눈부신 빛에 다시 휴대폰을 덮은 해준은 가만히 누워 어두운 천장을 응시했다. 이대로 눈을 감으면 잠들 수 있을 것 같았다. 하지만 왠지 오늘은 몸을 일으키고 싶었다. 일어나자. 그렇게 생각하며 해준은 방 밖으로 나와 주방으로 향했다. 오늘은 오랜만에 아침을 먹을 수 있겠다. 차가운 물을 따른 뒤 목을 축인 해준은 냉장고 문을 열었다. 재료가 거의 떨어졌다. 내일 장을 봐야겠네. 혼자 중얼거리며 냉장고에 남은 음식을 대충 꺼내었다. 분주하게 움직이며 아침 식사를 차린 해준은 식탁에 앉아 눈을 감고 손을 모았다. 기도를 마친 뒤 허기진 배를 채우기 시작했다. 원래 주말 아침에는 밥을 먹지 않았는데 오늘은 이상하게 잘 들어갔다. 참치와 계란프라이. 이 두 개는 아침으로 먹기 좋은 반찬이었다. 해준은 참치를 좋아했다. 반찬이 없는 날에는 참치를 넣어 밥과 비벼 먹기도 했다. 물론 아주 가끔이었지만, 참치를 이용한 여러 음식을 만들 정도로 좋아했다. 이건 어머니의 영향이었다. 어렸을 적 해준의 어머니는 참치김밥을 만들어 해준의 입에 넣어주곤 했다. 둘이 함께 같이 소풍을 갈 때마다 해준이 좋아하는 참치김밥을 싸서 먹었다.

그 시간이 해준은 정말 좋았다. 그래서 자연스레 참치도 좋아하게 됐다. 젓가락을 들어 참치를 집은 뒤 입 안에 넣었다. 이번에는 젓가락을 양손에 쥐고 달걀프라이를 갈랐다. 익지 않은 노른자가 터져 힘없이 흘러나왔다. 식탁에 흐르지 않도록 조심히 들어 밥그릇에 갖다 놓았다. 한 입 베어 무니 짠맛이 강하게 났다. 소금을 너무 많이 친 모양이다. 천천히 씹어 식도로 넘겼다. 꺼져 있는 거실은 여전히 어두웠다. 겨울의 해는 천천히 모습을 드러냈다. 오늘, 해준의 집은 주방의 작은 불빛만으로 아침을 시작했다. 닫힌 커튼 너머, 수많은 작은 창문들에서는 빛이 날 것이다. 가족끼리 모인 이른 아침을 시작하기 위해 부지런히 불을 켜고 모여서 이 조촐한 밥상보다 더 많은 음식을 채워 배고픈 배를 채울 것이다. 어머니가 계시던 주말 아침 밥상은 그랬다. 아, 가끔 팬케이크를 해주셨지. 간단한 토스트도. 팬케이크를 굽는 아침은 주방에서 달콤한 냄새가 났다. 팬케이크의 달달한 밀가루 냄새. 그리고 버터 냄새.

늦은 아침이었지만 식탁에 앉아 어머니가 요리해 주시는 뒷모습을 바라보면서 코를 간질이는 좋은 냄새를 맡았었다. 토스트를 해주실 때도 그랬었다. 버터 냄새가 집안을 가득 메우며 어머니와 마주 보고 앉아 두 개, 세 개. 열심히 먹었던 기억이 있었다.

윗집, 아랫집. 이 아파트에 사는 가족들도 그럴 것이다. 매번 다른 아침 메뉴를 먹으며 누군가와 마주 보고 앉을 것이다. 그런 건 조금 부러웠다. 해준에게는 없을 시간이다. 밥알을 씹으며 자신의 앞에 앉아 같이 식사를 나누는 사람을 떠올렸다. 어머니, 학창 시절 친분이 있었던 친구들. 회사 직장 동료. 몇몇은 납득이 가지 않은 허무맹랑한 모습이었고 몇몇은 앞에 있어도 좋은 사람들이었다.

하지만 이 상상은 이루어질 리 없는 헛된 꿈이었다. 조촐한 밥상에 걸맞은 모습은 해준 홀로 식사하는 모습이다. 다른 누군가 없이 혼자서, 자기 혼자만. 계란프라이를 두 개 부쳐도 혼자서 다 먹고, 참치 한 캔을 접시에 덜어서 혼자 먹는다. 전에 그랬던 것처럼, 오늘 이러는 것처럼.

젓가락을 들어 밥 위에 참치를 올려놓는다. 떨어지지 않도록 들어 입 안에 넣었다. 아까와는 다르게 맛있지 않았다. 맛없다. 짧은 사이에 입맛이 떨어진 것일까. 안 하던 짓을 해서 그런 걸까. 역시 아침을 먹는 것이 아니었나. 젓가락을 내려놓은 해준은 남은 밥과 반찬을 멍하니 응시했다. 음식을 모두 버릴까 했지만 모두 버리기엔 너무 아깝다는 판단이 앞섰다. 하는 수 없이 억지로 입안에 음식물을 구겨 넣었다. 턱을 움직이며 천천히 씹어 넘긴다.

그리고 헛된 상상 또한 머릿속에서 지워버린다. 지우개를 들어 그들의 얼굴을 지워버린다.

—

귀를 찌르는 벨소리와 함께 유한의 아랫배에 진동이 울렸다. 정확히 말하자면, 유한이 입은 재킷 안의 휴대폰이 진동하고 있었다. 그 진동과 벨소리로 인해 깊은 잠에 빠져들었던 그의 눈이 번쩍 뜨였다. 급하게 휴대폰을 꺼낸 그가 귓가에 가져다 대며 갈라진 목소리로 물었다.

“네, 여보세요.”

“아하, 방금까지 주무시고 계셨나 봐요?”

급하게 받아서 들었던지라 전화를 건 상대방이 누구인지 확인하지 못했지만, 전화를 받는 목소리에 몽롱했던 정신이 번쩍 들었다. 헛기침하며 목을 가다듬은 뒤 자세를 고쳐잡은 유한이 뒤로 젖혔던 의자를 세우며 입을 열었다.

“여, 여보. 아침부터 무슨 일이야?”

“무슨 일이긴, 너 대체 어디야?”

아내의 물음에 차창을 연 유한은 어둑한 새벽녘에 유일하게 빛을 내는 휴게소 건물을 바라봤다. 곤란한 표정을 지으며 머리를 긁적인 그가 고개를 돌려 뒷자리에 누워 잠을 자는 철민의 찌푸린 얼굴을 살폈다. 헝클어진 머리로 몸을 잔뜩 구겨서 자는 그에게서 눈을 뗀 유한은 이마를 짚으며 긴 한숨을 쉬었다.

"미안해. 나 지금 휴게소야."

"휴게소?"

책망하는 말투로 꾸짖는 그녀에게 다시 한번 사과를 전하고 유한이 사정을 설명했다.

"조사할 게 있어서 지방으로 내려왔는데, 올라가는 길에 피곤해서 잠깐 잔다는 게 그만…. 미안해."

세 번의 사과. 유한의 설명을 모두 들은 그녀는 대답이 없었다. 여전히 화가 풀리지 않은 모양이다. 어제는 오랜만에 그녀와 함께 영화를 보자고 약속했었다. 집 앞의 피자 가게에서 아내가 좋아하는 피자를 사고, 아내는 집에서 유한이 좋아하는 파스타를 해주겠다고 했다. 오랜만이라며 많이 기대하던 얼굴을 실망하게 했으니 이건 그가 백번을 사과해도 모자랄 일이었다.

"정말 미안해. 지금이라도 잠깐 가서 얼굴 볼까?"

"됐어. 출근해야 하잖아. 얼른 출근이나 해."

"여보, 약속 못 지켜서…."

"약속 때문에 그런 거 아냐. 약속 못 지켜서 화난 것도 잠깐이고. 그냥…. 걱정했어. 무슨 일이 생겨서 집에 못 들어오나 하고 걱정한 거야. 화는 이제 다 풀렸어."

걱정. 걱정이라. 아내의 입에서 나온 그 단어는 유한에게는 항상 쓸쓸하게 다가왔다.

"응, 걱정시켜서 미안."

"사과하지 말라니까. 근데 잠은 푹 잤어? 피곤하진 않아?"

시트에 기대어 아내와 짧은 대화를 나눴다. 이른 아침부터 일어나 자신에게 전화를 걸어준 그녀에게 고마워하며, 그녀와의 대화 덕에 힘을 낸 유한은 찌뿌둥한 몸을 곧게 폈다.

"이제 다시 서울로 올라가려고. 오늘은 집에 정말 들어갈게."

"계속 마음에 담아두고 있었어?"

웃으며 묻는 아내를 따라 웃자, 그녀가 말을 이었다.

"알았어. 그럼 조심히 올라와."

"응. 저녁에 봐."

"그래. 사랑해."

"나도, 사랑해."

즐겁게 통화를 마친 유한의 웃는 표정은 점점 굳어졌다. 조용한 차 안에서 왠지 모를 서늘한 공기가 느껴졌다. 차 시트에 머리를 기댄 그는 어제저녁의 일을 떠올렸다.

매정하게 밀어내는 모습, 나와는 상관없다고 말하는 얼굴. 그 얼굴을 마주한 순간에 치밀었던 화.

손을 들어 미간을 짓누른 유한은 복잡한 기억을 정리하고 시동을 걸었다. 그리고선 아직도 꿈나라에 계신 동료를 깨우기 위해 뒤를 돌았다.

"형, 일어…. 으아악! 깜짝이야. 일어나 있었어?"

깍지 낀 손을 무릎에 얹혀 놓고 유한을 멍하니 보던 철민이 싱긋 웃더니 손 모양을 바꿔 전화기를 든 행세를 하고 장난스러운 표정으로 입을 열었다.

“응, 저녁에 봐~ 여보. 나도 사랑해~”

자신의 목소리를 흉내 내는 그를 보자 얼굴이 뜨거워진 유한이 성을 내며 물었다.

“아씨, 언제부터 들었어?”

“글쎄. 처음부터? 누가 통화를 워낙 크게 해서 말이야.”

“일어났으면 일어났다고 말해야지.”

유한이 부끄러운 듯이 머리를 긁자, 철민이 웃음을 터뜨렸다.

“그래, 그래. 신혼이면 아직 애절할 때지.”

“조용히 해. 일어났으면 빨리 앞에 와서 앉아, 지금 출발할 거야. 잠 깼지? 커피 필요 없고?”

유한의 질문에 철민은 답이 없었다. 안전벨트를 매던 그가 뒤를 돌아보자, 철민이 눈을 감은 채 고개를 꾸벅거리며 졸고 있었다. 정말로 조는 게 아닌, 억지로 자는 체를 하는 모양새였다. 그 모습에 긴 한숨을 쉬며 벨트를 푼 유한이 손잡이를 잡으며 입을 열었다.

“필요하겠네…. 어휴, 커피 사고 온다.”

그런 유한의 뒤통수에 철민이 눈을 감은 채 엄지를 날리자, 그가 고개를 내저으며 밖으로 나섰다.

고속도로를 달리는 유한과 철민 사이에 대화는 오가지 않았다. 그들의 입은 열릴 생각이 없었고 오로지 라디오에서 들려오는 한 사건을 설명하는 진행자의 목소리를 듣기 위해 침묵을 지키고 귀를 기울이고 있을 뿐이었다.

‘은정동에서 벌어지는 연쇄 실종 사건에 대해서 시민들은 여전히 불안감을 안고 있습니다. 성별, 나이, 신장 등의 인적 사항을 불문하고 실종자들 간의 공통점을 찾아볼 수 없어, 시민 모두가 각자의 신변을 걱정하는 모습은 당연한 이치라고 생각됩니다.'

'그렇습니다. 경찰 측에서 언론에 공개한 실종자는 세 명뿐이지만 그걸 확실하게 증명할 단서가 없지 않습니까. 불우한 환경이란 게 증거가 됩니까? 안 되죠. 그니까, 물증이 없는데 피해자가 세 명뿐이라고 말하는 것은 또 다른 피해자가 있을 수 있다는 가능성을 배제하며 무시하는 행위 아닙니까?'

'그러면 선생님께서는 또 다른 피해자가 존재한다고 생각하시는 건가요?'

'그렇습니다. 지금까지의 실종된 세 사람은 이미 죽은 사람이나 마찬가지입니다. 은정동 실종 사건의 범인은 연쇄살인마와 다름없기 때문이죠. 시신을 숨기는 것을 좋아하기 때문에 지금까지 피해자의 시신이 발견되지 않은 겁니다. 그놈은 연쇄살인마입니다. 특정한 것에 집착해서 벌인 범죄 행위가 아니라, 그저 사람을 죽이고 싶은 쾌락적인 욕구에서 비롯된….'

"형 볼륨 좀 줄여줘."

운전대를 잡은 유한의 진지한 목소리에 철민이 고개를 갸웃했다.

"잘 듣고 있었는데, 왜"

"그냥…. 듣고 있으니까, 운전에 집중을 못하겠네."

"나참, 까다롭긴."

투덜거리는 어조였지만, 철민은 유한의 부탁대로 손을 뻗어 라디오의 볼륨을 줄였다. 꺼진 라디오 탓에 조용해진 차 안에서 유한이 운전대를 잡은 손에 힘을 줬다.

평온해 보이는 얼굴과는 다르게 그의 속은 어지러웠다. 라디오 진행자의 목소리가 귓가에 맴돌았다. 또 다른 피해자의 가능성. 솔직히 말하자면 생각하지 않았던 건 아니었다. 그저 자신들의 수사 방향대로 사건이 따라주고 또 다른 피해자가 발생하지 않고, 추정했던 피해자들 또한 안전하게 발견되는 그런 상상을 해봤다.

'은정동 실종사건.'

해당 실종 사건의 피해자는 총 세 사람이다. 들어온 실종 신고 중에 단순 가출로 집으로 다시 돌아왔거나, 실족 등의 사고로 인해 시신으로 발견되는 경우 등을 제외하고 유사한 공통점이 있는 세 사람이 실종 사건의 피해자로 추려졌다.

라디오에서 대화를 나누던 그들의 말대로 현재 경찰 측에서는 cctv외의 물증은 없었다. 피해자가 세 명뿐이라고 단정할 수도, 세 명이 은정동 실종 사건의 피해자라고 확신할 수 없다고 말하는 언론의 의견을 이해하지 못하는 건 아니다.

추가적인 피해자가 나올 가능성, 시체를 숨기는 연쇄적인 살인의 가능성, 사고로 인한 실종의 가능성을 이쪽 또한 생각하지 않은 게 아니었다.

"얼마나 걸리냐?"

"한 시간 좀 넘어서, 중간에 휴게소 안 들려도 되지?"

"어, 괜찮아. 마려우면 차에 싸는 거지."

장난스럽게 웃은 철민이 키득거리며 유한을 바라봤다.

"더러운 소리 하지 마. 저번 주에 세차 싹 했다고."

"그러냐? 어쩐지 깔끔하더라, 내가 저번에 구겨 넣은 종이컵도 없고."

"아, 그거 형이었어? 내가 거기서 흘러나온 얼룩 닦느라 얼마나 고생한 줄 알아? 다음에는 형이 세차해."

"깜빡한 거야. 그게 굴러 들어가서 내릴 때 빼려다가 잊어먹었어. 다음에는 그럴 일 없도록 할게."

"그 말만 몇 번짼지."

유한이 고개를 내젓자, 철민이 너털웃음을 터뜨렸다. 호탕한 웃음소리에 유한 또한 실없이 웃음이 나왔다.

웃고 떠든 두 사람 사이에 다시 침묵이 흐르고 유한은 이제 운전에 집중했다. 정신도 말짱하고 잠도 오지 않는다. 맑은 정신 속에서 끝없는 도로를 달리며 유한은 생각에 잠겼다. 세 사람의 얼굴과 그들의 집. 주변 동네. 머릿속에서 그들의 행적을 그리고 그 위에 또 그리고 그려본다. 뒤죽박죽 얽혀 미워지는 그림이 점점 까맣게 칠해진다. 그렇게 되면 생각이 뚝 끊겨 버린다. 생각했던 가능성은 무의미해지고, 마음에 두었던 심증은 사그라든다.

핸들을 돌려 유한이 차선을 변경했다. 눈앞에 보이는 터널로 차량이 들어가고 어둠이 덮쳐왔다. 빛이 번쩍이며 유한의 옆얼굴을 빠르게 지나갔다.

반짝이는 빛과 함께 시간은 일주일 전으로 되돌아갔다.

조명이 꺼진 사무실 안, 유일한 빛이라고는 스크린에 자료를 띄우는 빔프로젝터뿐이었다. 그 빛을 바라보며 심각한 얼굴을 한 채 모인 강력팀과 실종전담팀의 형사들이 자리에 앉아 시선을 돌렸다.

“첫 번째 실종자 박이나. 스물한 살이고, 대학에는 진학하지 않은 걸로 파악되며, 원룸에서 홀로 거주한답니다. 월세를 자주 밀렸고 돈에 쫓겨 살며 여러 아르바이트를 전전하며 살았다네요.”

두 번째 단추가 떨어져 나간 셔츠를 입은 성태가 스크린 앞에 선 채 모두의 시선을 받았다. 다리미질 또한 제대로 돼 있지 않은 구겨진 셔츠는 그가 결혼기념일 선물로 받은 아끼는 옷이었다. 그런 셔츠를 제대로 관리하지 못할 정도로 바쁜 일상을 보낸 것이다. 성태뿐만이 아닌 이 사무실 안의 모두가 그러했다. 헛기침하며 목을 가다듬은 성태가 한 발짝 옆으로 물러나 스크린 중앙에 쓰인 남자의 정보를 두드리며 말을 이었다.

“두 번째 실종자는 한동식. 서른네 살 남성이고, 오래전 직장에서 해고된 무직 상태이며 아내와 이혼해 홀로 살고 있고 알코올중독 치료를 받는 상태였다….”

말을 마친 성태는 팔짱을 낀 채 걸음을 옮겨 세 번째 사진을 바라보며 입을 열었다.

“세 번째 실종자 이지석. 10대 남자아이로 아버지의 지속적인 학대 사실과 그로 인한 방치를 추측할 수 있습니다. 집 근처 편의점과 슈퍼에서 물건을 훔쳐 달아난 일이 있었다고 합니다.”

“기자들이 터뜨린 이 세 사람의 공통점이 바로 불행입니까?”

누군가의 질문에 성태가 고개를 끄덕였다.

“맞습니다. 세 사람의 공통점은 바로 불우한 개인사예요. 그리고 가족이 아닌 제삼자가 이들의 실종을 신고했고요.”

성태의 말에 동의하듯 철민이 이어 설명했다.

“박이나의 자택에서는 박이나의 일기장이 다량 발견됐습니다. 그 일기장 속에서는 학창 시절 남들과 잘 어울리지 못하는 자신에 대한 혐오와 자신과는 다르게 평범해 보이는 반 친구들에 대한 동경심이 가득 들어 있었고요. 게다가 박이나는 꾸준히 일기를 쓴 모양이더라고요? 마지막으로 쓴 일기는 실종 신고가 접수되기 이틀 전입니다. 이번 연도의 일기만 해도 아르바이트로 인한 스트레스와 가족들과의 갈등으로 인한 불만을 가득 적어냈어요.”

철민의 고갯짓으로 스크린으로 일기장의 내용들이 띄워졌다.

“죽고 싶다는 말, 그만 살고 싶다는 말이 가득합니다.”

“하지만 실제로 시도한 경우는 없는 것 같아요.”

“그래. 인터넷 사용기록이나 쇼핑 기록에서도 자살을 위한 도구 따위를 검색한 기록은 없어.”

“게다가 일기장 속에서도 죽고 싶은 마음보다는 어떻게든 살아가야겠다는 마음이 가득 담겨있으니까요.”

그렇게 말하며 유한은 오른쪽 하단에 띄워진 일기장의 사진을 바라보며 사진에 담긴 글을 재차 읽었다.

‘엄마와 오늘도 통화를 마쳤다. 집 나간 년이 돈 벌지도 않고 뭐 하냐는 말 따위는 이제 익숙하다고 생각했는데 아닌 모양이다. 어제 너무 힘든 일이 있었기 때문일까. 힘든 일이 연속으로 일어나서 내가 너무 지친 모양이다. 괜찮다. 다 잘될 거다. 언젠가는 행복해질 거다. 그니까 좀 더 힘내자. 그러기 위해 저녁에 맛있는 것도 먹었고, 좋아하는 영화도 봤으니까. 나 자신에게 오늘 하루 정말 수고 많았다고 말해주고 싶다.’

'알바가 끝나고 집에 오는 길에 수연이를 만났다. 갑자기 내 생각이 나서 두 손 가득 맛있는 걸 사고 우리 집에 온 거라고 말해줬다. 고마웠다. 수연이가 아니었다면 이런 기쁨은 느끼지 못했을 것이다. 나도 나중에 수연이가 좋아하는 빵을 만들어 선물해 주고 싶다. 그러기 위해서는 베이킹을 배워두는 게 좋을 것이다. 번듯한 직장에 취업하게 되면 남는 시간에 꼭 베이킹을 배울 거다.'

"수연이라면, 박이나의 실종신고를 한 여자였지."

홀로 중얼거리며 유한이 머릿속 기억을 되새겼다.

어제부터 연락이 안 된다고, 집에 들어가는 중이라고 말한 뒤로 문자 한 통 없고 전화도 받지 않는다고, 이나는 절대로 어딘가로 사라져 버릴 애가 아니라고, 분명 나쁜 일에 휘말린 거라고 단순 가출이 아니니 제대로 수사해달라고 그녀가 강하게 항의했다며 파릇한 순경이 힘찬 목소리로 전했었다. 직접 만난 서수연은 순경의 말 그대로 확신의 찬 얼굴과 강한 어조로 박이나의 가출을 부정했다. 실종신고자인 그녀에 대해 알아본 결과 그녀와 실종자 둘은 그리 오래된 관계는 아니었던 것으로 파악됐다.

박이나와 서수연은 같은 성당에 다니는 또래로 서수연의 말에 따르면 둘의 첫 만남 또한 그곳이었다고 한다. 올해 초부터 성당에서 박이나의 모습을 자주 보았고 반가운 마음과 친해지고 싶은 마음에 서수연 쪽에서 먼저 다가갔다고 했다. 서수연이 처음으로 느낀 박이나는 아주 위축돼 있고 또 소심한 사람이었다. 이 탓에 친해지는 시간이 힘들었다고 말하며 지금은 이나가 누구보다 자신을 의지하고 또 많이 밝아졌기에 자살하고 싶은 마음을 담은 일기를 썼더래도 절대로 시도하지 않았을 거라고 신신당부했다. 어딘가로 갑자기 떠나버릴 사람도 아니라며, 박이나는 취업 준비를 위한 노력을 열심히 쏟은 사람이라고 진술했다.

그녀의 진술대로 박이나의 집에서는 취업을 위한 자료들이나 도서들이 많았다. 책상에 걸린 캘린더는 빽빽한 아르바이트 일정과 별 모양으로 잔뜩 강조해 놓은 회사 면접 일정이 적혀 있었다. 열심히 공부한 흔적이 남은 박이나의 책상에선 취업에 대한 그녀의 간절함을 쉽게 찾을 수 있었다.

열심히 준비한 면접이다. 그런 면접을 버려두고 누가 스스로 목숨을 끊겠는가. 또한 마음의 변화로 인한 가출 따위도 아닐 것이다. 별을 잔뜩 그릴 만큼 간절한 일이라면 마음의 변화 따위도 없을 것이니. 박이나가 사라진 지 한 달이 넘은 시점에서 가늠할 수 있는 최악의 가능성은 이미 이 세상에 없고 훗날 싸늘한 시신으로 발견되는 것이었다. 생각하고 싶지 않아도 은연중에 계속 떠오르는 생각이었다.

"박이나가 거주하는 자택의 근방은 높은 건물 하나 없는 흔히 말해 옛날 동넵니다. 그 인근에 거주하는 주민들은 예전부터 주택을 지켰던 나이 든 노인분들이 대부분이시고."

성태의 말을 귀담아들으며 유한은 머릿속에서 해당 장소를 그려내기 시작했다.

마감 아르바이트로 인해 늦게 귀가하는 자정이 훨씬 넘은 시각에 집으로 향하던 박이나를 그녀의 자택에서 1km가량 떨어진 cctv가 담았다. 어둠 속에서 흘러내리는 가방끈을 고쳐 매며 걷던 모습이 마지막이었다. 그렇게 그날 박이나는 집으로 들어가지 않았다.

아니, 못했다. cctv는 박이나가 거주하는 빌라 앞에도 설치돼 있었다. 그 말인즉슨 빌라를 드나드는 이를 확실하게 볼 수 있다는 말이었다. 그 cctv 또한 확인해 본 결과 그녀가 아침 일찍 집을 나온 모습만 있지 집으로 들어가는 모습은 담겨있지 않았다.

즉, 빌라까지 향하는 골목길에서 그녀가 사라져 버린 것이다.

서수연의 증언에 따르면, 박이나의 집으로 향하는 골목길에 성인 두 명이 딱 붙어 지나갈 정도로 좁은 지름길이 하나 있는데 박이나는 매일 집으로 향할 때 그 길을 이용한다고 말했다.

그 좁은 길의 입구는 예전 사무실로 사용됐던 낡은 이층 짜리 건물과 오래된 슈퍼 사이에 있었다. 이층 짜리 건물은 현재 매매 중이며 인적 하나 없었기에 그곳에서의 목격자를 찾기엔 무리가 있었지만, 슈퍼는 달랐다. 슈퍼의 주인은 사십 대 중반의 부부로 실종된 그녀와 작은 왕래가 있었다고 했다. 매일 같은 시간대에 장을 보러 와 소량의 생활품을 구매해 떠났다고 했는데, 슈퍼 주인 부부는 박이나의 실종 당일 새벽 늦게 가게를 정리하던 중에 집으로 향하는 박이나와 인사를 나누었다고 했다.

그날 동네에는 수상한 것도 없었고, 박이나에게서 이상한 점을 느끼지 못했다고 말했다. 슈퍼 주인의 증언으로 박이나의 실종 위치를 좁힐 수 있었다.

빌라까지 이어진 그 좁은 골목길. 그곳이었다.

cctv가 없는 좁은 지름길을 제외하고 주변 골목길을 수색하며 또 다른 목격자를 찾아봤지만, 헛수고였다. 더 이상의 목격자는 없었고 어둠이 짙어 박이나의 동선을 찾는 것에 난항을 겪었다. 그렇게 홀로 박이나의 실종을 조사하며 유한은 수많은 cctv화면을 살펴봤고 그러는 동안에도 시간은 흘렀다. 흐르는 시간 속에서 도움이 되기 위해 애썼다. 하지만 그 노력에도 박이나의 자취를 찾을 수 없었고 박이나가 사라진 지 일주일이 넘었다. 일주일. 일주일이 넘게 되면 사라진 사람을 찾는 데 더욱 애를 먹게 된다. 그럼에도 유한은 포기하지 않았다. 서수연이 만든 전단지를 바라보며, 더욱 간절한 마음으로 뛰어다녔다.

박이나가 사라지고 2주 뒤, 은정동에서 또 하나의 실종자가 나타났다.

두 번째 실종자인 한동식의 실종을 알린 건, 한동식이 거주하는 빌라 주인이었다. 빌라 주인의 말에 따르면, 그동안 한 번도 월세를 밀리지 않던 한동식이 자취를 감추고 연락조차 받지 않아 이상한 마음에 경찰서로 향했다고 한다. 그가 거주하는 자택은 재개발 구역으로 동네가 조용하고 고요했다. 한동식이 거주하는 빌라 또한 아파트가 세워질 예정이었기에 거주자 대부분은 집을 뺀 상태였다. 현재 빌라에 거주하는 사람은 한동식과 빌라 주인 그리고 인근 대학에 재학 중인 대학생 이렇게 세 사람이었다.

대학생의 증언에 따르면 실종자를 마지막으로 본 건 집 베란다였는데 자정이 넘은 시각에 홀로 빌라 밖으로 나서는 실종자를 목격했고, 평소와는 달리 번듯한 차림새가 의아했다고 추가로 덧붙였다. 대학생의 증언대로 cctv를 확인한 결과, 한동식이 사라진 건 월세일로부터 이틀 전, 대학생이 목격한 그 차림새 그대로 빌라 정문으로 빠져나오는 모습이 마지막이었다.

주변 cctv를 통해 한동식이 택시를 타는 모습을 포착할 수 있었고, 택시의 차량 번호를 조회해 추적한 결과 한동식이 삼십 분을 넘게 달려 김포의 한 식당 앞에서 내렸다는 사실을 파악할 수 있었다. 집을 벗어나 삼십 분이나 걸리는 거리에 있는 가게. 유명한 맛집도 아니며 한동식이 가게 안으로 들어간 것도 아니었다. 어둠 속에서 가게 주변을 배회하던 한동식은 그대로 자취를 감췄다.

이상한 점이 한둘이 아니었다. 대체 어떤 연유로 향했는지는 몰라도 확실히 누군가가 그곳으로 한동식을 부른 게 분명했다. 밤새도록 cctv화면을 바라보던 유한에게 '누군가라면 범인이겠지.'라며 철민이 넌지시 말했고 유한 또한 철민과 같은 생각을 하고 있었다.

"최유한. 너 뭐야? 네가 실종전담팀이냐? 어? 지금 공무원증 소속에 뭐라고 쓰여 있냐? 왜 네가 나서서 실종된 사람들을 찾는 건데? 네 일도 아니면서 뭐 하는 거냐고."

맞는 말이었다. 실종수사전담팀에 속해있지 않은 유한이 실종 사건에 매달리는 건 이상하게 보일 일이었다. 그래서 팀장인 성태의 꾸지람도 묵묵히 듣기만 했다.

한동식의 자택에서 발견된 유서와 다량의 술병. 지저분한 내부 상태와 한동식의 이혼 경력 후의 알코올중독 치료, 우울증 치료 등을 본다면 스스로 목숨을 끊었거나, 간단한 여행을 떠났다. 이 생각을 해보지 않는 건 아니었다. 확실히 한동식의 실종 건에 대한 범죄의 연관성은 보이지 않았다.

사라진 한동식의 행방을 찾기 위해 헤어진 가족들을 찾은 적도 있었다. 이혼한 남편이긴 했으나, 한때는 사랑했던 사람이니 최소한 걱정 정도는 하지 않을까 생각했었다. 하지만 직접 만난 그들은 유한에게 냉랭한 반응을 보였고 단서를 찾을 수는 없었다.

이건 박이나의 가족도 마찬가지였다. 박이나의 고향에서 거주하는 그녀의 가족들은 수사에 협조할 생각이 없다며 사라진 박이나의 행방을 찾는데도 별 관심을 두지 않았다.

가족이면서 그런 반응을 보이는 건 유한에게는 참 씁쓸하게 다가왔다. 사라져 버린 가족을 찾지 않는 행위는 그에게 있어 이해할 수 없는 행동이었으니까.

"한동식 여행 간 거 아닙니다. 자살도 아니에요. 서울에 널린 게 식당인데, 김포까지 가서 식사할 리는 없잖아요. 그곳에 가야 하는 목적이 있으니까 간 거예요. 누가 부른 게 분명해요. 한동식을 그곳에 부른 그놈이 범인이라고요."

유한의 말에 피곤하다는 얼굴로 성태가 얼굴을 쓸었다.

"그래, 나도 알아. 그건 나도 이상하게 생각한다. 하지만 박이나 건이랑은 연결 지을 수 없어. 야, 막 함부로 연쇄사건이라고 판단하면 어떡해? 아무 관련성이 없잖아. 관련성이."

박이나. 사라진 지 3주가 되어가는 그녀를 찾을 수 있을 거란 희망은 시간이 지날수록 옅어졌다. 옅어지는 희망 속에서 유한의 눈에는 한동식이 비쳤다.

박이나와 한동식. 그리고 사각지대에서 사라져 버린 그들.

"은정동에 거주하던 사람이 두 명이나 사라졌어요. 박이나의 바로 옆 동네에 한동식의 빌라가 있어요. 두 사람의 거주지가 붙어 있잖아요. 그리고 두 사람 모두 힘들었던 개인사가 있어요. 우연이 아니라고요."

박이나와 한동식의 사건을 엮어서 생각하는 자신이 처음에는 미친 게 아닐까, 생각했다. 힘들었던 개인사 따위를 공통점으로 봤다는 대목에서부터 이해하기 힘든 행위였으니.

"그것만으로 누군가가 연쇄적으로 사람을 납치했다고 볼 수 없어. 게다가 한동식 씨는 건장한 성인 남성이야. 박이나 씨와 성별이 겹쳐, 뭐가 겹쳐? 그리고 개인사는 누구나 다 있어. 각자 힘든 게 있어도 티 안 내고 살아. 그런 건 신경 안 써도 되는 거야. 최유한. 너 쓸데없는데 체력 낭비하지 마. 우리 팀에서도 충분히 다른 사건 많으니까 그만 손 떼. 마지막으로 말하는 거다."

더 이상 묵묵히 듣지 않고, 있는 그대로 제 생각을 전하며 박이나와 한동식의 실종을 심각하게 받아들이던 유한은 성태의 눈초리를 받게 됐다. 여러 번의 지적을 받아도 억울하지 않았다.

타 부서의 사건을 찾는 자신이 이상한 게 맞으니까. 팀장님이 못마땅하게 보는 게 맞으니까. 공통점이 없는 두 사건을 연결 짓는 자신이 이상한 게 맞으니까.

하지만 스스로가 느낀 이 기시감은 사라지지 않았다. 혼자서 박이나의 빌라 주변과 한동식이 갔던 식당도 가봤지만, 별다른 소득은 없었다. 여전히 흔적을 찾을 수가 없었다. 한순간에 증발해 버린 것처럼 사라진 그들의 마지막 모습을 찾기 위해 계속해서 영상을 돌려봤다. 꿈에 나올 정도로 열심히.

하지만 실종된 두 사람은 돌아오지 않았고, 시신 또한 발견되지 않았다. 박이나를 간절히 기다리는 서수연의 얼굴을 보면 더욱더 마음이 쓰였다. 오지 않는 한동식을 기다리는 자 하나 없는 사실에도 마음이 쓰였다.

내내 불편한 마음으로 날을 지내오며, 팀원들의 눈 밖에서 그들의 소식을 찾아봤다. 혹여 시신으로 발견된다면 살인이 아니기를 바라면서. 또 시신으로 발견되지 않고 제 발로 돌아오길 바라면서 찾으러 나서지는 못해도 그렇게 바라고 바라며 다른 사건에 집중하고 있던 그에게 전화 한 통이 걸려 왔다.

"응, 무슨 일이야?"

"여보, 지금 방송되고 있는 뉴스 정말이야?"

"뉴스라니?"

"은정동 연쇄 실종사건 말이야. 네가 파고 있었던 사건이잖아."

그 말을 듣자마자 자리에서 벌떡 일어난 유한이 테이블 위를 굴러다니던 리모컨을 들어 텔레비전의 채널을 돌렸다.

"뭐야, 최유한! 우리 보던 거 안 보여…."

끼니를 대충이라도 때우기 위해 컵라면을 먹던 형사들이 텔레비전에서 송출되는 뉴스에 넋이 나간 채 화면을 바라봤다. 화면 속의 리포터는 서 내의 형사들이 잘 알고 있는 사건을 형사들이 모르던 새로운 실종자로 보도하며 심각한 얼굴로 말하고 있었다.

"은정동 연쇄 실종 사건이라니! 이게 뭔 개소리야!"

나무젓가락을 내동댕이치며 허리에 손을 얹은 성태가 유한을 노려봤다.

"최유한! 저거, 네 짓이냐?"

"무슨 소리예요."

"네가 박이나랑 한동식이 범인한테 연쇄적으로 납치된 거라고 떠들어댔잖아. 걔네 둘 단순 실종 맞으니까 손 떼라고 했는데 파고 다녔잖아."

"팀장님이 손 떼라고 한 뒤로 파고 다닌 적 없어요. 그리고 세 번째 실종자라뇨. 전 모르는 사실이라고요."

유한의 말에 성태가 답답한 얼굴로 화면을 바라봤다. 묵묵히 배를 채우던 철민 또한 텔레비전에서 시선을 떼지 않았다. 어떤 경위로 정보가 새어 나갔는지는 몰라도 세 번째 실종자인 이지석의 실종 뉴스는 박이나와 한동식을 엮어 '은정동의 연쇄 실종'이라는 파격적인 문장으로 사람들에게 퍼져나가기 시작했다. 그렇게 대중에게 연쇄적인 실종 사건이 알려지고 그 파급력으로 인한 등쌀에 윗선에서는 강력팀과 실종전담수사반을 동원했고 단순 실종으로 치부했던 박이나와 한동식의 수사는 재개됐다.

한동식이 사라지고 3주 뒤, 뉴스를 통해 보도된 실종자는 성인이 아닌 어린아이였다. 어린아이의 실종 신고를 한 건 초등학교 담임교사로 아이가 학교에 나오지 않는 건 일주일 전부터였다고 말하며 이야기를 시작했다.

"사실…. 전부터 지석이가 가정에서 학대받고 있을지도 모른다고 생각했었어요. 얼마 전, 지석이한테서 상처를 봤었거든요. 옷으로 가려져 있어서 찰나의 순간에 본 상처였어요. 누가 봐도 맞은 상처였죠. 제가 물었을 때는 넘어져서 생긴 상처라고 했지만 계속 마음이 쓰였어요. 지석이는 부모님이 이혼하셔서 아버지와 단둘이 사는

데, 전 지석이 아버님을 직접 뵌 적이 없어요. 통화로 느낀 바는 화가 많고 지석이에 대한 애정이 많지 않다는 것이었어요."

지석이가 학교에 나오지 않던 일주일 동안, 아버지를 통해 이지석이 독한 감기에 걸렸다고 연락을 통보받았다. 하지만 친구들의 연락조차도 받지 않는 지석이의 무소식에 직접 가정을 방문했지만, 그 집은 빈집이었고 알 수 없는 불안감에 경찰서로 향했다고 교사는 진술했다.

교사의 진술을 통해 경찰 측은 이지석의 아버지를 의심했다. 박이나와 한동식의 건과 관련이 없다면 이지석을 죽인 건 그의 아버지다. '아이를 학대하던 아버지가 아이를 죽이고 시체를 남몰래 유기한다.' 흔히 볼 수 있는 케이스였다.

이지석의 아버지는 자택에서 조금 떨어진 사설 도박장에서 발견됐다. 그를 연행해 심문한 결과 아이가 먼저 집에 들어오지 않았다고 억울한 목소리로 호소했다. 그의 심문과 동시에 자택 근처의 cctv를 확인하던 과정에서 어린아이인 이지석이 늦은 밤 홀로 집을 나와 cctv사각지대에서 사라져 버린 사실을 깨닫게 되었을 때, 유한의 머릿속에는 두 사람이 스쳐 지나갔다.

첫 번째 실종자 박이나와 두 번째 실종자 한동식 그리고 세 번째 실종자 이지석. 세 사람 사이의 간격.

박이나가 사라지고 2주 뒤, 한동식이 실종됐다. 3주 뒤 이지석의 실종 신고가 접수됐으나 이지석이 학교에 모습을 보이지 않은 일주일을 제외하면 한동식이 실종되고 2주 뒤, 이지석이 사라진 셈이 된다.

2주간의 간격을 두고 은정동에 사람이 사라진다. 그리고 그 사라지는 사람의 공통점은 불우한 환경이다….

스크린 앞에 서 있던 성태가 걸음을 옮겨 테이블 위에 걸터앉아 입을 열었다.

"만약에 범인이 사람을 납치해 시신을 유기한 거라면 그 과정은 꽤 힘들었을 겁니다. 아무리 cctv사각지대를 조사하고 살핀다 해도, 세 사람의 사라진 골목의 동네는 주택이 많으니 개인 cctv가 꽤 있겠죠. 범인이 발견하지 못한 것도 있을 테고, 그것과 함께 차량 블랙박스도 확인하면 찾아낼 수 있을 겁니다. 범인의 차량."

"근데 만약에 말이에요. 사람을 옮기는 방식이 차량이 아니라면요?"

"뭐, 캐리어라도 준비해서 옮겼다고?"

성태의 질문에 선재가 어색하게 웃으며 물었다.

"가능성이 없진 않잖아요?"

"야, 막내. 한동식은 성인 남성이야. 성인 남성을 넣을 캐리어는 얼마나 커야 할까? 그렇게 커다란 캐리어를 끌고 다녔다면 목격자 하나라도 있었을 거야. 물론 보는 눈이 적은 밤에 세 사람이 사라진 게 흠이지만. 만약 캐리어라면 어린아이인 이지석이 제일 가능성이 크겠지."

선재를 바라보며 진욱이 못마땅한 얼굴을 지었다.

"한동식은 납치됐기보다 범인의 유도에 현장으로 직접 간 게 맞을 겁니다. 그게 아니라면 범인에게 속아 순순히 그에게 협조했을 수도 있고요."

"속았다면 일면식이 있는 인물일지도 모르겠군."

철민의 말에 유한은 그 가능성을 어림잡았다. 한동식과 일면식이 있는 인물이 범인이라면, 박이나와 이지석의 존재는 어떻게 알았을까? 세 사람의 사정을 알 만한 방도가 있으니 불우한 환경을 가진 세 사람을 골라 범행을 저질렀을 것이다.

"그럼, 한동식 말고도 두 사람과도 일면식이 있다는 거냐."

진욱의 말에 철민이 그럴 가능성도 염두에 두자며 진욱의 어깨를 두드렸다.

"일단은 세 사람의 행방을 찾는 것과 더 이상의 관련성이 없는지를 중점으로 움직여 봅시다."

브리핑을 마치며 성태는 피곤한 얼굴로 문을 열고 나갔다. 다른 팀원들도 각자의 짐을 챙겨 사무실 밖을 나가는 사이, 유한은 홀로 남아 빛나는 스크린을 바라보며 생각에 잠겼다. 일면식이 있을 거라는 말. 정말 그 말대로 실종되기 전부터 아는 사이였다면 그들은 어디서 만난 것일까.

터널을 빠져나온 차량은 곧이어 톨게이트를 벗어났다. 도로에서 요란한 마찰음이 들리는 사이에 철민의 휴대폰에서 전화가 울렸다.

"예, 팀장님."

철민의 말에 유한의 신경은 온통 그에게로 향했다. 세 번째 실종자가 나오고 2주가 흘러 또 다른 실종자에 대한 염려로 경찰 측에선 은정동을 예의주시했지만, 아무런 일도 일어나지 않았다. 현재는 전보다 감시가 줄어들었지만, 안심하기에는 일렀다. 언제 사람이 사라질지 모른다는 불안감에 통화가 걸려 오면 늘 걱정부터 앞섰다. 네 번째 실종자가 나타날지도 모른다는 생각을 지울 수 없는 나약함 때문이었다.

"예. 예. 지금 고속도롭니다. 예. 금방 갑니다."

통화를 마친 철민이 휴대폰을 도로 넣어놓고는 입을 열었다.

"서로 돌아오라는 얘기야. 별다른 말씀은 없으셨다."

"그래? 그럼…. 다행이고."

"다행이고? 아하, 너 또 팀장님께 한 소리 들었냐?"

"몰라…."

땅이 꺼질 듯이 한숨을 내쉬며 유한이 뭉쳐진 어깨를 주물렀다. 철민의 말대로 유한은 며칠 전 성태에게 불려 가 쓴소리를 들었다. 독단적으로 판단하지 말라는 말, 참고인으로 부른 것도 아니면서 쓸데없이 시민을 부르지 말라는 말을 덧붙이며 팀장님은 그 남자에 대해 이렇게 말했다.

"미심쩍은 건 나도 마찬가지야. 하지만 그 남자가 마지막 목격자도 아니고, 길에서 홀연히 사라져 버린 건 지금까지 실종된 세 사람과 똑같지만, 신예선 그 여자가 불우한 환경을 가지진 않았잖아. 실종 신고도 가족이 했고 아직 신예선을 연쇄사건과 동일범으로 볼 수 없다."

서해준.

남자의 이름을 곱씹으며 서 앞에서 만났던 그 얼굴을 떠올렸다. 평온한 얼굴 속에서 느껴졌던 알 수 없는 이질감. 그리고 그 이질감은 뇌리에 스친 증언들과 부딪혀 유리 조각처럼 깨져버렸다.

"제 여자친구가 가출 같은 걸 할 리가 없어요. 어떤 남자랑 같이 있는 걸 봤다고 했잖아요. 저번에 형사님이 부른 그 남자요!"

"그 남자라면…."

유한이 해준을 부른 지 얼마 지나지 않아, 신예선의 남자친구가 찾아왔다. 여자친구를 찾아달라고 화를 내는 그 얼굴을 보며 유한은 생각에 잠겼다.

신예선이 사라지기 이틀 전, 소개팅을 통해 만난 김성훈은 실종 초반 의심 대상이었다. 그녀가 사라지기 전, 신예선의 근처에서 배회하는 김성훈의 모습이 cctv에 담겨있었고 사라진 그녀의 휴대폰을 가지고 있던 것도 그였기 때문이었다. 하지만 신예선을 만나 그녀가 카페 테이블에 놓고 간 휴대폰을 주워 드는 김성훈의 모습이 cctv에 찍혔고, 신예선이 골목길에서 사라져 버린 시각, 다른 거리를 비추던 cctv화면 속에 잡힌 김성훈의 모습에, 그에 대한 의혹은 벗겨졌다.

"제가 저번에 부른 남자요? 김성훈 씨가 그걸 어떻게 알죠?"

그 남자. 김성훈이 말한 그 남자는 서해준을 말하는 걸까. 하지만 서해준과 김성훈은 서로 안면이 없을 텐데. 의아함을 느낀 유한이 입을 다문 성훈에게 질문을 던졌다.

"그 남자와 아는 사이입니까?"

"네. 알아요. 이름도 알아요. 서해준이라는 그 남자랑 만난 적이 있거든요. 그 사람이 그 여자와 함께 있었어요. 어, 어쩌면…. 그 사람이 해코지한 게 분명해요. 아니 맞을 거예요! 제가 똑똑히 봤어요. 기억한다고요."

"알겠습니다. 그 건에 대해서는 저희가…."

"서해준…. 그 사람, 분명 뭐가 있다고요."

그렇게 말하는 그의 눈빛은 거짓이 아니었다. 정말 진심으로 증오하고 또 미워하고 있었다. 서해준을.

"남자친구인지 누구인지…. 딱 한 번, 집 앞에서 어떤 남자와 걷는 걸 봤었어요. 남자랑 있는 모습을 본 적이 없어서 특히 기억에 남았던 것 같아요. 키는 저보다 한 15센치? 20센치? 정도 컸던 것 같고요. 젊어 보였어요."

"어떤 남자랑 술을 먹고 있더라고요. 혼자서 마시던 양반이 다른 사람이랑 마시니까 신기해서 쳐다봤지. 첨엔 아들인 줄 알았어."

"여름 때였나. 어느 날부터 자주 놀이터에 와서 그 아이를 데리고 갔었어요. 그 이후로 남자는 안 오고 아이만 왔다 갔다 했었고요. 아이 아빠 아녜요?"

박이나의 옆집 사람, 한동식이 살던 빌라 주인, 이지석이 자주 갔던 아파트 주민.

세 사람이 말하고 있는 그 '남자'가 유한은 왠지 동일 인물 같았다. 서해준을 만나고, 김성훈의 이야기를 들으며 세 사람이 말한 남자가 서해준일지도 모른다는 추측이 그의 몸을 지배했다.

다시 세 사람을 찾아가 서해준의 얼굴을 보이며 물었지만, 후자의 두 사람은 오래전 일이라 기억나지 않는다며, 맞는 것도 같다며, 느낌이 비슷하다는 두루뭉술한 말을 전했다. 그때까지만 해도 스스로가 헛다리를 짚은 걸까 생각했었지만 다시 찾은 신예선의 빌라에서 옆집 여자를 만나 이야기를 듣자, 유한은 또 한 번 흔들릴 수밖에 없었다.

“어, 맞아요! 이 사람 맞는 것 같아요!”

“확실합니까?”

“네! 그때 코트도 입었어요! 얼굴 보니까 생각났는데요….”

여자는 올해 초, 애인을 위해 유명 브랜드에서 한정 판매하던 코트를 구매하려다 실패한 이후, 눈 여겨봤던 코트가 기억 속에 강렬하게 남았는지 해당 코트를 보면 바로 알아보는 경우까지 이르렀다고 한다. 그리곤 유한이 보인 사진을 보자마자 기억났다며 그 남자가 그 코트를 입고 있었다고 자기가 패션 업계에서 일하고 있어서 믿을 수 있다는 말까지 덧붙이며 자신의 확신을 강조했다.

패션 업계와 코트를 알아보는 게 무슨 관련성이 있는지 유한은 알 수 없었지만, 여자가 허둥지둥 휴대폰을 조작하고는 보여준 남자 모델이 입은 코트는 유한의 눈에도 익숙했다. 지난번 경찰서 앞에서 만났던 해준이 입은 코트였다. 옷에 대한 감각이 없더라도 그 날 해준의 착장을 뚜렷하게 기억하기에 그렇게 판단할 수 있었다.

같은 코트를 입고 있는 남자.

같은 사람이라고 결정 내릴 수는 없지만 그에 대한 의심은 커져갔다. 하지만 뚜렷한 단서가 없는 이상 유한은 서해준을 붙잡을 수 없었다. 만약 그가 은정동 연쇄 실종 사건의 범인이라면, 그대로 시내를 돌아다니게 만들진 않을 것이다.

사라진 실종자들을 위해, 그들의 가족들을 위해서라도. 사라진 이를 애타게 찾는 사람들을 위해서 유한은 반드시 해내야 했다.

‘누가 사라져요?’

서해준에 관한 생각을 비집고 들어온 과거의 질문. 박이나의 본가에서 봤던 그들의 얼굴에 유한의 심장이 철렁 내려앉았다.

'실종?'

마치 남의 소식을 접하는 듯한 목소리. 그 목소리가 유한은 끔찍하리만큼 싫었다.

'모른다고! 모른다니까! 집 나간 계집애가 없어지든 말든 우리가 뭔 상관이야?'

'나가! 아무것도 모른다는데 찾아와서 뭐 얻을 게 있다고! 어디 가출이라도 했나 보죠!'

'우린 이미 호적에서 파버렸어. 걔가 어떻게 되든 관심 없다고요.'

잔뜩 성질내는 얼굴, 자기는 모른다는 말. 가족이란 사람들이 그래도 되나 싶을 정도로 화가 나는 태도들. 그들의 얼굴과 말은 유한에게는 이해할 수 없는 모습들이었다.

유한에게 가족이란 세상에서 제일 소중한 존재였다.

어린 시절에는 아버지와 어머니가 그러했고, 지금은 결혼한 아내가 그러했다.

아내의 얼굴이 떠오른 유한은 눈살을 찌푸리며 고개를 저었다.

"네가 왜 이 사건에 이렇게 집착하는지 안다."

조용하던 철민이 나지막이 말했다. 시선을 고정한 채 귀를 기울인 유한이 그의 말을 기다렸다.

"살인사건보다 실종 사건이 더 끔찍하고 잔인하다고 그랬잖아, 네가."

"그랬지."

"하루아침에 사라진 사람을 애타게 찾는 가족들의 심정이 어떤지 잘 아니까. 그러니까 어제 그렇게 화를 낸 거겠지."

철민이 언급한 어제라는 단어에 유한이 입을 다물었다.

'그러니까 당장 나가! 나가라고!'

자신과 철민을 밀치며 내쫓는 가족들의 성난 목소리에 유한이 얼굴을 찌푸렸다. 터질 것 같은 이 서러움이 주체하지 못하고 폭발해 버렸다.

'지금 딸이 실종됐는데 그런 반응이 나옵니까? 죽었을지도 모른다고요! 가족이라는 사람들이 어떻게 그래!'

그날 옆에 철민이 없었더라면, 유한은 속에 담아두었던 모든 감정을 그 가족들에게 쏟아부었을지 모른다. 그 가족들에게서 다른 누군가를 비춰보고, 한심하게 화를 내고 탓하고 원망했을 것이다. 철민이 이렇게 위로를 건네는 것도 유한의 그런 사정을 잘 알기에 할 수 있는 일이었다.

둘이 함께 술자리를 가졌던 어느 날, 술에 잔뜩 취한 유한은 믿고 있는 선배에게 자신의 과거를 모두 털어냈다.

아내가 아닌 다른 사람에게 과거를 말한다는 건 힘든 결정이었다. 술기운 때문인지 입이 더 쉽게 떨어진 것도 있었지만, 이런 결정을 내릴 수 있었던 건 함께 지낸 시간동안 그에 대한 좋은 감정이 많이 형성된 게 큰 요인이었다. 유한에게 철민은 믿음직한 사람이자 또 좋은 사람이었다.

"나도 네 말에 동의해. 실종된 지 수십 시간이 지났다느니, 몇 개월이 지났다느니 그런 말로 죽었다고 판단해서 쉽게 포기해 버리는 놈들이 싫어. 난 시신을 찾기 전까지, 죽었다고 생각 안 할 거야.”

창밖에 시선을 둔 철민의 담담한 목소리에 유한이 그를 힐끗 바라봤다. 아무렇지 않은 얼굴이지만 철민 또한 생각이 복잡할 거다. 그런 상황에서 그는 어른스럽게 자신을 위로해 주고 있었다. 실종된 사람들이 사망했을지도 모른다는 생각은 유한 또한 가지고 있었다. 시신으로 발견될 확률이 높다는 걸 잘 알고 있으니까. 그러니, ‘싫다는 놈’들을 시기하는 마음에 동의하며 ‘그놈’들에 속해있는 스스로를 미워했다. 하루빨리 찾지 못하는 자신을 채찍질하며 그들에 대한 죄책감을 형성했다.

그런 유한에게 철민의 위로는 큰 힘이 되어줬다. 어떤 형태의 위로든 위로를 받고 나면 다시 일어설 힘이 생겼고, 막막한 길의 길잡이가 되어줬다. 유한에게 그는 언제나 의지할 수 있는 사람이었다.

“난 형 좋아. 형 좋은 사람이니까.”

“이 새끼…. 갑자기 왜 딴소리야?”

“됐어. 좋은 말 해줘도 성질이고…. 그러니까 결혼 못 하는 거야.”

“뭐? 말 다 했냐. 너?”

얼굴이 붉어진 철민이 유한에게 따지듯 묻자, 유한이 웃음을 터뜨렸다. 그렇게 두 사람이 엎치락뒤치락 말다툼하는 사이 차량은 두 사람의 목적지에 점점 가까워지고 있었다.

“다녀왔어.”

그날 오후. 고속도로를 달려 서로 향한 두 사람은 바쁜 일과를 마치고 일찍 귀가했다. 전날 먼 지방까지 갔다 온 두 사람을 위한 팀장님의 배려였다.

현관문을 열고 거실에 두 발을 디딘 순간, 잊고 있던 피로감이 온몸을 덮쳤다. 무거워진 어깨와 뻐근한 두 다리는 집에서 홀로 있었을 아내를 찾아 마지막 힘을 쥐어짜 냈다.

"여보, 집에 있어? 불도 다 꺼놓고…."

거실로 향한 그가 어두웠던 거실의 불을 켜자, 휑한 집안이 그의 눈을 찌르며 들어왔다. 밝은 빛에 눈살을 찌푸린 그의 눈에 식탁 위에 올려진 포스트잇이 들어왔다. 그녀가 썼을 쪽지를 들어 확인한 그는 그녀가 같은 아파트에 사는 주부끼리 모여 짧은 담소를 나누려 밖으로 나섰다는 사실을 알게 되었다.

"늦게 들어오시겠네."

짧은 담소라고 말했지만, 말이 많은 그녀는 분명 자신도 느끼지 못하는 시간 속에서 쉴 새 없이 떠들 것이다. 오래간만에 일찍 집에 들어와 그녀를 놀라게 해줄 생각을 하고 있던 유한에게는 쓸쓸한 소식이었지만, 반대로 생각하면 그녀가 없는 집안에서 유한은 홀로 자유시간을 보낼 수 있었다.

자유시간이라고 해 봤자, 씻지 않고 소파에 눕는 정도니…. 과거 자신의 그런 행동으로 잔소리를 늘어놓던 아내의 얼굴을 떠올리니 웃음이 나왔다.

집에 돌아온 유한의 행동 패턴은 비슷했다. 소파에 앉아 뉴스를 시청하거나, 컴퓨터를 사용하는 것. 그의 아내는 유한이 컴퓨터 게

임을 하는 것을 못마땅해하는 눈치였으나 그의 여가를 방해하지는 않았다. 뭐, 최근 들어선 컴퓨터 사용 빈도가 낮아졌고 피곤함에 지쳐 쓰러져 잠드는 경우가 대다수였으니 그녀로서는 유한이 잠들어 있는 편이 훨씬 보기 좋을 것이다.

소파에 늘어지듯 누운 그는 손을 들어 피곤한 눈가를 짓누르며 얼굴을 쓸었다. 몸에 달라붙은 피곤함을 씻어내리고 싶었으나, 누워버린 몸뚱이는 일어날 생각이 전혀 없었다. 그저 얼른 일어나서 씻어야 한다는 생각만이 머리를 떠돌며 그의 눈꺼풀을 자꾸만 덮었고, 잠들지 않으려 눈을 비벼봐도 소용은 없었다. 힘이 다 빠진 몸을 가만히 내버려 둔 채 감겨오는 눈을 천천히 끔뻑이며 유한은 어두운 의식 속으로 빠져들었다.

—

"형, 어디 가는 거야? 같이 가면 안 돼?"

"싫어. 너 있으면 방해돼. 집에나 있어."

어린 남자아이 두 명이 현관문 앞에서 옥신각신하며 다투기 시작했다.

"집에 혼자 있으면 심심하단 말이야."

"그럼, 책 읽어! 따라 나오지 마라."

신경질적으로 내뱉은 그 말에 어린 동생이 눈물을 글썽였다. 형은 개의치 않고 집 밖을 나와 신난 얼굴로 문을 열고 계단을 뛰어 내려갔다. 주공아파트에 거주하는 또래 아이들이 삼삼오오 모여 놀이터로 향했다. 친구들과 같이 뛰어가던 형의 귓가에 익숙한 목소리가 들렸다.

"형!"

고개를 돌려 뒤를 돌아보자, 눈물범벅인 동생이 달려와 형의 팔을 붙잡아 흔들기 시작했다.

"나도 데려가, 형."

"야! 따라오지 말라고 했잖아."

"집에 혼자 있으면 무섭다고."

"겁쟁이야? 그것도 무섭게?"

"나는 무섭다고! 혼자 있으면, 이상한 소리도 나고…. 할 것도 없어. 재미없단 말이야."

서럽게 우는 동생을 바라보던 형은 여전히 짜증 가득한 얼굴로 동생의 손을 붙잡았다. 강한 손길에 동그랗게 눈을 뜬 동생이 울음을 삼켜냈다.

"알겠어! 알겠으니까 그만 울어! 그럼…. 너는 깍두기 해. 대신 다치거나 넘어지면 혼난다. 너 잘못되면 내가 엄마한테 혼난단 말이야."

"알았어…."

고개를 끄덕이는 동생을 데리고 놀이터로 향한 형은 친구들과 늘 하는 놀이를 즐기며 열심히 뛰어다녔다.

연년생임에도 체격이 왜소한 동생은 처음에는 형들의 눈치를 살피며 소극적으로 움직였지만, 점점 시간이 지날수록 신난 얼굴로 소리를 지르며 뛰어다녔다. 그렇게 저녁노을이 지고 흩어진 아이들 사이에서 형제 또한 집으로 향하는 발걸음을 뗐다. 앞서가는 형을 졸졸 따라가던 동생이 마트 앞에 멈춰서서 입을 열었다.

"형, 나 아이스크림 먹고 싶어."

"사달라고?"

"안돼?"

"흠…."

고민하며 눈을 굴리던 형이 고개를 끄덕이며 마트를 가리켰다.

"하나 골라. 딱 하나만이다."

형의 말에 알았다고 답하며 마트로 뛰어간 동생을 따라 아이스크림을 고르고 각자의 손에 소중하게 쥔 채 다시 걸음을 옮긴 형제는 도란도란 이야기를 나눴다.

"형 내일도 같이 놀면 안 돼?"

"그래라."

"진짜? 정말로 같이 놀아도 돼?"

"정말이라고."

귀찮다는 얼굴로 걸어가던 형은 끊긴 동생의 발소리에 멈칫했다.

"유현아?"

홀로 남은 길 위에서 어린 동생의 이름을 불렀다. 동네를 울리는 아이의 목소리에 답해주는 목소리는 없었다.

"야, 최유현! 유현아!"

어두워진 낯빛으로 걸어온 길을 따라 뛰기 시작한 아이는 손에 들고 있던 아이스크림도 내던진 채 동생의 이름을 계속 불렀다. 어디 갔냐고, 어서 나오라고, 장난치지 말라고 소리치던 형의 눈에 동생이 비치자, 걱정하던 얼굴이 매섭게 변했다.

"야, 너 어디 갔던 거야! 내가 잘 따라오랬지!"

"형, 내가…. 내가 형 잃어버려서 한참 찾았는데. 형 이름…. 계속 불렀는데. 어디 갔었어."

눈물을 닦으며 동생이 따지듯 묻자, 말문이 막힌 형이 뒷걸음질치기 시작했다.

"무슨 소리야."

“내가 계속 찾았는데, 혼자 있는 거 무섭다고 했는데. 형…. 어디 갔었어.”

노을이 진 어두운 하늘 아래, 인적이 드문 골목길 한가운데에서 동생은 계속 매섭게 물었다.

“왜 사라졌어? 내가 그렇게도 싫었어?”

“아, 나는….”

“왜 날 두고 간 거야, 형.”

무표정한 얼굴로 형을 바라보던 동생이 몸이 점점 멀어지기 시작했다. 시야에서 멀어지는 동생을 붙잡기 위해 손을 뻗었지만 닿지 않았다.

울먹이는 얼굴로 동생의 이름을 부르며 형은 앞으로 나아갔다. 아니라고, 너를 두고 가려던 게 아니었다고. 찾지 않은 게 아니라고 말해줘야 한다는 생각에 젖 먹던 힘을 다해 앞으로 나아갔다. 하지만, 자꾸만 멀어지는 거리에 계속 초조해하며 아이는 계속해서 동생의 이름을 불렀다. 소용없는 일임을 알면서도.

—

꿈에서 깨어난 유한은 멍하니 허공을 바라봤다. 거친 숨을 몰아쉬는 유한은 꿈에서 받은 오한으로 인해 온몸의 털이 솟아있었다. 여전히 남아있는 그 소름 끼치는 감정을 떨쳐내고자 머리를 쓸어올리는 사이, 남편의 기척을 확인한 아내가 다가와 걱정스러운 얼굴로 물었다.

"무슨 일이야? 악몽 꿨어?"

"응…. 언제 왔어?"

"좀 전에 왔어. 무슨 꿈을 꿨는데 그렇게 놀라?"

유한의 손 위에 따뜻한 감촉이 느껴졌다. 다정하게 손을 잡아주는 아내에게 애써 웃어 보이며 그가 고개를 저었다.

"별거 아냐. 쓸데없는 꿈이었어."

"거짓말. 너 말이야, 동생 부르면서 깬 거 알아?"

아내의 눈초리에 정곡이 찔린 유한이 머쓱해하며 뒷목을 긁적였다. 꿈이 아니라 현실에서 이름을 부른 모양이었다.

"미안해. 걱정할까 봐. 숨기고 싶었어."

"걱정시켜도 되니까 말해달라 했잖아. 내가 들어준다고."

"알았어, 다음부터는 꼭 말할게."

"그 말도 몇 번째지."

퉁명스러운 얼굴로 손을 놓은 아내는 곧 저녁을 차린다며 얼른 씻으라는 말을 덧붙이고는 자리를 떠났다.

"아, 수정아! 오늘 먹자, 피자. 내가 사 올게."

"뭐? 파스타 안 만들었는데."

"만들면 되지. 도와줄까?"

"됐네요. 그럼…. 좀 이따가 사자. 내가 지금 만들게."

고개를 끄덕이며 흥얼거리기 시작한 수정의 뒷모습을 바라보던 유한의 얼굴이 점점 굳어졌다.

또 그 꿈이다. 잊을만하면 나타나는 동생은 항상 유한의 등 뒤에서 한순간에 사라졌다. 한참을 찾아다녀 발견한 동생은 매번 똑같은 질문을 던졌다.

왜 자신을 두고 갔냐고 묻는 얼굴은 유한을 원망하고 있었다. 실제로 동생이 자신을 원망했는지 원망하지 않았는지 유한은 알 수 없지만, 그날의 일에 대한 죄책감으로 인해 부정적인 감정만이 머릿속에 남아버렸다. 쌓여버린 죄책감은 버리기 무거워 평생을 마음속에 담고 살아야 했다. 버리면 끝나는 감정을 끌어안고 있으니 이런 꿈을 꾸게 된다는 건 유한 자신도 잘 알고 있었다. 하지만 매번 악몽을 꾸며 괴로워하는데도 불구하고, 죄책감을 버리지도 동생을 잊지도 못하는 건, 어린 시절의 그 나약한 자신에 대한 분노로 인한 무게가 죄책감에 실려 있기 때문일 것이다.

동생이 사라진 집안은 늘 고요했다. 학교가 끝나면 도서관을 찾아가 자신을 기다리던 동생을 데려오는 일이 없어졌고, 집에 돌아온 두 형제에게 어머니가 늘 주던 쿠키의 향기를 더는 맡을 수 없었으며, 저녁때만 되면 아버지를 맞이하러 함께 뛰어가던 두 형제의 모습은 더는 볼 수 없었다.

무겁고 칙칙한 집안에 남은 세 사람 사이에는 온정이 느껴지지 않았다. 다 무너져 가는 위태로운 탑에 서서 애써 관계를 유지하며 하루하루를 보냈다.

가족이 모여 오순도순 식사하는 모습은 사라졌고, 유한은 준비된 음식을 홀로 먹으며 배를 채웠다. 학교를 마치고 집에 돌아오면 너무나도 조용해 놀이터에 홀로 앉아있었고, 같이 놀던 친구들과도 멀어졌다. 친구들과 다투거나 그들이 유한을 멀리하는 게 아니라 유한 스스로가 그들과 멀어졌다. 마주치지 않도록 피해 다니며 말을 섞지 않으려 매일 같이 그들의 말에 대답하지 않았고, 그러다 보니 저절로 친구들이 곁을 떠났다. 유한에겐 그편이 훨씬 나았다.

학교가 끝나고 집에 돌아온 후, 늦은 저녁. 집으로 들어와 죽어가는 눈으로 자신을 챙기는 부모님과는 짧은 대화만이 오갔다. 학교에서는 별일 없었는지, 필요한 건 없는지. 괴로운 얼굴을 애써 참고 미소를 짓는 어머니와 아버지에게 힘이 되진 않을까, 밝은 얼굴을 하며 이런저런 이야기를 하는 내내 마음이 편치 않았다.

이래도 되나. 싶은 생각이 내내 마음을 갉아먹었다.

부모님을 만날 수 있는 시간은 늦은 저녁 시간이 전부였다. 그러다 보니 집안을 정돈하는 건 유한의 몫이 됐고 시간이 흐르며 집안일을 도맡아 부모님의 부담을 덜어냈다. 머리가 커가며 동생의 얼굴과 목소리는 점점 희미해졌고 그럴수록 잊지 않기 위해 최선을 다해 사라지는 기억을 붙잡았다.

동생이 사라지고 얼마 되지 않은 어느 날, 텅 빈 거실에 혼자 남아 어질러진 전단지를 정리한 적이 있었다. 밖에서 동생을 찾아다니는 부모님을 대신해 집에 돌아오신 부모님이 힘들지 않도록 깔끔하게 정리해야겠다고 생각했었던 것 같다. 그날, 잔뜩 쌓인 전단지를 정리하는 내내 눈물이 멈추지 않았다.

자신의 옆에 없는 사진 속 얼굴이 너무 밝아서, 그동안 잘해주지 못한 자신이 미워서, 우는 내내 자신을 탓했다.

그날, 그렇게 가버리는 게 아니었는데. 같이 놀자고 조르는 동생을 챙겨 함께 놀이터로 향했어야 했다. 그랬더라면 혼자 남은 동생이 자신을 찾아 집 밖을 나서지 않았을 것이고 사라져 버리는 일 또한 없었을 것이다.

시간이 흐르며 가족 간의 사이는 더욱 단절됐고, 부모님의 얼굴 또한 보는 기회가 적어졌다. 자신을 탓하기 시작하면서 부모님의 얼굴을 보는 것이 죄스러워졌고 부모님과 얼굴을 마주하는 일을 피하고자 바깥을 돌아다니거나, 방에 틀어박혀 자는 체를 했다. 고등학생이 되어서는 야간 자율 학습으로 인해 늦은 밤에 귀가하는 일이 잦아졌고, 마음은 점점 멀어졌다.

"나는 있잖아, 어떻게든 살아만 있어 주면 좋겠어. 나쁜 일을 저질러서 감옥에 있는 것도 좋으니까 제발…. 살아있는 우리 유현이 얼굴 보고 싶어."

"당신, 그런 생각하지 마. 유현이 그 여린 놈이 어떻게 나쁜 일을 저질러. 괜찮아. 유현이는 나쁜 짓 안 해."

"내가 너무 싫은 게 뭔지 알아? 만약에 그때 유한이가 유현이만 잘 챙겼어도 이런 일이 없었을 거라는 생각이 요새 계속 들어. 커가는 유한이 얼굴 보면 유현이가 생각나서 괴로워. 나 같은 건 엄마 자격도 없어. 어떻게 그런 생각을 할 수가 있어? 유한이도 우리만큼 힘들 텐데. 유한이를 탓할 생각을 하지?"

"여보. 괜찮아…. 괜찮아, 여보. 한 번도 유한이한테 네 잘못이라고 말한 적 없잖아. 우리도 잘 알잖아. 유한이 잘못 아닌 거. 마음이 너무 무너져서 그래. 당신이 한 생각 나도 안 한 건 아니야. 너무 지쳐서 남을 탓하고 싶어서 그런 마음이 생기는 거야. 그니까 우리 마음 굳게 먹자. 남은 유한이마저 망가지게 만들 순 없잖아."

부모님의 대화를 우연히 엿들은 적이 있었다. 자신이 자고 있다고 생각해 나눈 그 대화가 마음을 깊게 후비고 들어왔다. 방문에 기대어 앉아 소리 없이 울면서 동생에게 가진 죄책감을 더욱 키워갔다. 그리고 그 죄책감과 동생을 찾고 싶은 간절함이 유한을 경찰이 되는 길로 이끌었다.

"오늘 진짜 잘 만들어졌어. 맛있겠다."

식탁에 앉아 서로를 마주 보며 부부가 환한 미소를 지었다. 수정이 만든 파스타와 유한이 사 온 피자가 주방의 조명에 탐스럽게 빛났다. 아내의 파스타를 소량만큼 덜어 입 안에 넣은 유한이 엄지를 내밀며 입을 열었다.

"진짜 맛있다. 나날이 느는 것 같은데?"

“내가 요리 하나는 죽여준다고 했잖아. 더 있어! 많이 먹어.”

만족스러운 미소를 지은 수정은 이내 파스타를 열심히 먹는 유한을 보며 머뭇거렸다.

“있잖아, 요새 많이 바쁘지?”

“뭐, 그렇지.”

“유한아, 그게…. 내가 오전에 전화 통화를 했었는데.”

“통화? 누구랑?”

“어머니랑…. 어머니께서 오늘 나한테 전화하셨었어.”

수정의 말에 포크질을 멈춘 유한이 입 안에 있던 음식물을 삼켰다. 그런 유한의 눈치를 살피며 수정이 말을 이었다.

“나한테 그러시더라. 언제 한 번 오시겠다고…. 유한이 네 시간 비는 날에 서울로 올라오겠다고. 언제 괜찮은지 알려달라시네.”

“그래…?”

“네가 많이 바쁘니까. 너한테 전화 통화를 못 하겠다고 하시더라. 나한테 대신 전해달라고 하셨어.”

“비는 날…. 음, 글쎄. 확실하게 답은 못 하겠다. 내가 엄마한테 따로 연락할게. 곤란했겠다. 미안해.”

“으응, 아니야. 하나도 안 곤란했어. 다만….”

머뭇거리던 아까의 표정이 더욱 심각해졌다. 수정의 얼굴에 유한 또한 얼굴이 굳어졌다.

“아버님께서 몸이 안 좋아지셔서 병원에 계신대. 네가 걱정할까봐 말하지 말라고 하셨는데, 아무래도 말해야 할 것 같아서….”

아버지가? 수정의 말에 심장이 빠르게 뛰기 시작했다. 벌써 환갑이 다 되어가는 나이. 부모님의 건강에 대한 염려는 늘 하고 있었으나 이렇게 이른 시기에 찾아올 줄은 꿈에도 몰랐다.

결혼하고 서울로 올라오며 부모님과 만나는 기회가 더욱 적어졌다. 바쁘다는 핑계로 만나는 것을 피하다 보니 자연스레 연락하는 빈도가 잦아들었고, 부모님 또한 그런 유한의 마음을 눈치챘는지 자신보다 아내인 수정에게 드문드문 연락을 취했다.

“유한아, 우리 내려가서 어머님 아버님 뵙자. 아버님 몸 상태도 확인해야 하고….”

“응, 그래야겠다. 이번 사건만 끝나면 내가 따로 내려갈게.”

“혼자 말고 같이 가. 알겠지?”

다정하게 타이르는 아내의 말투에 실없이 웃음이 나왔다. 고개를 끄덕인 유한은 아내를 안심시키며 무너질 것 같은 속내를 들키지 않으려 억지로 미소를 지었다.

주말 아침. 일찍 집 밖을 나온 유한은 차를 타고 성당으로 향했다. 첫 번째 실종자가 다니는 성당에는 수사 목적으로 간 적이 있었다. 이렇게 따로 혼자 오는 것은 처음이지만 경찰의 신분을 감춘 채 향한다면 또 다른 단서를 찾을 수 있을지도 모른다는 생각에 오지 않을 수가 없었다.

주차장에 차를 세우고 들어가는 길. 인파를 따라 함께 건물 안으로 들어간 유한은 맨 뒷자리에 착석했다. 알아본 바로는 곧 미사가 시작된다는데…. 어색하게 앉아 주위를 둘러본 유한은 옆자리 사람과 눈이 마주치자마자 빠르게 시선을 회피했다.

사람들이 빽빽하게 들어앉아 조용히 침묵하고 있다. 이 분위기에 맞춰서 자신 또한 조용하게 앉아있어야 할 터. 헛기침하며 성당 안의 스테인드글라스를 구경했다. 햇빛에 반짝이는 유리창은 각자의 색깔로 빛나며 본당 안을 드리웠다. 그 빛이 왠지 모르게 따뜻해서 이 공간 안이 한결 편해졌다. 곁눈질로 들어오는 사람들과 자리에 앉아 손을 모으는 사람들을 지켜보며 생각에 잠긴 유한은 어제의 통화를 떠올렸다.

"네, 엄마. 수정이한테 들었어요. 올라오신다면서요? 그럴 필요 없어요. 제가 내려가 볼게요. 아버지 몸도 편찮으시다면서요. 아뇨, 제가 알려달라고 한 거예요. 다음에는 그런 일 숨기지 말고 말씀해 주세요. 바빠도 전화는 받을 수 있어요. 네. 조만간 찾아뵐게요. 몸 조심하시고요."

오랜만에 들어보는 목소리는 전보다 더욱 힘이 없었다. 덤덤한 어조로 대화를 나누던 모자 사이에는 어색한 분위기가 흘렀다. 주먹을 쥐며 통화를 마친 유한이 참아왔던 숨을 내쉬며 부모님의 얼굴을 떠올렸다.

비가 오던 그날 밤, 부모님의 대화를 의도치 않게 엿들은 그날 이후로 부모님과 대화하는 것이 더욱 어려워졌다. 부모님이 묻기 전까지 진로에 대해 말하지 않았고, 수정을 만나 연애를 하면서 연애 사실을 전하지 않았다. 그렇기에 뜬금없는 결혼 발표로 두 사람을 놀라게 했었다. 사실 결혼 이야기를 꺼내는 것도 긴 시간이 걸렸다. 여전히 동생을 잊지 못하는 부모님께 소식을 전하기 어려워하는 유한의 손을 수정이 잡아주지 않았더라면 더욱 오랜 시간이 지났을 것이다. 그랬더라면 지금에 이르지 못했을지도 모른다. 그 점에 대해서는 늘 아내에게 고마워하고 있었다. 수정을 만나 집안의 새로운 활기가 돌았으나, 그럼에도 멀어진 관계는 회복될 기미를 보이지 않았다. 유한은 부모님의 얼굴을 보기 힘들어했고 부모님도 보고 싶다는 말을 직접적으로 전하지 않았다. 애매한 이 관계를 몇십 년이 넘게 지속하다 보니 변화해야 한다는 생각이 들어도 방법을 찾을 수 없었다. 찾아도 노력하지 않는 게 올바른 표현일지도 모르겠다고 유한은 생각했다.

미사가 끝나고 본당을 나오는 사람들의 눈치를 살피며 유한이 인파를 따라 밖으로 나섰다. 나른한 오전 햇살이 마당에 드리운 탓인지 사람들이 모여 대화를 나누고 있었다. 그런 사람들 속에서 익숙한 얼굴이 들어오자, 차량으로 향하던 유한이 걸음을 멈췄다. 사람들과 떨어져 홀로 서 있는 여자는 쓸쓸한 표정을 짓고 있었다. 주위에 시선을 주지 않고 멍하니 어딘가를 바라보는 그 얼굴을 그냥 보고 지나칠 수 없어서 유한은 걸음을 옮겨 그녀에게 다가갔다.

"안녕하세요."

"어라, 형사님. 안녕하세요."

수연이 고개를 숙여 인사하고는 떨떠름한 표정으로 유한을 바라봤다.

"근데 형사님이 여긴 어쩐 일이세요?"

"박이나 씨가 다니시던 성당이잖아요. 어쩌면 박이나 씨를 알고 있는 다른 분이 나오실 수도 있고, 미사에 참여하는 인원이나 규모를 좀 알고 싶어져서 왔습니다.”

“아, 그러시군요.”

고개를 끄덕이며 어색한 미소를 자아내는 수연에게 유한이 이어서 물었다.

“여긴 다시 봐도 성당이 꽤 크네요. 은정동에 거주하는 분들은 거의 이곳으로 오시겠어요.”

“네, 아무래도 그렇죠. 모임이나 행사에 참여하지 않는 분들이라면 얼굴 기억하기도 힘들어요. 물론 매일 같은 자리에 앉았던 이나와 같은 분들이 계신다면 알아볼 순 있겠지만요.”

“그렇군요…. 참, 여전히 수상한 점은 없나요?”

“네, 없어요. 이나가 사라졌지만, 아무 변화도 없네요.”

어깨를 으쓱하며 대답을 마친 수연이 손가락을 꼼질거렸다. 이 상황이 아주 불편한 모양이었다. 하긴, 그렇겠지. 목을 가다듬으며 작별 인사를 위해 입을 열던 유한이 시선을 돌린 그 순간이었다.

건물에서 나와 묵묵히 걸어가는 남자. 그리고 그 남자에게서 느껴지는 이 기시감. 주변에서 걷는 사람들과는 다른 분위기를 풍기는 그가 눈에 들어온 순간, 온몸의 털이 바짝 솟았다.

“서해준이잖아.”

그가 왜 여기에 있는 거지? 종교가 있었던 건가. 눈살을 찌푸리며 그를 응시하던 유한은 당장이라도 달려갈 것처럼 발을 뗐다. 하지만 뇌리에 스친 한 생각이 유한의 발목을 잡았다.

걸음을 돌려 수연에게로 되돌아온 유한이 해준을 가리키며 그녀에게 물었다.

"저 남자, 혹시 알고 있습니까?"

"누구요? 아, 저 분이요? 네. 알고 있어요."

"언제부터 이 성당에 있었죠?"

"아마 저보다 훨씬 전이었을 거예요. 저는 2년 전에 이곳에 이사와서 이 성당에 나오기 시작했어요. 이사 온 뒤로 쭉 다니다가, 언제였더라…. 기억은 안 나지만 좀 지나서 처음으로 본 것 같아요. 듣기로는 어느 모임도 참여하지 않고 미사만 나오신다는데, 사람과 잘 어울리지 않는대요. 오늘처럼 매번 혼자 다니시고요. 다른 분들이 몇 번 말을 거신 적이 있는데 살가운 성격이 아닌가 봐요. 사람이 엄청 차갑대요."

수연의 말을 귀담아들으며 유한이 고개를 돌려 마당 밖으로 나가는 해준의 뒷모습을 바라봤다. 서해준이 박이나가 다니던 성당에 다니고 있었다. 우연일까. 서해준은 박이나의 존재를 알까. 물으면 바른대로 대답은 해줄까. 아니, 애초에 질문조차 하지 못할 것이다. 같은 성당에 다닌다는 이 정황만으로 서해준과 박이나 건을 묶을 수는 없었다. 발끝을 감싸며 올라오는 이 찝찝한 기분은 그냥 넘어가지 않고서는 못 배긴다. 하지만 당장 달려가 해준을 붙잡는 것도 할 수 없다.

만약 서해준이 무고한 시민이라면 실례되는 짓이고, 진범이라면 눈치채고 모습을 감출지도 모른다. 길게 한숨을 쉬며 머리를 긁은 유한이 제 눈치를 보는 수연에게 목례 후 자리를 떠났다. 본당을 나오는 사람들을 지나쳐 다시 안으로 들어간 유한은 아까와는 다르게 텅 빈 안을 바라보며 숨을 죽였다. 제일 앞자리에는 몇몇 사람들이 앉아 눈을 감고 손을 모으고 있었다. 그들의 뒷모습을 바라보며 유한은 머릿속에서 과거에 있었을 풍경을 떠올렸다. 평범한 일상 중 하나였을 풍경. 멀쩡한 얼굴의 박이나가 의자에 앉는다. 사람들이 점점 들어오며 모든 의자가 꽉 찬다. 그리고 그들 중에 섞여서 범인이 함께 들어온다.

그 차가운 눈으로 범인이 박이나를 바라본다. 범인의 검은 눈동자 속에 박이나가 비친다. 박이나를 바라보며 범인은 무슨 생각을 했을까. 만약, 정말 만약에 그 범인이 서해준이라면….

"저, 저기요."

유한의 등을 두드리는 손길에 혼자만의 의식에서 벗어난 유한이 화들짝 놀라며 고개를 돌렸다.

"아, 네. 무슨 일이죠?"

"수연 씨와 얘기하는 걸 우연히 들었어요. 경찰분이시라고요."

아까 바깥에서 대화하던 걸 들은 건가. 조심스러운 표정의 중년 여성에게 미소를 지으며 유한이 고개를 끄덕였다.

"예, 맞습니다."

"저 다름이 아니라, 마음에 걸리는 게 하나 있어서요."

"마음에 걸리는 거요?"

유한이 고개를 갸웃거렸다.

"은정동 연쇄 실종 사건 말이에요. 그 실종자 중에서 어린아이가 하나 있었죠? 지석이라고."

지석? 세 번째 실종자인 이지석을 말하는 건가? 고개를 끄덕이며 여자의 말에 경청하자 그녀가 말을 이었다.

“지석이는 원래 제 둘째 아이 친구였거든요. 학교 친구요. 근데, 얼마 전에 아이한테서 들었어요. 자기가 지석이랑 함께 성당에 간 적이 있다고요.”

여성의 말에 유한의 심장이 덜컥 내려앉았다. 점점 빠르게 뛰기 시작한 심장 박동에 유한은 숨을 삼켰다.

“지석이가 성당에 온 적이 있다고요?”

“간식을 받는 날에 지석이를 데려갔다고 말했어요.”

“그게 언젭니까?”

“아이가 제대로 말해주지는 않았어요. 날짜까지 기억할 수는 없을 테니까요. 하지만 계절 하나는 확실히 알아요. 여름 때였을 거예요. 좀 오래됐어요.”

여름. 여름이라. 단어를 곱씹으며 생각에 잠긴 유한에게 여성이 이어 말했다.

“학교에서 지석이가 사라져 버렸다는 걸 듣고 아이가 많이 속상해했어요. 시간이 지나고 이제 점점 괜찮아져서 저도 마음이 놓였는데, 성당 얘기를 꺼내다가 갑자기 지석이가 생각난 모양이에요. 저녁을 먹고 있어서, 지석이는 괜찮을 거라고 말해주고 그냥 넘어갔었는데. 오늘 형사님의 얘기를 우연히 듣고 나서 갑자기 생각난 거예요. 이걸 이대로 모른 척할 수가 없어서…. 그래서 찾아와 봤어요. 소문 들어서 알아요. 실종자 중에 한 사람도 여기 신자잖아요. 꺼림칙한데 어떻게 넘어갈 수 있겠어요….”

박이나는 이 성당을 다니던 신자였다. 이지석은 신자가 아니었지만, 친구를 따라 이 성당에 온 적이 있었다. 성당. 성당이라….

품에서 휴대폰을 꺼내든 유한이 화면을 조작하더니 여성에게 내밀었다.

"혹시 이 사람을 이곳 성당에서 본 적 있습니까?"

"아, 아뇨. 누군지 모르겠는데요."

"그렇습니까…."

"저 말고 남자분들한테 여쭤보세요. 아니면 사무실에 가시는 것도 좋을 것 같네요."

사무실이라. 내밀었던 휴대폰 화면을 보며 유한이 입술을 깨물었다. 사진 속 한동식의 얼굴을 아는 자가 만약에 이 성당에 있다면, 첫 번째 실종자와 두 번째 실종자, 세 번째 실종자까지 모두 공통점이 생겨버린다.

휴대폰을 다시 주머니 속에 넣은 유한이 웃으며 고개를 숙였다. 여성과 인사를 마친 그는 빠른 걸음으로 건물을 빠져나와, 성당 안의 사무실로 향했다.

현금다발을 들고 정리하던 남자와 눈이 마주친 유한이 그에게 다가가 섰다.

"여기 사무장님이세요?"

"네? 맞는데요. 누구…."

"저 혹시 이 남자 본 적 있습니까?"

"누, 누구시죠?"

"경찰입니다. 이 남자분 이 성당에 다니시는 지 알고 싶습니다."

유한의 강한 어조에 들고 있던 현금을 내려놓은 그가 안경을 고쳐 쓰며 눈살을 찌푸렸다.

"음, 글쎄요. 저는 잘 모르겠는데요?"

남자의 말에 유한은 짧게 탄식했다.

"뭔 일인데 그래요?"

의자에 앉아 종이컵에 담긴 물을 마시던 노인이 유한과 사무장에게 다가왔다. 지팡이를 짚은 채 서 있는 노인은 휴대폰의 화면을 빤히 바라보다 입을 열었다.

"이거 가끔가다가 야, 술 퍼마시고 오는 놈 아녜요?"

"술 퍼마시고 오는 놈이라고요?"

유한의 물음에 노인이 천천히 고개를 끄덕였다.

"가까이만 가면 술 냄새가 나는데, 취한 건지 안 취한 건지 멀쩡히 돌아다닌다니까. 멀쩡히 걸어서 가끔가다가 한 번 미사도 드리고 미사 끝나면 제대 앞에 앉아서 이렇게 기도도 드리고 그러던데."

두 손을 모아 눈을 감으며 노인은 그의 흉내를 냈다. 노인의 말에 곰곰이 생각하던 사무장이 손뼉을 치며 유한을 바라봤다.

"아, 술 냄새나는 분이라면 알아요. 생각났어요. 며칠 전에도 저기 마당에서 앉아계셔서 도통 집에 가실 생각을 안 하길래 겨우 설득해서 내보냈던 적이 있어요. 그때 모자를 쓰고 있었던 것 같은데…."

"저, 혹시 성당 입구에 설치된 cctv 파일 좀 받을 수 있을까요."

만약 그 영상 속에서 세 사람이 있다면 수사에도 변화가 생길 것이다. 그리고 유한의 흔들리던 감정도 더욱 굳세어졌다.

서해준, 그 남자와 분명 관련이 있다.

"네, 한동식과 이지석 그 두 사람도 은정동 성당에 온 적이 있어요.”

안전벨트를 매며 유한이 휴대폰을 쥔 손을 바꿔 들었다.

“성당 앞 cctv를 추가로 확인하죠. 제가 영상 파일을 담은 유에스비를 받았으니까. 얼른 서로 가서….”

“아, 됐어. 선재가 갈 거야. 그 근처에 있으니까 유에스비 받아 가라고 연락해 둘게. 그리고, 쉬는 날에는 쉬어 두는 게 좋다. 요새 이리저리 뛰어다니느라 네 얼굴빛이 썩은 달걀 같다, 아주. 제수씨한테 나 욕먹지 않게 오늘은 쉬어 둬.”

꾸짖는 어투의 성태의 말에 유한은 결국 백기를 들었다.

“알겠습니다. 내일 뵐게요.”

전화 통화를 마친 유한은 차에 시동을 걸고 성당 밖으로 빠져나왔다. 아까 서해준을 볼 때 붙잡을 걸 그랬나. 지금 와서 후회해봤자 무슨 소용이겠거니 싶지만…. 긴 한숨을 쉬며 시트에 기댔던 몸을 바로 세웠다.

“일단 집으로 가야겠지. 곧 점심도 먹어야 하니까.”

자는 아내를 깨우지 않으려 살그머니 나와, 볼일이 있어 잠깐 어디를 갔다 오겠다는 문자를 보냈다. 연락은 남겼지만, 주말 아침 유한이 어디를 나가는 일이 적었기에 생소한 일에 괜한 걱정을 하고 있을지 모른다.

“전화해 볼까. 뭐 먹고 싶은지 물어볼 겸.”

타이밍 좋게 켜진 빨간 신호에 맞춰 차량을 멈춘 뒤, 품에서 휴대폰을 꺼냈다. 수신음이 들린 지 얼마 지나지 않아 수정의 목소리가 귓가에 들려왔다.

"어, 무슨 일이야?"

"일어났어? 아침은?"

"아직 안 먹었지. 곧 점심 먹을 때니까. 넌 어디 가서 아직 안 오는 거야? 일하러 간 거야?"

"아니, 일은 아니고…. 잠시 들릴 데가 있었어. 지금 집에 가는 중인데, 뭐 먹고 싶은 거 있어?"

"먹고 싶은 거? 글쎄…. 집에서 만들어 먹을까 생각했는데. 참! 그럼, 오는 길에 마트 가서 장 좀 봐줘. 반찬거리 좀 만들려고."

"마트? 그래, 알겠어. 필요한 거 있으면 문자로 보내줘."

"응. 점심은 장 보고 오면 만들게. 오늘 오므라이스 어때?"

"좋지. 나 신호 켜졌으니까 이만 끊을게. 이따 문자 보내 줘."

웃으며 통화를 마친 유한이 다시 품속에 휴대폰을 넣고 액셀을 밟았다. 십 분가량을 달려 아파트 근처 마트 앞에 도착한 유한은 운전하는 사이에 아내에게서 온 문자를 확인하고 미소 지었다.

「감자, 대파, 카레 가루, 김치찌개 고기, 두부….

.

.

.

내가 좋아하는 과자도! 알지??」

이모티콘까지 붙여가며 온 문자에 소소한 행복을 느끼며 마트 안으로 들어간 유한은 카트를 끌고 각각의 진열대를 돌아다니기 시작했다. 예전, 아내가 알려준 방법대로 재료를 고르고 그녀가 좋아하는 과자와 자신이 먹을 간식거리까지 카트에 넣으며 마지막으로 카트 안을 확인하고 시선을 돌린 순간이었다.

“저 사람은….”

쇼핑카트를 끌고 유유히 걸어가는 남자의 뒷모습에서 유한은 자신이 알고 있는 얼굴을 하나 떠올렸다.

서해준이다.

눈에 들어온 그의 모습에 유한은 걸음을 돌려 진열대 뒤로 몸을 숨겼다. 습관적인 반응에서 나온 행동이었지만, 다른 사람들의 시선에서 보일 자신이 모습을 상상하니 뒤늦게 부끄러움이 몰려왔다. 이내 헛기침하며 걸음을 뗀 유한은 천천히 그의 뒤를 밟았다. 이 동네에 사는 걸까. 짧은 찰나에 보았던 카트 안에서는 식료품 몇 가지와 생활용품이 함께 담겨있었다. 이 동네 근방의 마트는 이곳 하나뿐이니 동네 사람이라면 이곳에 들리는 건 당연했다. 하지만, 지금까지 한 번도 마주치지 못했는데.

조심스럽게 해준이 간 방향을 따라 걸음을 떼며 카트를 끌던 유한이 경우의 수를 생각했다. 계산대에 모습이 보이지 않는 걸 보면 아직 마트 안에 있다. 육류 판매대 쪽으로 향했으니, 그 주변으로 간다면 한 번 더 모습을 확인할 수 있을 것이다.

저쪽에서 유한을 본다면 상당히 불쾌할 것이니, 최대한 눈이 마주치지 않도록 움직여야 한다. 한 발, 두 발 천천히 발을 떼던 그때였다. 유한의 주머니에서 요란한 알림 소리가 울리며 주머니가 진동하기 시작했다.

하필 이럴 때. 곤란한 얼굴로 휴대폰을 꺼낸 유한은 아내가 보낸 문자메시지를 확인하며 계속 앞으로 걸어갔다.

「오므라이스 말고 다른 거 만들까? 아니면 오랜만에 햄버거 먹을래?」

"잠깐만, 이따가 연락…."

자꾸만 헛나가는 손가락에 말이 안 되는 문장이 써지자 유한이 입술을 깨물며 문자 전송을 포기했다. 휴대폰을 무음으로 돌려놓고 다시 시선을 옮긴 유한의 눈에 해준이 들어왔다. 그것도 바로 앞, 가까운 곳에서. 이것만큼은 피하려고 했는데. 유한이 당황스러운 마음을 애써 감추며 해준에게 시선을 고정했다. 바라던 상황은 아니었지만, 눈이 마주친 순간 이판사판이다. 유한이 빙긋 웃으며 카트를 끌고 해준에게 다가가며 입을 열었다.

"아, 해준 씨! 여기서 보네요."

웃는 얼굴로 맞이하자 저쪽에서는 의심스러운 눈빛을 보내왔다. 예상했던 표정이다. 유한은 카트에 두 팔을 올리며 자신의 목적은 해준이 아닌 장을 보는 것임을 어필했다. 해준이 어떻게 받아들일지는 모르지만.

"제 이름을…. 기억하고 계셨네요."

"아, 이름이요? 당연하죠. 전 기억력이 좋거든요."

유한이 머리를 두드리며 해준과의 대화를 이어 나갔다. 뒤를 밟던 것을 들키진 않은 모양이다. 하지만 여전히 자신을 의심하고 적대하는 눈은 사라지지 않았다. 그건 이쪽도 마찬가지다. 웃는 얼굴을 하고 있지만, 머릿속은 온통 서해준의 속내를 벗겨내기 위한 방법을 찾는데 몰두하고 있었다.

"장 보고 있었어요?"

"네."

"이 동네 사시나 봐요. 여기서 이렇게 뵈서 반갑습니다."

천연덕스러운 얼굴로 유한이 손을 내밀었다.

"네, 반갑습니다."

덤덤한 어조로 해준이 손을 맞잡아 가볍게 흔들었다. 그 뒤에 손을 떼어낸 해준은 두 손으로 카트 손잡이를 쥐며 입을 열었다.

"그럼, 이만 가보겠습니다."

"잠시만요. 해준 씨."

떠나려는 해준에게 말을 걸어 붙잡은 유한은 잠시 망설였다. 하지만 이내 결심을 굳혔다. 뒤를 밟은 것도 마주 보고 웃으며 그의 발을 묶은 것도 다 그에게 질문을 던지고 싶었기 때문이 아닌가. 허를 찔러서 그에게 단서를 얻어내고 싶었던 게 아닌가.

마주 보고 있는 얼굴에서 느껴지는 커다란 불안감. 그 멜랑콜리한 감정이 무엇인지 유한은 알고 싶었다. 무엇부터 물어볼지 유한은 짧은 찰나 동안 빠르게 머리를 굴렸다. 은정동 성당에 언제부터 다닌 건지, 실종된 세 사람을 아는지, 신예선과 마지막으로 본 게 정확히 언제인지, 그리고….

"혹시 김성훈 씨를 아십니까?"

말을 내뱉은 순간, 유한은 해준의 얼굴에 시선을 집중했다. 미세한 떨림, 동공의 확장. 근육의 움직임. 사람의 얼굴에서는 감정이 드러난다. 시선의 이동과 입술의 움직임. 눈썹과 눈꺼풀의 모양. 찰나의 순간이지만 확인할 수 있다. 감정은 그런 것이었다. 숨기기 위해 노력해 봐도 평범한 사람들은 할 수 없는 것. 그게 인간이 가진 감정이었다.

"아뇨, 모릅니다."

"신예선 씨의 애인입니다."

순간. 순간이었다. 감추지 못한 감정이 해준의 얼굴에 드러났다. 동공의 확장과 광대 근육의 떨림. 그리고 긴장된 마음에 자신도 모르게 넘겼을 타액까지. 이 남자는, 서해준은 김성훈의 존재를 알고 있다. 아니, 이미 만났을지도 모른다. 그렇다면 왜….

신예선과 관련 없다고 거짓말을 한 거지. 빠르게 뛰는 심장을 진정시키며 유한이 머리를 식혔다. 전에 했던 말과 일치하지 않았지만, 떠오르는 가능성이 하나 있다. 분명 서해준은 김성훈을 알고 있다. 하지만 김성훈의 이름이 언급됐을 때는 감정의 동요가 보이지 않았다. 마치 처음 들은 이름이라는 것처럼 평온한 얼굴이었다.

"다시 한번 말하지만 전 모릅니다."

이번에는 표정의 변화 없이 평소의 얼굴대로 무뚝뚝하게 해준이 대답했다. 그 대답 속에서 유한은 한 가지를 떠올렸다.

만약, 이름을 몰랐다면. 이름이 아닌 얼굴과 관계만을 알았다면 뒤늦게 반응이 나오는 게 당연하다. 자신에게 이름을 듣기 전까지 서해준은 김성훈이 아닌 신예선의 애인으로서 그를 알고 있던 것이다.

"죄송합니다. 제가 실례했네요."

머릿속을 가득 채운 생각들을 구겨 넣고 유한이 고개 숙여 사과했다.

"네. 그럼, 이만 가봐도 될까요."

“하나 더 묻고 싶은 게 있습니다.”

걸음을 돌리려는 해준에게 말을 건네자, 그가 고개를 돌려 유한을 바라봤다.

“무슨 질문을 하시려고요?”

“은정동 성당에 다니십니까?”

유한의 물음에 해준의 눈빛이 또다시 흔들렸다.

“어떻게 아신 거죠?”

“오늘 오전에 해준 씨를 봤습니다. 성당에서.”

“오늘 오전…. 네, 충분히 저를 보셨을 수도 있겠네요. 경위님 말씀대로 은정동 성당에 다닙니다. 근데 이건 또 사건과 무슨 관련이 있어서….”

“성당에서 소문이 하나 돌던데요.”

“소문이요?”

“성당에 다니던 박이나 씨가 실종됐다는 소문이요.”

“처음 듣는 얘깁니다.”

눈살을 찌푸리며 대답하는 해준은 이 상황이 매우 짜증스러운 모양이었다. 평온한 얼굴을 유지하려 해도 계속해서 갈 길을 붙잡으며 질문을 던지니 그럴 만도 했다.

“그럼, 박이나 씨와도 인연이 없는 거네요?”

“모르는 사람입니다. 성당에 다니는 그 어떤 사람하고도 친하게 지내지 않고요.”

“얼굴은 눈에 익었을지도 모르죠.”

박이나의 사진을 해준에게 내밀자, 해준이 유한의 휴대폰 화면을 가만히 바라봤다. 전과 달라지지 않은 표정으로 해준이 유한을 바라봤다.

"모릅니다."

정말 모르는 건가. 박이나에 대해서는? 감정을 감추지 못하는 건 김성훈에 관한 질문으로 알아냈다. 방금 박이나의 사진을 봤을 때, 서해준은 흔들리지 않았다.

정말로 연쇄 실종과는 관련이 없는 건가. 생각을 정리한 유한은 휴대폰을 도로 넣어놓고 주머니에 두 손을 찔러넣었다.

"이거 죄송하네요. 실례했습니다."

넉살맞은 웃음을 지으며 해준을 바라보자, 그가 긴 한숨을 쉬더니 입을 열었다.

"경위님, 혹시 제가 경위님이 조사하시는 사건에 관련된 자라는 명백한 증거가 있는 겁니까?"

해준의 질문에 유한은 말문이 막혔다.

"신예선 씨 사건에 대해서는 더는 할 말이 없습니다. 그 외에 사건에 대해서는 더더욱이요. 저는 아무것도 모르고, 관련도 없습니다."

높아진 해준의 언성에 유한은 김성훈의 말을 떠올렸다.

"김성훈 씨는 서해준 씨 당신을 알고 있다고 말하던데요. 신예선 씨와 함께 있던 모습을 봤다고요."

"그게 위증이라면요?"

"위증이라고요?"

"김성훈이라는 그 사람이 거짓말을 했다는 가능성도 있잖습니까."

거짓말. 그의 얼굴을 떠올리던 유한은 혼란에 잠겼다. 그래, 그 가능성을 생각하지 않았던 건 아니다. 다만, 해준에 대한 의심에 사로잡혀 가능성을 버려두고 오직 눈앞의 남자에게 숨겨진 무언가가 있다고 생각했다.

"하지만 그 가능성은 해준 씨도 포함되지 않나요? 거짓으로 증언했을 가능성 말이죠."

덤덤하게 말을 전하자, 저쪽에서는 아무 말도 하지 않았다. 마른 침을 삼킨 유한은 무슨 생각하는지 모를 해준의 눈을 피하지 않았다. 해준은 자신이 그를 의심하고 있다는 사실을 이번 기회에 확실하게 인지했을 것이다. 이제는 해준이 어떻게 나올까. 전보다 더욱 숨 막히는 분위기에 유한은 긴장의 끈을 놓지 않았다.

"할 말 더 없으시다면 이만 가보겠습니다."

유한의 질문에서 벗어난 말이 나오자, 예상하지 못한 상황에 당황한 유한이 말을 잃었다. 자신을 의심하냐며 화를 내거나, 거짓말한 적이 없다며 나올 것을 생각했는데….

고개를 숙이며 인사를 전하는 해준은 유한을 뒤로하고 자리를 떠났다. 그를 붙잡지 못한 채, 멍하니 해준이 떠난 자리를 바라보던 유한은 떠나기 전 그가 보냈던 눈빛을 떠올렸다.

자신에게 가진 그 의심은 헛수고다. 그는 그렇게 말하고 있었다. 의심하지 말라는 말이 아닌, 싸늘한 눈으로 유한에게 전하고 있었다. 그 눈빛을 떠올린 유한은 '가능성'에 대해 생각했다.

서해준이 연쇄 실종 사건의 범인일 가능성을, 신예선의 실종과 관련됐을 가능성을 생각했다. 뻗쳐나가는 수많은 가지를 따라 시선을 옮기며 그 끝에 해준이 있을 가능성을 생각했다.

서해준은 정말 범인이 맞을까. 범인이 아니라면 그에게서 느낀 그 소름 끼치던 감정은 무엇이지. 그 이질감은?

도대체 나는 그에게서 무엇을 본 거지?

천천히 후진하며 주차를 마친 유한의 눈에 차창 너머로 걸어가는 철민의 뒷모습이 비쳤다. 빠르게 안전벨트를 풀고 차에서 내린 그가 큰 목소리로 물었다.

"형! 아침부터 뭐가 그렇게 죽상이야?"

유한의 물음에 귀찮은 듯 손을 내저은 철민이 길게 하품하며 그가 오기를 기다렸고 차량의 시동을 끄고 다가온 유한이 눈살을 찌푸리며 물었다.

"잠 못 잤어? 어제 형도 쉬었잖아."

"어, 근데 못 잤어. 새벽에 악몽 꿨거든."

"악몽?"

"그래, 매번 꾸던 악몽이지만 패턴은 늘 다른 그 악몽."

철민의 말에 유한이 고개를 끄덕이며 턱을 쓸었다.

"사건 터지기 전에 매번 꾼다는 그 악몽 말이야?"

"그래. 그래서 오늘 아주 기분이 더러워. 예감이 안 좋아."

"에이, 저번에는 그 꿈 꾸고 나서 아무 일 없었다며. 심각하게 생각하지 마."

팔꿈치로 철민을 툭툭 건드리며 넉살 좋게 웃던 유한이 그와 함께 건물 안으로 들어갔다. 사무실로 들어선 유한은 컴퓨터 앞에 앉아 피곤한 얼굴로 마우스를 달칵거리는 선재에게로 먼저 향했다.

"언제부터 보고 있었어?"

"네? 오늘은 출근하고 나서부터요. 참, 선배가 말한 서해준이라는 그 남자는 cctv에 많이 찍혔더라고요. 주말마다 나오는 것 같고…. 한동식이랑 이지석은 아직 안 나왔어요."

선재의 어깨에 팔을 올린 채 함께 영상을 돌려보던 유한이 성당 주차장, 자신의 차량에서 내리는 해준의 모습을 보고 마트에서의 일을 떠올렸다.

'그게 위증이라면요?'

그 질문이 계속해서 신경을 거슬렀다. 어제 그렇게 떠난 후로 내내 신경이 쓰여 미칠 지경이었다. 화를 내던 김성훈의 얼굴은 거짓이 아니었다. 그래서 서해준이 자신에게 숨기고 있는 게 있다고 생각했다. 다시 만난 서해준은 여전히 무언가를 감추고 있는 얼굴이었다. 하지만 그를 의심하던 유한의 마음이 그날의 대화로 흔들리게 되었다.

정말 잘못 생각한 건가. 범인은 서해준이 아닌 건가?

"뭐?"

성태의 높아진 언성에 모두의 시선이 그쪽으로 향했다. 전화를 받던 그는 관자놀이를 짓누르며 말을 이었다.

"알았어, 그쪽으로 가지."

통화를 마친 성태는 짜증스러운 신음을 내며 머리를 긁었다. 찌푸린 얼굴과 화난 언성은 딱 한 가지만을 의미했다.

사건이 일어났다고, 달갑지 않은 끔찍한 사건이 일어났다고 철민이 꾸었던 그 악몽이 딱 맞아떨어졌다고 신호를 보내고 있었다.

카메라에서 터져 나오는 플래시의 빛에 유한의 시야가 번쩍였다. 어질러진 집안의 한가운데, 차갑게 식어있는 여자를 둘러싸고 사람들이 분주하게 움직였다. 집 안 구석구석 하나씩 훑어보던 유한은 시야의 범위를 천천히 좁혔다.

"강제로 들어온 흔적은 없는데요? 피해자가 문을 열어준 걸까요? 범인과 아는 사이여서?"

두 손에 장갑을 끼며 다가온 선재가 유한에게 물었다. 선재의 말을 들은 유한이 고개를 끄덕이며 입을 열었다.

"그럴 수도 있고 아닐 수도 있지. 테이블 위에 전단지와 함께 쪽지가 하나 놓여 있어. 여기 근처 치킨집이겠지. 메뉴를 고르느라 볼펜으로 글씨를 지운 흔적과 동그라미 표시를 한 흔적을 보면 배달음식을 시키기 전 메뉴 고민했던 모양이야. 앱을 사용한 게 아니라 통화로 배달 주문을 했겠지."

손으로 전화기 모양을 흉내 낸 유한은 이내 현관문을 바라봤다.

"그래서 초인종 소리가 들리자마자 배달원이 음식을 배달했다고 생각하고 문을 열어줬을 거야. 그로 인해 범인이 집 안으로 들어온 거고."

"그렇다면 배달원이 범인일 수도 있겠네요."

"그 경우도 배제할 순 없지."

"하지만 현관 밖에 배달된 치킨이 포장을 뜯지도 않은 채 놓여 있었잖아요. 배달원이 범인이라면 왜 그걸 거기다 둔 걸까요?"

“그건 직접 만나봐서 얘기를 들어보면 알겠지.”

누구든, 어떤 방식이든 현관문으로 들어오는 걸 성공한 범인은 문이 열리자마자, 현관문에서 먼저 둔기를 휘둘렀다. 그로 인해 현관 벽에 피가 튀었고, 쓰러진 여자는 도망치기 위해 범인의 반대 방향으로 기어갔다. 현관문으로 도망치지 못한 채 기어가던 여자는 잡히는 물건을 닥치는 대로 집어 던졌을지도 모른다. 현관문 앞에서 굴러다니는 두꺼운 책들과 인형을 통해 생각해 낸 추론이다. 그럼에도 물러나지 않은 범인이 여자에게 다가가 한 번 더 둔기를 휘둘렀다. 바닥에 피가 튀었고 여자의 숨은 끊겼다. 여자가 움직이지 않자, 범인은 현관문을 통해 다시 밖으로 나갔다.

그 후의 흐름은 이러했다. 아침 일찍, 새벽 운동을 위해 앞집에 사는 남자가 집 밖을 나섰다. 현관 옆에 놓인 식은 치킨 봉투를 이상하게 여겨 초인종을 여러 번 눌렀지만, 대답이 없었고 돌아가는 손잡이에 직접 문을 연 남자의 눈에 죽어있는 여자가 들어왔다. 그가 소리를 지르자, 들려오는 비명에 놀라 달려온 주민들도 여자를 함께 목격해 즉시 신고했다.

“강도 살인은 아닌 것 같고, 잔인성을 보면 원한 살인도 아닌 것 같은데….”

중얼거리는 선재의 얼굴을 바라보며 유한 또한 생각에 잠겼다. 범인이 어떤 심리로 범죄를 저질렀는지 자세히 알 수는 없지만 발을 타고 오르는 이 왠지 모를 불안감만큼은 단순한 게 아니라는 생각이 확고하게 머릿속을 차지했다.

───

굳게 닫힌 문에서 도어락이 잠기는 소리가 들려오자, 천천히 손을 뻗은 해준이 손잡이를 잡아당겼다. 힘을 주어 당겨봐도 덜컥거리는 소리만 낼 뿐, 문은 열리지 않았다.

하긴, 카드키가 없는 이상 집에 들어올 순 없겠지. 꽁꽁 닫힌 문에 긴장을 덜어낸 해준은 코트 깃을 여미고 걸음을 옮겨 엘리베이터에 올랐다. 버튼을 누르고 내려가는 동안 그의 머릿속에선 지난 이틀 동안 아무런 일도 일어나지 않고 조용해진 일상에 대한 추측이 펼쳐졌다. 주말이 지나고 다시 회사에 출근한 첫날, 사무실에 들어가기 전까지 해준은 다소 긴장했었다. 혹여 책상에 꽃바구니가 있진 않을까. 본인이 직접 와서 해준을 기다리고 있지 않을까. 여러 상황을 떠올리며 집 밖을 나섰기 때문이었다. 하지만 이틀 동안 회사에서 꽃바구니의 모습을 보는 일은 없었다. 점심시간에도 배달은 오지 않았고 퇴근길에서도 지난날의 불쾌했던 시선을 느끼는 일이 없었다. 이제 그만 짓은 그만두기라도 한 걸까. 그렇다면 다행이지만, 마음 놓고 안도할 수는 없는 상황이었다.

회사가 아니라면 해준을 위협하는 장소는 집이 될 터. 그렇기에 더욱 집 보안에 신경 쓰게 됐고, 지문이 남을 것을 우려해 카드키를 장만해 챙겨 다니기 시작했다.

오늘로 사흘째, 만약 김성훈이 오늘 꽃바구니를 보냈다면 이틀 동안 그에게 무슨 일이 있었던 게 확실했다. 피치 못할 사정으로 이틀 동안 조용했고 오늘에서야 다시 움직였다. 그래서 몰래카메라가 담긴 꽃바구니가 오늘 해준에게 다시 찾아온다….

만약 일이 있었다고 친다면 최 경위와 관련된 일일까. 마트에서의 일이 다시금 떠오른 해준이 주먹을 쥐었다. 신예선의 사건이 일어나고 경찰서로 해준을 부른 이후로 내내 자신을 의심하고 있던 게 틀림없다. 게다가 신예선의 실종에 모자라 다른 사건까지 묶어서 해준이 저지른 범죄라고 생각하고 있는 눈치였다. 앞으로도 그런 식으로 마주하게 될 것을 상상하니 속이 울렁거렸다.

1층으로 내려온 해준은 곁눈질로 우편함을 살폈다. 하룻밤 사이에 없던 우편이 바로 생길 일은 없겠지만, 무슨 연유에서인지 몰라도 저절로 눈길이 갔다. 무의식에 옮겨진 시선은 어제와는 달라진 풍경에 멈칫했다. 정말 이상하게도 어제저녁만 해도 없었던 우편이 그의 우편함에 삐쭉 튀어나와 있었다. 이래서 눈길이 갔던 건가. 묘한 기분에 홀린 듯 다가간 해준이 우편을 집었다.

아무것도 적혀 있지 않은 검은 봉투다. 우체국을 통해 보낸 게 아니라 직접 찾아와 우편함에 편지를 넣었을 것이다. 하룻밤 사이에 이걸 놓고 갔다. 그렇다면 그 긴 시간동안 이곳 1층에만 있지는 않았을 것이다. 집까지 찾아왔을 경우도 염두에 두어야 한다.

고개를 들어 공동 현관 앞에 설치된 cctv를 바라본 해준이 다시 눈길을 돌려 편지지를 이리저리 훑었다. 뒷면에도 아무것도 없다.

안을 확인해야 하나. 짧게 혀를 차며 편지 봉투를 뜯자, 네모난 직사각형의 메모지가 한 장 들어있었다. 천천히 메모지를 빼 적힌 글을 읽던 해준이 눈을 가늘게 떴다. 협박 메시지도 아니고 문장 또한 아니었다. 누군가의 소식을 전하는 편지 또한 더더욱 아니었다.

장례식장 주소다.

그것도 아주 자세히, 어느 빈소인지까지 친절하게 적혀 있었다. 누구의 장례식인지 왜 오라고 했는지에 대한 건 없이 오직 주소 하나만 한 줄로 적혀 있는 게 퍽 수상해서 이번에도 뒷면까지 확인한 해준은 편지지를 주머니 속에 넣고 우편함을 열었다. 다른 우편은 없는지 확인하기 위해서였다.

"달랑 쪽지 하나뿐이라…."

대체 의도가 뭐지, 대체 누가 보낸 거지?

의문을 품은 해준의 머릿속에 한 인물이 떠올랐다. 아니, 아니다. 그 사람일 리 없다…. 그럼, 김성훈의 짓인가? 왜? 설마 신예선의 시신을 찾기라도 한 건가. 만약 신예선이 아니라면 장례식장 주소는 왜 알려주는 거지? 내가 그곳에 찾아가길 바라는 건가? 가서 뭘 하길 바라는 거지? 죽이고 싶은 거 아니었나? 여자친구의 실종 원인이 나라고 생각했으니까. 대체 이유가 뭐야, 아무 관련도 없는데 이딴 건 왜 보낸 거야? 정말 신예선의 시신을 찾은 거야?

신예선의 시신을 찾았다고…?

시신을?

"참, 지안 씨 오늘 연차 냈는데! 미리 말해줄 걸 그랬나 봐요. 미안해요, 해준 씨."

비어있는 지안의 자리에 커피를 올려놓던 해준이 멈칫했다. 오늘의 아침 커피 담당은 해준이었다. 우편함 앞에서 쪽지를 확인하는 동안 시간이 지체됐다는 걸 깨닫고 서둘러 밖으로 나갔다. 오는 길에 어제 확인해 두었던 팀원들의 커피를 사고 사무실까지 급하게 올라왔다. 생각해 보니 밝은 얼굴로 커피를 받는 이들 중에 지안은 없었다. 잠시 화장실이라도 간 줄 알았는데.

의자 위에 지안의 겉옷은 없었다. 가방도 없다. 어제까지만 해도 그런 얘기는 없었는데, 급한 일이라도 생겼나. 지안의 커피를 쥐고서 있던 해준에게 유림이 천천히 다가오더니 조심스러운 얼굴로 입을 열었다.

“친구분이 상을 당하셨나 봐요. 지안 씨 성격으로는 괜찮은 척 다시 일하겠지만 한동안은 힘들겠죠. 뒤에서 우리가 잘 챙겨주자고요. 해준 씨도 지안 씨 잘 챙겨줘요.”

유림의 말을 경청하며 자리로 돌아간 해준은 책상 위에 올려진 두 개의 컵을 바라보며 지안을 떠올렸다. 유림의 말대로 그녀는 회사 내에서 항상 밝은 얼굴로 임했다. 팀원들의 힘을 북돋아 주는 것도 그녀였다. 그런 그녀가 슬픈 표정을 짓고 있는 걸 생각하니 마음이 편치 않았다. 그런 표정보다는 웃고 있는 얼굴이 훨씬 잘 어울렸다.

잘 챙겨주려면 어떻게 해야 할까. 힘내라는 말? 지안의 업무를 도와주는 것? 컵에 스마일 그림을 그려주는 것? 어떤 방법이든 지안이 이곳에 없으면 할 수 없는 것들이었다. 지금 당장 해줄 수 있는 게 없기에 해준은 그녀의 생각을 그만두었다. 그저 지금 어딘가에 있을 지안이 슬퍼하고 있지 않았으면 하는 마음으로 어지러운 머리를 식혔다.

해가 다 저물어 어두워진 하늘 아래, 쪽지를 따라 도착한 장례식장 앞에서 해준이 짧은 심호흡을 마쳤다. 집에 들른 탓에 예상보다 늦게 도착했다. 정장까지는 입을 필요 없었던 걸지도 모르겠다고 걸음을 옮기며 그렇게 생각했다.

계단을 내려가고 긴 복도를 걷는 내내 적막이 흘렀다. 그 고요한 공기 속에서 해준은 예전 기억이 떠올랐다. 원하지 않았던 기억이 튀어나오자, 무난했던 기분은 빠르게 추락했다. 언짢은 얼굴로 쪽지 속 빈소 앞에 도착한 해준은 텅 빈 빈소 안을 바라보며 조심스럽게 발을 디뎠다. 빈소 안에 들어선 해준은 눈에 들어온 얼굴을 보며 고개를 갸웃했다.

사진 속 여자는 해준에게 휴대폰을 빌렸던 신예선이 아니었다. 처음 보는 얼굴이다. 여자의 사진을 바라보던 해준은 품속에서 쪽지를 꺼내 주소를 재차 확인했다. 혹시나 자신이 잘못 찾아온 걸까 싶었지만 쪽지가 말한 곳은 이곳이었다. 착각한 게 아니라 제대로 찾아왔다.

사진의 여자는 김성훈과 무슨 관계가 있지. 사진 족 얼굴을 보고 있자니 김성훈이 여기로 해준을 부른 이유가 대체 무엇인지 더욱 알 수 없었다.

"해준 씨?"

익숙한 목소리에 고개를 돌리자, 놀란 눈으로 자신을 바라보는 지안이 복도에 서 있었다. 검은 정장을 입고 있는 그녀의 얼굴은 전날보다 수척해 보였다.

"해준 씨가 여긴 무슨 일로…."

조심스럽게 물어오는 지안의 얼굴을 보던 해준의 뇌리에 한 생각이 스쳤다. 지안의 팔에는 완장이 없다. 직계가족의 장례는 아니다. 오늘 지안 씨의 연차 사유…. 친구의 상. 시선을 옮겨 사진을 확인한 해준이 지안을 다시 응시했다. 이 여자가 지안 씨의 친구인가. 이 쪽지는 그럼 그 사실을 알고 있는 김성훈이 보낸 거고?

김성훈이 지안 씨를 어떻게 알지? 소름 끼치는 추측에 해준이 꽃바구니를 떠올렸다. 그때 봤을까? 사무실 안에 있던 지안 씨를? 그것만으로 지안 씨의 인간관계를 어떻게 파악했지? 그놈이 지안 씨의 뒤를 밟았나? 나한테 그랬던 것처럼?

만약 그랬다면, 그렇게 지안이 피해를 보았다면 그건 오롯이 해준의 탓이었다. 입술을 깨문 해준의 표정이 좋지 못했는지 지안이 서먹하게 웃으며 다가왔다.

"해준 씨, 잠시 복도로 나가서 얘기할래요?"

지안의 제안에 정신을 차린 해준이 고개를 끄덕였다. 자리를 떠나는 지안을 따라나서려다 눈길을 돌려 마지막으로 사진 속 얼굴을 확인한 해준이 부의함 앞에 멈춰서서 준비해 둔 봉투를 넣었다.

이런 식으로 넣는 게 아니라는 건 잘 알았지만, 이곳에는 없는 상주가 어딨는지 지안에게 묻고 싶지 않았다. 그렇게 된다면 얘기할 시간이 없을 테니까.

"여기서 이렇게 뵐 줄은 몰랐네요. 처음에 누군가 했었어요."

"온종일 여기 계셨던 거예요?"

"네…. 아영이 언니분이 지금 병실에 있대요. 아마 아영이 일로 지쳐서 쓰러진 모양이더라고요. 잠드신 언니분을 보니까 발이 떨어지지 않더라고요. 저도 그렇고요. 한때 소중했던 사람이 죽었다는 사실이 믿기지 않고, 왜 아영이한테 그런 짓을 했는지 이해할 수가 없어요. 제가 이렇게 화가 나고 속상한데 아영이 언니분은 더욱 그렇겠죠."

"그런 짓이라뇨?"

주먹을 쥐며 고개를 숙인 지안이 말을 이었다.

"아영이가 살해당했거든요."

살해. 두 음절로 이루어진 한 단어에 의해 심장이 멎는 듯한 충격이 가슴을 강타했다.

살해. 살인. 죽음. 사망.

연관된 단어가 체인처럼 찰카당대며 발끝으로 심장을 끌어당겼다. 단어에 휘둘리며 추락한 심장으로 인해 사고회로가 정지됐다. 정지된 사고와 함께 해준의 의식이 뚝 끊겼다. 두 발을 바라보며 눈물을 삼키는 지안의 어깨를 해준이 덥석 잡았다.

"누구한테요?"

죽었다. 살해당했다. 누군가가 사람을 죽였다. 불행을, 안식을…?

"네? 아, 저도 그건…. 잘 몰라요."

당황한 지안의 얼굴이 뒤늦게 시야에 들어왔다. 무의식 속에서 했던 행동, 무의식 속에서도 생각했던 그 얼굴에 자신도 모르게 튀어나와 버린 질문. 자신의 실수를 깨달은 해준이 그녀의 어깨에 올린 손을 떼어내며 입을 열었다.

“죄송합니다.”

“아니에요.”

덥석 잡힌 어깨를 매만지며 지안이 말끝을 흐렸다. 살갗이 파고들 정도로 주먹을 세게 쥐며 자신도 모르게 뻗었던 손에 당황했던 지안의 얼굴을 떠올렸다. 그때의 그녀가 얼마나 당황했을지 생각하니 자신에게 더욱 화가 났다.

“아영이는 제 대학 시절 친구였어요.”

“대학생 때요?”

“네, 제 대학교 친구예요. 처음 만난 건 대학교 1학년 때였는데 과는 다르지만, 수강 과목이 많이 겹쳐서 자주 얼굴을 봤었어요. 아영이랑은 조별 과제를 하게 되면서 친해지게 됐어요. 그 뒤로는 같이 수업 듣고 밥도 같이 먹으면서 지냈었는데…. 그러다가 3학년 어느 날 소식이 끊겼고 시간이 지나 아영이가 자퇴했다고 소문을 통해 들었어요. 근데 이렇게 가까운 곳에 있을 줄은 몰랐네요.”

“소식이 끊기기 전에 자퇴 의사를 밝혔다던가, 그런 의향은 없었습니까?”

“네. 학교 다니는 걸 즐거워했어요. 학구열이 넘쳐나는 친구였거든요. 자기가 배우는 것에 상당히 자부심을 느끼던 친구라서 자퇴할 거라고는 상상도 못 했어요.”

그러던 사람이 갑자기 자퇴했다. 상당히 미심쩍은 부분이었다. 대학생들의 자퇴 이유는 주로 배우는 과목에 흥미도 없고 자신과 맞지 않는다던가, 더 높은 대학 진출을 목표로 했기 때문이라던가. 그런 이유로 대학을 그만두지 않나.

"개인 사정이 있었던 건 아닐까요?"

"그럴지도 몰라요. 사실 그 친구가 자기 얘기를 많이 안 하는 편이었거든요. 가족사 같은 개인적인 얘기요. 저 만날 때는 다른 친구 얘기도 안 하고…. 자기 얘기를 한다고 쳐도 뭐, 나는 이거 좋아하고 싫어한다. 이런 이야기들만 잔뜩 해줬지. 나머지는 저도 잘 모르겠어요. 시간이 많이 지나기도 해서 기억도 가물거리고요."

"이제 친하지도 않은데, 왜 오셨어요?"

"당연하잖아요. 소중했던 친구인데. 좋은 곳으로 가라고 빌어줘야죠. 그게 예의니까."

친구. 이미 연락이 끊긴 상대한테도 굳이 그래야 하는 걸까. 말없이 바닥을 바라보는 지안의 얼굴을 보며 해준은 생각에 잠겼다. 늦은 밤의 장례식장은 고요했다. 곡소리도 없고 사람의 발소리도 없다. 곽아영의 빈소 또한 인적 하나 없었다.

"너무 이른 나이에 좋지 못하게 떠났는데…. 한이 남지 않았으면 좋겠어요. 그렇기 위해서는 범인이 빨리 잡혀야겠죠."

붉어진 눈시울로 눈물을 참던 지안이 억지로 미소를 지었다. 그런 얼굴을 하니 더욱 슬퍼 보였다.

"이런 말…. 하기에는 좀 그래 보일지 몰라도. 힘냈으면 좋겠습니다. 지안 씨가."

한 마디, 두 마디. 조심스럽게 진심을 전했다.

"소중했던 사람의 죽음이 얼마나 버티기 힘든지 압니다. 남들은 다 괜찮아지니까, 나도 괜찮아 보여야 하니까. 이 고통을 꾸역꾸역

참아내며 아무렇지 않은 척하는 시간이 제일 힘들겠죠. 매일 그리워하며 함께했던 추억들이 슬픈 감정으로 번져가는 동안 점점 그 사람의 죽음을 받아들이는 자신이 싫을 때도 있고요. 하지만 죽은 사람은 지안 씨가 남은 삶을 잘 살길 바랄 거예요. 그 사람한테도 지안 씨는 소중했을 테니까요."

가만히 해준의 말을 귀담아듣던 지안이 눈물을 글썽이더니 손을 들어 눈가를 닦았다. 처음 보는 지안의 눈물에 해준의 눈동자가 커졌다.

"처음 소식을 들었을 때는 믿어지지 않아서 눈물조차 안 나왔어요. 근데 여기 계속 있으면서 아영이의 사진을 보다 보니까 어느 순간 '아…. 정말 떠난 게 맞구나.' 싶더라고요. 그걸 깨닫고 나니까 속이 답답해지면서 눈물이 나려는데, 울면 안 될 것 같아서 꾹 참았어요. 울게 되면 그칠 수 없을 것 같아서요."

뺨을 타고 흐르는 눈물을 닦아내며 지안이 해준을 바라봤다.

"해준 씨 덕분에 눈물은 그칠 수 있을 것 같아요."

올라간 입꼬리와는 다르게 두 눈에서는 계속 눈물이 흘러나왔다. 흘러나오는 눈물을 주체할 수 없는지 지안이 시선을 돌려 고개를 푹 숙였다.

"죄송해요. 해준 씨. 눈물이…. 잘 안 멈추네요."

그 말을 끝으로 흐느끼기 시작한 지안의 옆에서 해준은 말없이 자리를 지켰다. 조용했던 복도에 지안의 울음소리가 울렸다. 고요하게 담아두었던 감정을 쏟아붓는 그녀 옆에서 해준은 과거의 일을 상기했다. 그때의 자신처럼, 슬피 우는 그녀가 하루빨리 괜찮아졌으면 하는 마음으로 묵묵하게 그저 앉아있었다.

"고마워요."

해준이 건넨 휴지를 받은 지안이 붉어진 눈가를 닦았다.

"곤란하게 만들어서 죄송해요."

"괜찮습니다. 하나도 안 곤란했어요."

"밤도 늦었는데, 괜찮아요? 내일 출근은…."

"진짜 괜찮습니다. 미안해하지 마세요."

웃으며 고개를 저은 해준을 빤히 바라보던 지안이 미소를 지으며 입을 열었다.

"해준 씨, 처음 봤을 때랑은 엄청 다르네요."

"제가요? 똑같다고 생각되는데요."

"아뇨, 많이 달라지셨어요. 처음에는 저희랑 말도 잘 안 나누고 조용하셨잖아요."

"지금도 그런 것 같은데요."

"지금은 성연 씨랑도 잘 지내고 저랑도 얘기 잘 해주시잖아요."

지안 씨를 처음 만났을 때…. 오래전 기억을 더듬어 생각했다. 딱히 나쁘지는 않았던 것 같다. 지금과 비슷했던 것 같은데.

"같이 들어온 신입사원이고 나이도 같아서 저는 처음에 동질감을 많이 느꼈었거든요. 그래서 서로 도와주면서 열심히 직장생활같이 하고 싶었는데…. 해준 씨가 절 싫어하는 것 같아서 처음에는 되게 속상했어요."

나쁘지 않았던 게 아니었나? 해준이 못 믿겠다는 얼굴로 눈살을 찌푸리며 입을 열었다.

“제가 지안 씨를요? 전혀 그러지 않았습니다.”

“입사 초기 때, 해준 씨랑 야근 끝나고 같이 내려간 적이 있었어요. 그날 비가 많이 오는데, 해준 씨가 우산이 없으셔서 제가 편의점까지 씌워드린다고 했었는데…. 그때 해준 씨가 뭐라고 하셨는지 아세요?”

기억을 되짚어 그때의 상황을 떠올리려 애쓰던 해준에게 지안이 웃으며 말했다.

“해준 씨가 무표정으로 ‘싫습니다’하고 가셨었어요. 저 그때 되게 서운했었는데. ‘괜찮다’도 아니고 ‘싫다.’라고 하니까 제가 싫은 건가 싶었어요.”

없다. 전혀 그런 기억이 없다. 너무 오래돼서 그런 건지, 자주 그런 일이 있었기에 그런 건지 해준은 감이 잡히지 않았다.

“기억 안 나죠?”

“죄송합니다. 하지만 지안 씨가 싫다고 한 건 아니었을 겁니다. 표현이 조금 그랬던 건 사과드립니다. 우산을 같이 쓰게 되면 지안 씨도 불편해질 테니까 그런 말로 거절했을 거예요.”

“네, 알아요. 그때는 서운했는데 해준 씨랑 계속 일하게 되면서 알았어요. 표현이 서투른 것뿐이지 좋은 사람이라는 걸 알았거든요.”

좋은 사람이라고?

내가? 지난날의 스스로를 돌이켜보며 과연 그 모습이 좋은 사람이 맞는지 의문을 품었다. 전혀 그렇게 느껴지지 않는데. 게다가 저런 말은 처음 들어본다. 들어본 적이 없어 들어볼 거라는 생각도 하지 않았다.

좋은 사람 축에 속하지 않는다. 좋은 사람이 아니라는 말 또한 듣지 않았지만, 그 사실만큼은 누구보다 잘 알고 있었다. 어렸을 때부터 늘 그래왔지 않은가. 좋은 사람이 아니라고. 좋은 사람이 되지 못할 거라는 생각으로 지내왔지 않은가. 그렇게 좋지 못한 사람이 되어 현재를 살아가고 있다. 좋지 못한 사람이기 때문에 좋은 사람이 아니기 때문에 남들에게 안 좋은 영향을 준다.

그 때문에 아마, 신예선도….

지난날, 신예선과 처음 만난 그때의 기억이 빠르게 머리를 스쳤다. 구름 한 점 없는 하늘, 차도의 소음, 급박한 얼굴.

그리고 장미향.

"지안 씨, 혹시 향수 뿌리십니까?"

"저요? 아…. 네! 맞아요."

흐름에서 벗어난 뜻밖의 질문에, 눈을 동그랗게 뜬 지안이 손목에 묻어낸 향기를 맡았다. 그녀의 움직임으로 다시금 향기가 코를 간질였다. 이 냄새…. 해준의 기억대로라면 사라져 버린 그 여자에게서도 이와 비슷한 향기를 맡았다. 그 여자에게서 난 향기가 어딘가 익숙하다 했더니 지안 씨의 향수와 같은 제품인 모양이었다.

"향수 제품명이 뭐예요?"

"향, 향수요? 잠시만요…."

지안이 휴대폰을 들어 조작하더니 이내 해준에게 화면을 보여주며 말을 이었다.

"이거에요. 유림 씨가 알려줬어요. 누구였는지는 기억이 안 나지만 유명한 여배우가 광고했다고 해서 사봤는데 향이 진짜 좋았다고 추천해 줘서 구매했어요. 사람들이 많이 사는 것 같다고…."

"지안 씨 나이대 사람들이라면 구매했을까요."

"글쎄요. 사람에 따라 다르겠지만…. 장미 향을 좋아하는 사람들이라면 구매하지 않았을까요? 향수도 각자 취향이 있어서 저는 잘 모르겠어요."

"구매할 때는 온라인으로 하셨고요?"

"아뇨, 전 향수는 매장에 가서 구매해요. 그래야 어떤 향이 나는지 알 수 있거든요. 온라인으로 구매하는 건 드물죠. 향을 모를 때에는요. 이것도 새로 나온 향수라서 출시 초기에는 매장 가서 사는 사람들이 더 많았을 거예요."

"나온 지는 얼마나 됐는데요?"

"어…. 아마, 한 달 전이요."

신예선. 그 여자도 만약에 지안 씨와 같은 제품을 구매했다면 이 근방의 백화점에서 구매했을 것이다. 신예선이 은정동에서 거주한다는 전제하에 말이다. 하지만, 이 전제도 확실히 들어맞는다고 말할 순 없다. 은정동 근방에서 향수를 구매할 수 있는 경로가 얼마나 되지? 백화점이 아니라면 화장품 매장일까?

"근데 갑자기 향수는 왜요?"

지안의 물음에 곰곰이 생각하던 해준이 그녀를 물끄러미 바라봤다. 이내 해준의 입술이 떨어지며 그가 고개를 가로저었다.

"아무 일도 아닙니다. 그냥 궁금해서 물어본 거예요."

"그냥 궁금해서 물어본 게 아닌 것 같은데요?"

지안이 고개를 돌려 해준의 얼굴을 살폈다.

"향수 선물 해주게요?"

"아뇨, 선물 해줄 만한 사람도 없습니다."

"있는데 숨기는 거 아니에요? 저한테만 얘기해줘요. 꽃바구니 보낸 사람이요."

이제는 괜찮아졌는지, 장난스럽게 웃으며 물어오는 그녀에게 해준이 눈살을 찌푸려 보였다.

"애인 아니라고 말씀드렸는데요."

"화내시는 거 보니까 진짜 아닌가 봐요. 그럼, 누구예요?"

"아는 사람이 장난친 거예요."

"장난이요? 해준 씨는 불편하지 않아요?"

"불편하지만 제가 뭐라 할 처지가 안 돼서요."

이만 자리에서 일어나려 몸을 일으킨 해준이 지안이 붙잡은 손에 발이 묶였다. 해준의 팔을 붙잡은 지안이 물었다.

"해준 씨, 저 궁금한 거 물어봐도 돼요?"

"네, 물어보세요."

"그게…. 아영이랑은 무슨 사이길래 찾아온 거예요?"

장례식장 주소가 쪽지를 받고 왔습니다. 그 말을 솔직하게 전한다면 그녀는 어떤 표정을 지을까. 왜 그런 쪽지를 받았는지 추궁하겠지. 그렇게 하다 보면 김성훈에 대해 말해버릴지도 모른다.

지안에게 털어놓으면 이 불안감이 사라질 것 같다는 마음이 점점 들고 있으니까. 이 사람에게는 마음속의 고민을 말해도 되지 않을까. 의지해도 되지 않을까. 그렇게 생각하면서도 모든 걸 말해버리면 곤란해질 지안을 떠올리니 이내 그 마음을 접어버렸다.
"지인을 통해 아는 사이였습니다. 소식을 전해 듣고 온 거예요."
"그래요? 자퇴하고 나서는 전혀 만나지 못해서 어떻게 지내는지 전혀 몰랐거든요…. 아영이는 어땠어요?"
"평범해 보였습니다. 아무 걱정 없어 보였고요."
거짓말해서 미안해요. 지안 씨. 전하지 못하는 사과를 하며 해준이 입술을 깨물었다.
"다행이네요. 해준 씨 기억대로 지금까지 잘 지냈겠죠…?"
"그랬을 겁니다. 지안 씨 친구잖아요."
해준의 말에 고개를 끄덕인 지안은 해준을 잡은 손에 더욱 힘을 주었다. 떨쳐내지 못하는 손을 가만히 바라보자, 지안이 물었다.
"저번에 해준 씨가 그러셨죠?"
해준을 올려다본 지안이 싱긋 웃으며 말했다.
"저번에 그러셨잖아요. 혼자가 편하시다고."
"네, 그랬죠."
"아직도 그래요? 여전히?"
"그런 것 같습니다."
해준의 말을 듣고 난 뒤, 지안이 알 수 없는 미소를 짓더니 천천히 입을 열었다.
"사실…. 저도 예전에는 그랬어요. 혼자 있는 게 세상에서 제일 편하고 좋은 거구나. 그렇게 생각하면서 사람들과 벽을 쌓았었죠."
벽에 머리를 기대며 지안은 허공을 바라봤다. 그 얼굴이 눈에 들어오자, 해준 또한 말없이 지안의 옆에 앉았다. 해준이 자리에 앉자, 지안은 천천히 해준을 잡은 손을 놓았다.

"조금 전에 제가 아영이랑 대학교 때 만났다고 했었잖아요. 사실, 제 첫 친구였어요. 대학교에 가고 나서 자유로워진 뒤 사귄 첫 친구요."

첫 친구. 그 단어에 해준이 귀를 의심했다.

"첫 친구요?"

"네. 사실 첫 친구라고 명확하게 말하기는 애매하지만, 함께 추억을 많이 쌓은 친구를 꼽자면 아영이를 꼽을 거예요. 친구랑 함께했던 어린 시절의 즐거운 추억 따위는 저한테 없거든요…. 초등학교, 중학교, 고등학교 내내 친구 한 명 제대로 못 사귀었어요. 제가 소심한 성격이기도 했고, 늘 공부만 해서 친구들이랑 제대로 노는 법도 몰랐거든요."

어색하게 웃으며 지안이 말을 이었다.

"엄마가 어렸을 때부터 과보호가 심하셨어요. 놀이터는 위험하니까 놀지 말고 집에서 책을 읽으며 지식을 쌓은 게 더 중요하다고 학교가 끝나면 저를 데리러 항상 나오셨어요. 엄마의 손을 잡고 집에 가는데 놀이터에서 노는 같은 반 아이들을 보니까 너무 부럽더라고요. 그네 타고, 미끄럼틀 타고 즐겁게 뛰어다니는데…. 그게 너무 재밌을 것 같았어요. 그래서 엄마한테 딱 한 번 말해본 적이 있었어요. 저도 저기서 놀고 싶다고."

지안이 거북한 얼굴로 주먹을 쥐었다가 피는 것을 반복하며 제 손바닥을 바라봤다.

"그러자 엄마가 엄한 얼굴로 반대하셨어요. 지금은 책을 읽어서 지식을 쌓아야 할 시기인데 뛰어놀다 다치기라도 한다면 공부도 못하고 상처도 보기 안 좋다면서요. 그렇게 거절당하고 나니까 더는 못 물어보겠더라고요. 교실에서 친구들이 모여서 놀고 있으면 다가갈 용기가 없어서 책만 읽었어요. 계속 그러고 있으니까, 친구들이 잘 안 다가오고, 다가오는 친구들이 있어도 제가 피하고 어색해하니까 나중에는 아무도 말을 걸지 않게 됐죠. 그때의 저는 '아, 나랑 아무도 놀고 싶지 않구나.' 하고 속상해했어요. 그래서 혼자 있어도 아무렇지 않은 척하면서 혼자가 낫다고 생각해 버렸죠."

"그때부터였습니까?"

"네, 그때부터 혼자 지내는 게 낫다고 생각했어요. 중학교에 올라서도 그런 마음으로 지냈는데 어느 날, 반 친구들이 다가와 같이 놀자고 하더라고요. 거절하려고 했는데 그날따라 마음이 간질거리던 거 있죠? 친구들은 학교가 끝나면 떡볶이도 먹고, 노래방도 가서 즐겁게 노는데 저는 학원으로 가잖아요. 친구들과 놀면 어떤 느낌일지 상상하니까 두근거리는 거예요. 그래서 그날 학원을 빠지고 그 친구들이랑 놀러 갔어요. 그날은 진짜 즐거웠어요. 엄마가 먹지 못하게 하는 떡볶이는 달고 매콤했고, 알지 못하는 최신 가요들은 듣기 좋았어요. 혼날 각오를 하고 친구들을 따라간 건데, 나중에는 다 잊을 정도로 노는 게 즐거워서 친구들과 사귀고 놀면 이런 기분이라는 걸 이렇게 즐겁다는 걸 깨달았어요. 다 놀고 난 뒤에는 집에 가서 엄마한테 엄청 많이 혼났죠. 저녁도 못 먹고, 매도 맞았어요. 그렇게 혼났는데 이상하게 마음은 편하더라고요. 엄마가 무섭지 않았나 봐요. 친구들이 생겼다는 생각 때문에요. 무섭게 혼을 내셔도 흘려들을 수 있었어요. 그랬는데, 제가 엄마를 너무 쉽게 생각했나 봐요. 혼만 내면 다 끝이니까 괜찮다고 그렇게 안일하게 생각했던 거예요. 다음날 학교에 가니까 같이 놀았던 그 친구들은 저를 피했고 제가 다가가도 불편한 얼굴로 대하더라고요. 전날과는 전혀 다르게요. 나중에 소문으로 알았어요. 엄마가 저랑 놀았던 그 친구들한테 전화해서 다시는 저 데리고 놀지 말라고 얘기했던 사실을요. 제 휴대폰을 가져가서 그 친구들의 연락처를 알아낸 거였어요. 휴대폰까지 관리하셨으니까, 엄마에겐 쉬운 일이었겠죠. 학교에서 퍼지던 소문은 돌고 돌아 그 친구들뿐만이 아니라 다른 친구들도 모두 저한테 잘 안 다가오더라고요. 저는 더더욱 혼자 지내는 게 익숙해졌고 친구를 만드는 건 필요 없는 일이라고 생각하면서 더욱 뾰족하게 굴었던 것 같아요."

손가락을 매만지는 그녀의 얼굴은 그때의 기억을 떠올렸는지 좋지 못했다. 슬플 때의 지안 씨는 저런 표정을 짓는 걸까.

"수학여행이나 학교 행사도 제대로 참여 못 했죠. 엄마가 안 좋아하시기도 했고, 저 또한 어색해서 가기 싫었어요. 그렇게 공부만 하다 보니 성적은 좋았지만, 학창 시절의 추억이라곤 찾을 수 없더라고요. 고등학교는 인근 여고로 갔는데 그거 때문인지 중학교 때 봤던 아는 얼굴도 많았고 소문도 그대로 올라왔어요. 어쩌면 고등학교에서 새 친구를 다시 사귈 수 있지 않을까 생각했던 게 무색할 정도로 변한 것 없는 똑같은 일상을 보내다가 졸업했어요. 엄마가 그토록 원하는 대학교도 가고요."

“지안 씨가 원하는 곳이 아니고요?”

“그때는 엄마가 원하는 곳이 제가 원하는 곳이었으니까요. 하지만 그 대학에 가지 않았다면 아영이를 만나지 못했을 거고, 지금의 제가 있지 못했을 거예요. 아영이를 만나서 이렇게 밝아질 수 있었고 다른 친구들도 생기고 추억도 많이 생겼으니까요. 그래서 아영이한테 고마워요.”

씁쓸한 미소를 짓던 지안이 이내 후련한 얼굴을 하고 지안이 자리에서 일어났다.

“해준 씨한테 털어놓으니까 후련하네요. 이런 얘기 남한테 해본 적 없어서 어색할 줄 알았는데.”

“다행이네요.”

“그니까, 해준 씨도 힘든 일은 남한테 털어놔 봐요.”

지안이 가슴에 손을 얹은 채 말을 이었다.

“가슴 속의 응어리는 남한테 말하는 것만으로도 해결될 수 있거든요. 그 대상이 꼭 친구가 아니더라도 괜찮아요. 해준 씨의 옆에서 해준 씨의 얘기를 들어줄 수 있는 사람만 있으면 의지해도 괜찮다고요. 저여도 괜찮고, 제가 아니라도 좋아요. 해준 씨의 고민만 해결되면 다 좋으니까요.”

해준이 말없이 지안을 응시했다. 지안 또한 해준의 눈을 피하지 않은 채 미소를 지었다.

“해준 씨 고민 있는 것 같은데 혼자서만 담아두시니까 걱정돼서 하는 말이에요. 평소보다 더 심각한 얼굴로 업무 보시고 퇴근할 때도 표정이 안 좋으셔서요. 무슨 일 있는지 묻고 싶어도 해준 씨가 불편하게 생각할 수도 있겠다는 생각이 들어서 말을 못했는데, 아까 해준 씨가 저한테 해준 말을 듣고 저도 해줘야겠다고 생각했어요. 제가 받은 위로를 해준 씨도 받았으면 좋겠어요."

"고민 있는 얼굴을 지안 씨가 어떻게 압니까?"

"그냥 느껴졌어요. 해준 씨한테 무슨 일 있는 것 같다고…. 제가 잘못 느낀 거면 오히려 다행이죠. 아무 일도 없는 거니까요."

"아무 일도 없어요."

해준이 웃으며 지안을 바라봤다.

이번에도 거짓말이다. 거짓말을 할 필요가 없는데도 입은 저절로 거짓을 꿰어냈다. 그녀가 다행이라고 생각해 줬으면 좋겠다는 마음에서 우러나온 거짓말. 마음이 편해졌으면 좋겠다고 생각해서 나온 거짓말이다. 그렇게 생각한 이유가 무엇인지 해준은 알 수 없었다. 지안이 편한 것과 자신이 무슨 상관이 있는지 알지 못했다.

"그러니까 걱정하지 않으셔도 돼요."

"그렇게까지 말하신다면 안심이 되네요."

"그리고 지안 씨가 했던 말 기억해 둘게요. 가슴 속의 응어리를 남한테 털어놓는 거요. 그래서 고민이 해결될 수 있다면 앞으로 저도 그래볼게요."

해준의 말에 지안의 얼굴이 밝아지더니 그녀가 환한 미소를 지으며 고개를 끄덕였다. 그 턱짓과 함께 가볍게 지안을 따라 고개를 끄덕인 해준이 자리에서 일어났다.

"이만 가볼게요. 시간이 늦었으니 지안 씨도 들어가 보세요."

"네, 저는 조금만 더 있으려고요. 조심히 들어가세요."

지안을 뒤로하고 복도를 걷던 해준이 걸음을 멈췄다. 왠지 발이 떨어지지 않아, 고개를 돌려 뒤를 돌아보니 지안은 그 자리에 그대로 선 채 가는 해준을 바라보고 있었다. 눈이 마주친 지안이 웃으며 손을 흔들자, 해준 또한 눈인사로 그녀의 인사를 받았다.

억지로 발을 떼고 밖으로 나간 해준의 눈은 차량에 탑승하기 전에 한 번 더 건물 안으로 향했다. 괜찮은 얼굴로 배웅했지만, 지금쯤 홀로 울고 있을지도 모르겠다는 생각이 들어 고개를 저으며 차량의 문을 벌컥 열었다. 운전석에 앉아 빠르게 그곳을 벗어난 해준이 조금 더 망설였다면, 그렇지 않았더라면, 다시 건물 안으로 들어가는 알 수 없는 행동을 저질러 버렸을지도 모른다.

집 앞에 놓인 의문의 택배에 해준이 인상을 찌푸렸다. 택배를 시킨 기억은 없다. 잘못 배송되기라도 한 건가. 그렇다면 경비실까지 가야 하는데. 귀찮은 얼굴로 다가가 택배를 들어 올린 해준의 몸이 순식간에 굳어버렸다. 문을 가로막는 택배는 작고 가벼웠다. 하지만 이 사실은 상자에 붙여진 쪽지 다음으로 깨닫게 된 나중에서의 일이었다. 제일 먼저 들어온 그 포스트잇 속에는 해준의 이름이 적혀 있었다. 이름 석 자가 확실하게 적혀 있으니, 배송지는 이곳이 확실했다. 게다가 아침에 봤던 그 편지처럼 직접 이곳까지 와서 친절하게 갖다 놓았다.

장례식장을 갔다 온 사이에 왔다 간 건가? 김성훈의 짓임을 짐작하니 상자 안의 물건이 대충 예상이 갔다. 장례식장 주소가 적힌 쪽지의 글씨체, 지금 이 포스트잇의 글씨체, 그리고 지난번에 받았던 협박 편지의 글씨체가 모두 일치했다.

다른 이의 도움 없이 오로지 김성훈 혼자만의 짓이다. 다른 이와 함께 이딴 짓을 저질렀을 확률은 제로였다. 오직 여자친구를 사라지게 만든 해준에 대한 집념으로 그가 혼자서 벌이는 헛짓거리였다. 상자를 흔들어 무거운 물건이 없는 걸 확인한 해준은 그대로 집안으로 택배를 들였다. 흔들 당시의 느낌으로는 얇은 종이가 여러 장 있었던 것 같은데. 개봉하기 전 안에 들었을 물건을 추측하며 해준은 커터칼을 집어 들고 테이프를 그었다. 갈라진 테이프를 확인한 해준이 상자를 열자마자, 내용물은 뚜렷하게 그의 눈으로 들어왔다.

철렁 내려앉은 심장은 빠르게 뛰기 시작했다. 신예선이 찍힌 사진과 함께 해준이 찍힌 사진, 해준의 사진, 해준의 사진. 많은 사진이 상자 속에 들어있었다.

그것도 모두 난도질 난 채로 말이다. 신예선의 사진을 제외한 모든 사진은 칼로 그었는지 너덜너덜해진 채로 또 잔뜩 구겨진 채로, 조각나 찢긴 채로 해준을 맞이하고 있었다.

그리고…. 해준과 함께 찍힌 사진 속 지안에게도 칼자국이 나 있었다. 일부러 해준을 제외하고 지안의 사진에만 칼을 그었다. 미소 짓는 얼굴이 구겨져 있었다.

가로로 찢긴 지안의 목을 바라보던 해준은 화가 치밀어올랐다. 손에 주먹을 쥐며 자신의 사진을 구겨버린 뒤, 바닥에 주먹을 꽂았다. 장례식장 주소도 김성훈이 짓이 틀림없다. 해준의 옆에 있던 지안 또한 목표로 삼아 뒤를 밟은 것이다. 할 짓이 정말로 없는 건가, 그

놈은? 지안 씨한테도 이런 상자를 보냈다면…. 터질 것 같은 심장에 화를 억누르며 진정한 해준은 바닥에 놓인 휴대폰을 바라봤다. 경찰의 도움을 받을까. 혼자만의 일이라면 절대 시도조차 안 했을 생각이다. 지안이 연루되기라도 한다면 이 피해를 고스란히 그녀도 받게 된다면 경찰의 도움을 요청하지 않을 수 없다. 그러기 전에 미리 대비해야 한다.

지안 씨한테 먼저 연락해 볼까. 최근 주변에서 수상한 행적은 없었는지, 누가 쫓아오는 느낌을 받진 않는지. 이상한 남자가 말을 걸지는 않는지. 그렇게 물어보고 돌아오는 대답에서 해준을 이상하게 여겨도 좋으니 차라리 그편이 훨씬 좋으니 아무 일도 없었기를 해준은 바랐다.

딩동. 휴대폰을 쥔 해준의 귓가에 초인종 소리가 들려왔다. 고개를 들어 시계를 확인한 해준은 몸을 일으켜 현관 앞으로 향했다. 열 시를 훌쩍 넘긴 이 밤에 찾아올 사람은 없다. 한 명을 제외한다면…. 저딴 택배를 보내고 카메라가 담긴 꽃바구니를 보내고 뒤를 쫓아다니며 소름 끼치는 눈빛을 보내던 김성훈을 떠올리니 기분이 더러워졌다. 초인종까지 누를 정도로 간이 커졌나. 이젠 직접 만나기로 했나 보지? 이번에는 또 무슨 얘기를 하려고. 또 신예선이 어딨는지 물어보려고? 아니, 잘 됐다. 이렇게 찾아온 이상 해준도 가만히 있을 생각은 없었다. 분노를 눌러 담고 이를 악물며 문을 열고 나오니 김성훈도 다른 인물도 아닌 일면식이 있는 앞집 남자가 우두커니 서 있었다.

해준과 눈이 마주친 그의 그 눈은 커다랬다. 마치 해준이 나올 걸 예상하지 못했다는 듯이. 이어서 남자는 눈살을 찌푸리며 황당한 기색을 보였다.

"아니…. 안에 계셨어요?"

김성훈이 아니었다. 맥 빠진 얼굴로 해준은 남자를 바라봤다.

"무슨 용건이죠?"

"용건이고 자시고, 집에 있었으면서 아무것도 못 본 거예요?"

맥락을 알 수 없는 남자의 말에 해준은 말없이 그를 쳐다봤다. 그러자 그가 곤란한 얼굴로 목덜미를 쓸며 입을 열었다.

"저기, 하…. 일단 밖에 좀 나와보실래요?"

갑자기 찾아와 하는 그의 말에 담긴 다른 의도가 있을까 생각하던 해준은 그럴 필요가 없다는 사실에 그만두었다. 밖에 나오라는 저 말속에 다른 의도는 없어 보였다. 해준과 대화를 나누기 위해서도 아닐 테고 그렇다면….

남자가 다른 말을 꺼내기도 전에 해준은 밖으로 나와 현관문을 닫았다. 그런 해준의 눈에 비친 꽃바구니는 남자가 지은 표정의 이유를 설명해 주고 있었다.

"오지랖인 거 아는데요. 앞집에서 뭔 일 일어나면 잠자리가 뒤숭숭해서요. 그리고 솔직히…. 이걸 보고 그냥 지나치기에는 양심에 찔린다고 할까."

국화꽃.

그것도 바구니에 가득 든 국화꽃이 해준의 집 앞에 놓여 있었다. 남자는 몰라도 해준은 잘 알고 있었다. 그 바구니가 놓인 이유, 그리고 바구니를 놓은 사람까지.

"왜 이런 게 그쪽 집 앞에 있는 거예요?"

"저도 모릅니다."

"모른다고요? 아는 사람이 한 짓이 아니에요?"

남자의 물음에 해준은 침묵으로 대답했다. 저 질문에 관한 대답을 하기 위해선 지금까지의 긴 일들을 모두 설명해야 한다. 그런 긴 설명을 해 봤자, 그는 이해하지 못할뿐더러 그런 이야기를 할 정도의 사이는 아니기에 해준은 남자를 무시하고 걸음을 옮겼다. 그러자 그가 다급하게 해준의 팔을 붙잡았다.

"아니, 잠시만요. 뭐 하시는 거예요?"

"팔 놓으시죠."

"아니, 그냥 들어가요? 이걸 보고도? 경찰에 신고해야죠."

"신경 쓰지 마세요."

"뭐라고요? 어떻게 신경을 안 써요? 죽지도 않은 사람한테 국화꽃이 배달됐는데 그냥 넘어가는 거예요?"

"네. 저는 상관없습니다."

"아니! 하…. 왜 상관이 없어요. 예? 그쪽 집에서 뭔 일이라도 일어나면 애먼 피해는 제가 받는다고요. 만약에 그쪽이 죽기라도 하면 아파트값도 떨어지고 그럼 주민들이 피해받잖아요."

억울한 얼굴로 호소하는 남자를 보며 해준이 무덤덤하게 물었다.

"그게 저랑 무슨 상관이죠?"

해준의 물음에 남자가 벙찐 얼굴로 굳어버렸다. 이내 정신을 차린 그가 인상을 찌푸리며 해준에게 다가왔다.

"당신 뭐라는 거야? 상관이 왜 없어. 너 때문에 무고한 사람이 피해를 본다니까!"

"아무 일도 안 일어납니다. 일어나지도 않을 일에 걱정하시면서 시간 낭비하지 마세요. 남 일에 간섭하지도 말고요."

"뭐?"

거슬린다. 짜증 난다. 저 얼굴이 너무나도 화가 나서…. 해준의 얼굴 근육이 꿈틀했다. 남자의 팔을 뿌리치고 남자에게 다가가자, 그가 놀란 얼굴을 한 채 뒤로 물러났다.

"오지랖이란 거 잘 아신다고 하셨죠. 맞으니까 신경 쓰지 마세요. 누가 했는지 알고, 단순한 장난일 뿐이니까. 가세요."

다가오는 해준을 피해 뒤로 물러난 남자의 입이 움찔거렸다. 무언갈 말하고 싶은 기색이었으나, 해준의 분위기에 짓눌려 꼬리를 내리고 뒤를 돌았다. 재빨리 집으로 들어가는 남자의 뒷모습에서 시선을 돌린 해준은 꽃바구니 앞에 쭈그려 앉은 뒤, 바구니 안을 살피기 시작했다. 하지만 꼼꼼히 살펴도 몰래카메라는 보이지 않았다. 여긴 넣어놓지 않은 건가. 아니, 어쩌면 더 깊숙이….

바구니를 들고 자리에서 일어난 해준이 바구니를 뒤집었다. 그러자 바구니 속에서 하얀 국화꽃이 힘없이 떨어졌다. 떨어진 국화꽃에는 시선도 주지 않은 채 다시 바구니를 뒤집자, 반짝이는 렌즈가 해준의 눈에 들어왔다. 역시 카메라가 있었다. 망설임 없이 카메라를 떼어낸 해준은 바닥으로 떨구어 짓밟았다. 이어서 자신의 현관문을 바라본 해준은 꽃바구니의 위치와 도어락을 번갈아 봤다.

비밀번호를 알아내려고 이걸 설치한 건가. 꽃바구니를 보낸다면 또 카메라를 부숴버릴 걸 알면서? 멍청한 건지, 아니면 이게 최선이었는지. 뭐, 어떤 것에 해당하든 김성훈의 뜻대로 흘러가기에는 이미 글렀다. 부서져 산산조각이 난 몰래카메라를 바라본 해준의 입에서 깊은 한숨이 새어 나왔다. 김성훈은 앞으로도 계속 이런 식으로 나올 것이다. 택배를 보낸 것처럼, 이 꽃을 보낸 것처럼.

그렇게 되면 해준이 바라고 있는 평범한 일상은 유지되기 어려울 것이다. 지금도, 지금도 그렇다. 그 남자로 인해 신경 쓸 일이 많아서 머리가 아팠다. 김성훈과의 일을 해결할 방법이 있을까. 지안 씨를 이 일에 연루되지 않도록 만들 방법은?

경찰? 정말 경찰의 도움을 받을 거야?

스스로 질문을 던졌다. 답을 내는 것도 해준 자신이었다. 해준의 뇌는 질문에 대한 답을 회피하기 위해 과거의 기억을 되짚었다. 어린 시절, 그 시절, 그때의 기억을 끄집어냈다.

필요 없어. 필요 없다. 기억들은 해준에게 그렇게 말하고 있었다. 경찰을 믿지 말라는 아버지의 목소리가 머리에서 강하게 울렸다. 그래, 도움을 받을 필요 없다. 혼자서 찾으면 된다. 경찰들의 도움 없이 오직 해준의 힘으로 해결할 방법을.

해결해야 한다. 그래야 편해진다. 괜히 엮여서 이 지경이 됐다. 애초에 해준은 잘못이 없다. 그 남자가 괜한 의심을 하고 이런 짓을 벌이는데, 왜 해결하기 위해 골머리를 앓아야 하는지 떠올리다 부아가 뒤집혔다.

그 남자가 사라졌으면 좋겠다. 이 세상에서 사라져서 해준이 직접 나서지 않고도 해결됐으면 좋겠다는 생각이 들었다. 세상에서 그 남자의 존재 자체를 지워버리길 바랐다.

피곤하다. 이런 생각을 하는 것조차 힘들다. 김성훈이 없어졌으면 좋겠다. 없애고 싶다.

죽여버리고 싶다.

"하, 내가 무슨 생각을…."

해준이 머리를 쓸어 넘기며 허탈한 웃음을 지었다. 이런 생각까지 할 정도로 지쳐 있었던가. 순간적으로 든 끔찍한 생각을 지우기 위해 머리를 저었다. 살인은 죄다. 사람을 죽이는 것은 살인이다. 인간이 저질러서는 안 되는 행동이다.

절대로, 절대로 나는 그딴 짓은 안 해.

잘못된 방법으로 해결해서는 안 된다. 그렇다면 남은 방법은 해준이 직접 나설 수밖에 없다. 직접 나서서 엉망이 된 일상을 해결하는 방법이 해준이 할 수 있는 최선이었다. 부서진 카메라 조각을 뒤로하고 집으로 들어간 해준은 상자 안에 들어있던 신예선의 사진을 꺼냈다. 신예선의 사진. 김성훈이 이것을 왜 보냈는지 모르겠지만 이것만큼은 그에게 고마웠다.

이걸로 찾는 거다. 그날 신예선이 어디서 사라졌는지 찾는 것부터 시작하면 신예선의 실종을 알았을 때부터. 아니, 연쇄 실종 사건을 알게 된 순간부터 해준이 생각했던 그것이 맞는지 또한 확인할 수 있을 것이다. 협박 편지, 꽃, 택배. 흔들리는 일상에서 아니라고 부정해도 만에 하나를 계속 생각하게 됐던 순간들이 하나씩 떠올랐다. 깊은 산속에 묻어두었던 얼굴이 머리를 가득 채울 만큼 크게 땅을 파고 튀어나와 버렸다.

떠오른 얼굴에 해준의 표정은 어두워졌다. 만약에 정말 만약에 김성훈이 아니라면 이 짓이 김성훈이 한 짓이 아니라면….

입술을 깨물며 해준은 칼로 그어진 지안의 사진을 바라봤다. 아주 만약에 해준이 지금까지의 일을 김성훈이 짓이라고 착각했다면, 사실은 김성훈이 벌인 짓이 아니라면 일은 상상보다 더 최악으로 추락할 것이다. 김성훈이 어떤 자인지 자세히는 모르지만, 그가 벌이는 것보다 더한 일이 지안에게 닥쳐올지 모른다. 아무런 관련도 없는 지안을 엮이게 만들고 싶진 않았다.

불안해진 마음을 다잡으며 해준은 신예선의 사진을 쥐었다. 이런 짓을 하지 않을 걸 잘 안다. 이런 귀찮은 짓을 쓸모없는 짓은 그자와 어울리지 않는다는 걸 안다. 하지만 그럼에도 자꾸만 숨통을 조여오는 이 긴장감은 해준이 변함없이 나약하고 겁많은 어린아이일 뿐이라며 그때처럼 그냥 도망쳐 버리라며 속삭이고 있었다.

지킬 수 없다면 혼자서 도망쳐 버리면 돼. 늘 그래왔잖아. 제 목숨만 부지하면 되는 이기적인 놈이잖아. 외면하고 못 본 척하고 무시하고 아무렇지 않은 척 멀쩡한 척 지금까지 했던 것처럼 쭉.

하지만, 그랬다가 지안 씨가…. 목이 그어진 사진을 바라보던 해준의 심장이 욱신거렸다. 저 칼자국이 사진이 아니라 현실이 된다면 이 세상에서 그녀는 산 사람으로 남을 수 없을 것이다. 웃던 얼굴이 상냥했던 그 목소리가 이 세상에서 사라져 버린다. 한순간에 사라지게 돼버린다. 사진을 쥔 손에 더욱 힘을 준 해준이 허공을 노려봤다. 허공 속에서 그 얼굴이 일렁거렸다. 일렁거리는 얼굴을 바라보며 해준은 마음을 굳혔다.

이번만큼은 지켜내야 한다. 아니, 꼭 지킬 것이다. 이번에는 절대로 피하지 않겠다. 찾아낼 것이다. 찾아내서 반드시 마주해야 한다.

이른 아침부터 거리에 나온 해준은 신예선과 처음 만났던 장소에서 있었다. 신예선이 사라졌던 그날. 그녀는 해준에게 휴대폰을 빌린 뒤, 반대편으로 사라졌다. 길 가운데 우뚝 선 채 집 방향과는 반대 방향으로 쭉 펼쳐진 인도를 바라보며 해준이 곰곰이 생각에 잠겼다. 사라진 당일, 신예선의 동선을 파악하는 것도 중요하지만 그에 앞서, 먼저 생각해 둬야 할 게 있다. 향수. 지안이 뿌렸던 그 향수와 같은 향기를 신예선도 풍기고 있었다. 지안 씨는 그 향수가 한 달 전 나온 신제품이라고 했었지. 지안 씨처럼 신예선이라는 여자도 직접 향수를 구매했다면 백화점 안이나 인근 화장품 매장을 살펴볼 수밖에 없다. 고민하던 해준은 빠른 결정을 내린 뒤 잠시 세워둔 차로 걸어가 차량에 올랐다. 백화점. 먼저 그곳에 가서 신예선의 동선을 추측해 보는 거다. 백화점 안은 사람이 많다. 많은 사람 속에 섞인다면 남들과 다를 바 없이 평범하게 비칠 것이다. 신예선이 만약 백화점 안에서 눈에 띄었다면….

혼잡한 인파가 횡단보도를 건너는 모습을 바라보던 해준이 두 눈을 질끈 감았다. 확신하지 말고 체크만 해두는 거다. 아직 경우의 수는 많으니까.

몇 분가량을 더 달려 해준의 차는 백화점 앞에서 멈췄다. 차량에서 내린 해준은 햇빛에 반짝이는 큰 건물을 올려다봤다. 건물 광고판에서는 남녀 모델이 올겨울 유행하는 패딩을 입으며 설원을 걸어 다니는 광고가 재생되고 있었다.

저기서 향수 광고도 나왔을까. 그렇게 신예선이 이곳 안으로 발을 들였을 확률은 몇이나 될까. 가능성을 생각하며 안으로 들어선 해준은 바깥과 다른 따뜻한 공기에 두 손을 주머니 밖으로 빼내었다.

이리저리 움직이는 사람들을 피해 층별 안내도를 확인한 해준이 다시 걸음을 옮기기 시작했다. 눈에 바로 들어온 매장은 멀리서 봐도 사람이 많이 오고 가는 듯했다. 매장 앞을 돌아다니며 시향을 권하는 직원에게 다가가자, 직원이 웃으며 시향지를 내밀었다.

"향기가 좋아요. 한번 맡아보실래요?"

"저, 혹시 실례지만 하나 묻고 싶은 게 있습니다."

해준의 질문에 시향지를 도로 돌려놓으며 무엇인지를 묻는 그에게 해준이 신예선의 사진을 내밀었다.

"이분이 이곳 매장에서 향수를 구매한 적이 있습니까?"

"아, 이분이요? 잘 모르겠는데요."

"그래요?"

잘못 생각한 걸까. 아니, 시간이 흘렀으니 기억하지 못하는 걸 수도 있다. 많은 사람이 오고 가는 이곳에서 누군가의 얼굴을 기억하는 것은 힘든 일이 될 테니. 게다가 이번이 첫 번째이지 않은가. 아직 다른 곳을 둘러보지 않은 채 포기하기는 이르다. 직원에게 감사 인사를 전한 뒤 자리를 떠난 해준은 다음 매장으로 발길을 돌렸다.

"모르겠는데요."

여기도 아니다.

"못 봤어요."

이곳도 아니다.

계속 돌아다니며 신예선을 물어도 아는 이는 없었다. 만약 모든 매장에서 얼굴을 모른다고 하면 이 짓은 소용없게 돼버린다. 여기서 그만둘까. 애초에 향수 제품을 찾는 것부터 잘못됐을까. 같은 향기라고 생각했지만, 만약 다른 향수라면….

시선을 돌리던 해준의 눈에 누군가가 들어왔다. 그 순간, 시간이 멈춘 것 같은 착오와 함께 해준의 얼굴이 급격하게 어두워졌다. 잘못 본 게 아니지? 두 눈을 의심하며 뒷걸음질 치던 해준은 빠르게 그 자리를 벗어났다. 여기서 얼른 나가야 한다. 이곳을 빠져나가야 한다. 인파 속에서 봤던 그 얼굴이 금방이라도 자신을 따라잡을 것 같아서, 뒤를 돌면 바로 서 있을 것 같아서 해준은 멈추지 않고 빠르게 백화점을 벗어났다. 한참을 달려 넓은 공원 앞에 도착한 해준은 거친 숨을 몰아쉬었다. 떨리는 두 발을 간신히 내디디며 공원 벤치에 앉은 해준의 입에서 긴 한숨이 새어 나왔다. 주먹을 쥔 손으로 이마를 받치며 시선을 떨군 해준은 온몸을 짓누른 아까의 감정을 떠올리며 입술을 깨물었다.

도망쳤다. 도망쳐 버렸다. 이런 식으로 나오면 안 될 걸 알면서도 몸이 따라주지 않았다.

혹시 봤을까. 내가 본 것처럼 그쪽에서도 나를 봤을까.

고개를 들어 자신이 뛰어온 방향을 응시한 해준은 시끄러운 소리에 빠르게 고개를 돌렸다. 공원 가운데서 여러 명의 아이가 저들끼리 잡고 도망치며 즐거운 듯 소리치고 있었다.

“야! 이제 숨바꼭질하자.”

한 아이의 외침에 해준이 움찔했다. 모여서 가위바위보를 하며 떠드는 아이들을 바라보던 해준의 눈에 다른 누군가가 비쳤다. 지면 술래. 이긴 사람은 도망쳐서 꼭꼭 숨기. 숨어서 절대 들키지 않기. 들키게 된다면….

"얘들아, 저 아저씨가 자꾸 우리 쳐다봐…."

"이상해…. 여기서 뭐 하는 거야?"

"우리 다른 데로 가자."

해준의 시선을 느낀 아이들이 경계심 어린 눈빛으로 대화를 나누더니 이내 자리를 떴다. 해준에게는 들리지 않도록 속삭거리면서 말하려 했겠지만, 목소리는 여기까지 너무나 잘 들렸다. 아이들이 떠나버린 자리를 바라보며 공원의 풍경을 바라보던 해준은 불어오는 바람에 불안감을 흘려보내며, 천천히 마음을 진정시켰다. 한참을 그러고 있던 해준의 정신을 붙잡게 해준 건, 주머니 속 휴대폰의 진동이었다.

'해준 씨 어제는 고마웠어요. 다시 한번 고맙다는 인사 전하고 싶어서요. 오늘 좋은 하루 보내요.'

지안의 문자에 해준이 미소를 지었다. 흔들리던 감정들이 빠르게 진정됐다. 남아있던 불안감이 모두 사라지자, 마음이 편안해졌다.

'네, 지안 씨도 좋은 하루 보내세요. 그리고 혹시….'

그리고…. 휴대폰의 자판 위에서 손가락을 굴리던 해준은 택배 상자 속 지안의 사진을 상기시켰다. 칼로 그어진 사진을 생각하며 해준이 휴대폰을 꽉 쥐었다.

'그리고 혹시 꺼림칙한 일이나, 이상한 일을 겪진 않았습니까? 가령, 수상한 인물이 어제 찾아왔다던가요.'

망설임 없이 전송 버튼을 누른 해준은 지안의 답장을 기다리며 화면을 응시했다. 한참이 흘러도 오지 않는 메시지에 답장을 기다리던 해준이 휴대폰의 화면을 껐다. 무슨 일인지 바로 문자를 읽지 않았다. 답이 빨리 올 거라고 생각하지 못한 걸까. 그게 아니라면 무슨 일이 생긴 건가.

백화점에서 봤던 그 얼굴 때문인지, 지안의 문자로 사라졌던 불안감이 다시 스멀거리며 올라왔다. 벤치에서 일어난 해준이 머릿속에 든 복잡한 생각을 떨쳐내며 걸음을 옮겼다.

불안하다면 가만히 떨고 있는 게 아니라 움직여야 한다. 신예선이 갔던 동선만 알아낼 수 있다면, 찾을 수 있다. 그때가 되면 이번처럼 도망치지 않아야 한다. 오늘도, 도망치지 않았어야 했다. 어두워진 얼굴에 해준이 마른세수를 하며 머리를 쓸어올렸다. 정신 차리자, 똑바로 차려야 해. 바보처럼 굴어서 또다시 잃을 순 없어.

백화점에서부터 다시 신예선과 처음 만났던 그 장소에 도착한 해준이 지친 얼굴로 차에서 내려 인도에 섰다. 몇 시간 전에는 이곳에서 백화점으로 향했다. 하지만 그곳에는 신예선을 알고 있는 이가 없었고 결국은 헛걸음이 돼버렸다. 백화점이 아니라면 주변 매장인가. 만약 구매한 장소가 매장이라면 이 근방을 하나씩 둘러봐야 한다는 말이다. 오래 걸리고, 체력도 소모되고, 이것 또한 확실하지 않기에 괜한 시간만 버리는 꼴이 된다.

향수를 찾는 건 일단 그만두자고 해준은 결정 내렸다. 다음으로 할 수 있는 건 신예선을 만난 이 자리에서 그녀가 걸어왔던 방향을 따라가며 어딘가에서 지나가던 신예선을 봤을 목격자를 찾는 것이었다. 이것 또한 시간이 지나 기억하는 이가 드물거나 아예 없을 확률이 높겠지만, 매장을 둘러보며 찾아다니는 것보다는 훨씬 쉬운 편이기에 그만두는 것보다는 하는 게 낫겠다고 판단했다.

차가운 바람이 불어오는 길거리는 인적이 드물었다. 평일 낮이기도 하고, 한파 예보까지 있었으니 바깥 활동을 하는 사람이 드문 게 당연했다. 얼 것 같은 손을 주머니에 넣고 길을 걷던 해준이 과거 이 거리를 걸었을 신예선의 모습을 떠올렸다. 신예선은 어디서부터 걸어왔을까, 주변에 들린 곳 없이 쭉 걸어왔을까. 집을 모르니 대체 어디서부터 왔는지 감이 안 잡힌다.

"잃어버린 휴대폰…."

휴대폰을 잃어버린 신예선이 한 말이 있었다. '이 근처에서 잃어버렸어요.', '이 근처에는 없나 보네요….' 기억을 되짚어 그녀의 말을 떠올린 해준이 걸음을 멈추었다. 만약에 왔던 방향이 이곳이 아니라면…? 휴대폰을 찾기 위해 자신이 온 길을 되돌아간 거라면.

몸을 돌려 자신이 왔던 길을 바라보던 해준이 지나온 길을 되돌아가기 시작했다. 몇 걸음만 더 걸으면 자신과 만났던 장소에 또다시 다다른다. 그곳에서 만나 이 근처에서 잃어버렸다고 한다면. 만난 장소 근처 어딘가에 그녀가 휴대폰을 잃어버린 장소가 있을 것이다. 왜 진작 이 생각을 못했지. 코트 깃을 여미며 걷는 속도를 높인 그가 다시 원점으로 돌아왔다. 과거 해준이 걸어왔던 방향으로 이곳을 지나친 신예선은 휴대폰을 찾기 위해 다시 돌아갔다. 그 과정에서 해준을 만나 휴대폰을 빌려달라는 부탁을 청했다. 근처, 근처에 들린 곳이 있었을까. 보통 휴대폰은 주머니 속이나 가방 속에 보관할 터. 휴대폰을 꺼내야 하는 장소나 꺼내서 놓을 수 있는 장소에 들리지 않는 이상 보관된 휴대폰을 잃어버리기는 쉽지 않을 것이다. 길에서 떨어뜨렸다고 한들, 본인이 그것을 자각하지 못했다고 보긴 어렵고….

어느 장소에서 휴대폰을 잃어버린 게 분명하다. 시간대가 저녁쯤이었으니까, 주변 음식점에서 저녁을 먹었거나. 그것도 아니라면 편의점에 들렀다가 실수로 두고 갔거나. 이 두 가지의 경우 중에서는 전자가 훨씬 일리 있어 보인다. 눈앞에 보이는 작은 파스타 가게로 들어간 해준이 자신을 맞이하러 오는 직원에게 인사한 뒤, 지금까지 했던 대로 신예선의 사진을 보이며 물었다. 신예선을 본 적이 있냐고 묻는 해준에게 고개를 저으며 모르는 얼굴이라고 대답하는 직원이 조심스럽게 물었다.

"근데, 무슨 일로 찾는 거예요?"

궁금한 얼굴로 물어오는 그에게 아무것도 아니라며 대답한 뒤 해준이 가게를 나왔다. 이곳 가게도 아닌가…. 유리창 너머로 여전히 자신을 주시하고 있는 직원의 눈을 피하며 해준이 그 자리를 벗어났다. 조금 전, 남자의 물음에 제대로 대답하지 못했던 게 마음에 걸린다. 그가 수상하게 여겨 신고라도 한다면, 훗날 경찰이 와 신예선에 관해 묻는다면. 전에도 그런 남자가 있었다는 얘기를 자연스레 꺼낼지도 모른다. 그 대상이 해준이라는 것을 알게 되었을 때. 경찰 측에서는 어떤 반응을 보일까. 아마 최 경위처럼 의심을 품고 해준의 주변을 조사할지도 모른다. 역시, 직접 움직이는 건 헛된 생각이었나. 신예선의 사진을 들고 다니며 그녀의 동선을 찾아다니는 건 해준의 얼굴을 기억하는 사람들을 늘리는 것과 다름없었다.

하지만 이렇게라도 하지 않으면 찾을 수 없지 않은가. 신예선이 어디서 눈에 띄었는지. 그것을 알아야 한다. 그것을 알아야 그 사람을 찾을 수 있다. 앞으로 걸으며 고민하던 해준의 눈에 편의점이 들어왔다. 아까 가게를 나온 후, 쭉 걸어 처음으로 발견된 편의점이었다. 편의점. 편의점에서 신예선을 봤다면…. 아니, 정말 봤을까? 보지 못했을 확률이 더 높지 않을까.

추측에 대한 신용이 떨어지고, 해준은 자신의 추리에 대해 의심하기 시작했다. 자기가 알고 있는 정보만으로 판단하며 움직이는 것을 계속해도 되는 건가. 정말로 직접 움직이는 건 그만두고, 다른 방법을 찾아볼까. 고민하던 그가 품속에 있는 신예선의 사진을 꺼내었다. 희미한 미소를 짓고 있는 얼굴. 온종일 이 얼굴을 남에게 보여주며 마치 아는 사람을 찾는 듯이 굴었다.

그래, 너무 일찍 그만두지는 말자. 계속 찾아보는 거다. 만약 다른 이가 수상하게 여긴다면 경찰이 의심하기 시작한다면 어쩌면, 그쪽에서도 반응을 보일지도 모른다.

해준이 편의점에 들어서자, 의자에서 휴대폰을 보고 있던 남자가 허둥거리며 자리에서 일어났다. 다가온 해준에게 머리를 긁적이며 그가 물었다.

"예, 필요한 거 있으세요?"

"하나 여쭤보고 싶은 게 있는데요."

품에서 꺼낸 신예선의 사진을 내밀며 해준이 말을 이었다.

"이 사람 여기 온 적 있습니까?"

신예선의 사진을 보며 눈을 동그랗게 뜬 남자가 턱에 손을 올려 놓은 채 입술 사이로 숨을 내뱉었다.

"아뇨, 모르겠는데요."

여기는 아닌가…. 고개를 젓는 남자에게 목례한 뒤, 해준이 발을 돌렸다. 그 순간 진열대 뒤에서 튀어나온 여자와 해준의 몸이 부딪쳤고 들고 있던 사진이 두 사람 사이에 떨어졌다.

"죄송합니다."

먼저 고개를 숙이며 사과한 해준이 허리를 숙여 사진을 들었다. 하마터면 잃어버릴 뻔했다. 다음에는 주의해야겠다고 생각하며 품속에 사진을 넣고 해준이 손잡이를 잡았다. 딸랑거리는 방울 소리와 함께 편의점의 문을 열고 나오며 해준은 휴대폰을 꺼내 들었다. 여기도 아닌가. 이쪽이 아니라면 어디로 향했지? 가게마다 찾아가는 건 역시 무모한 짓인가. 편의점 안에서 밖을 지나가는 신예선을 본다고 한들 일주일이 훌쩍 지난 지금, 스치듯 본 얼굴을 기억하는 이는 없을 것이다. 화면 속의 지도를 움직이며 다른 길을 모색하던 해준의 뒤로 다시 한번 방울 소리가 들려왔다.

"저기요."

날카로운 목소리가 해준의 발목을 잡았다. 뒤를 돌아본 그곳에는 불만스러운 표정의 여자가 팔짱을 낀 채 이쪽을 바라보고 있었다. 아까 부딪힌 여자였다.

"무슨 일이죠?"

"누구신데, 예선이 사진을 들고 예선이를 찾아다녀요?"

팔짱을 유지한 채 턱짓으로 해준의 손을 가리킨 여자가 의심 가득한 눈초리로 해준을 바라봤다. 신예선의 이름을 알고 있다. 사진을 보고 알아본 건가? 그럼, 신예선을 찾던 해준의 모습 또한 봤을 것이다.

난처해진 해준이 목을 가다듬었다. 자칫하다 말실수하게 되면 곤란해진다. 경찰의 신분도 아닌 자가 실종된 여자를 찾고 다니는 모습은 어떤 이가 봐도 수상하기 짝이 없으니.

"누구시냐니까요?"

의심 가득한 눈초리로 바라보는 여자는 여전히 팔짱을 풀지 않았다. 해준이 대답하지 못하자, 공격적인 목소리를 유지하며 여자가 입을 열었다.

"스토커죠? 그쪽?"

"네?"

황당한 물음에 당황한 해준에게 증오심 가득한 얼굴로 다가온 여자는 거세게 해준을 밀쳤다.

"맞네, 이 스토커 새끼야. 이젠 하다 하다 사진까지 들고 찾아다녀? 사진은 어디서 난 거야? 몰래 찍었냐?"

"오해하신 것 같은데요."

밀려난 해준이 어깨를 털며 정색했다. 근데 스토커라는 말은 처음 들어본다. 신예선에게 스토커가 있었나? 그렇다면 신예선의 실종은 스토커의 짓일까. 김성훈. 그 남자가 그날 경찰서에서 날 미행한 건 내가 신예선의 스토커라고 생각돼서인가?

"오해? 거짓말하네! 그런 사진을 어떻게 가지고 있는 건데, 딱 봐도 몰래 찍은 사진이잖아!"

"신예선 씨의 애인인 김성훈 씨가 주셨습니다."

"애, 애인이라…고요?"

이번에는 여자 쪽이 당황한 얼굴로 한 발짝, 뒤로 물러났다.

"애인이라뇨. 무슨 소리예요?"

눈을 찡그리는 여자의 얼굴을 보는 해준에게도 의문이 생겼다.

"그쪽 분은 신예선 씨의 친구입니까?"

"저, 저요? 네. 맞는데요. 왜요?"

"아까 스토커 얘기는 대체 뭐죠? 신예선 씨가 스토킹이라도 당했다는 겁니까?"

"왜 이런 얘기를 해줘야 하는 건데요? 그쪽 누구시냐고 물었잖아요. 무슨 관련이 있어서 예선이를 찾아다니죠?"

여전히 경계하고 있다. 이를 어쩌지….

"의뢰를 받았습니다. 신예선 씨를 찾아달라고요."

"의뢰요? 흥신소…. 뭐 그런 거예요?"

얼굴을 찌푸리며 묻는 여자를 향해 고개를 끄덕이자, 여자가 신기한 얼굴로 말을 이었다.

"요즘도 흥신소가 있어요? 몰랐네요…. 근데 누가 의뢰를 넣었대요?"

"말해줄 수 없습니다. 의뢰 상 비밀이라서요."

"그래요?"

조금은 경계를 누그러뜨린 듯 여자가 팔짱을 풀고는 자기 팔을 쓰다듬으며 고개를 숙였다.

"아까는 밀쳐서 죄송했습니다."

"아뇨, 괜찮습니다. 저 근데 아까 물었던 질문 말입니다…."

"스토커요?"

"네, 신예선 씨한테 스토커가 있기라도 했던 겁니까?"

해준을 바라보던 여자는 떨떠름한 표정으로 시선을 내리더니 이내 고개를 들어 말을 잇기 시작했다.

"정확히는 한 달 정도 됐어요. 예선이는 평일 내내 알바를 하는데 알바가 끝나는 시간이 늦은 저녁이거든요. 어느 날, 집에 가는 길에 누군가가 자신을 따라오는 듯한 느낌을 받았다고 했어요. 너무 장난스러운 말투라서 처음에는 장난치지 말라고 하고 넘겼는데 나중에 생각나서 물어보니까 여전히 그런 기분을 느낀다고 하는 거예요."

"그럼, 신예선 씨는 그 뒤에 어떻게 했습니까?"

"일단 아무 일도 안 일어나고, 그냥 기분 탓일 수도 있다면서 예선이는 그냥 내버려 뒀어요. 예선이가 키도 크고, 학창 시절부터 운동을 내내 해와서 워낙 그런 일에 신경을 쓰지 않았거든요. 저희가 걱정해도 괜찮다면서 웃어넘기고 그랬어요. 자기 걱정할 필요 없지 않냐면서요."

"또 다른 짓은 안 했습니까?"

"있었어요. 따라오는 느낌을 받고 얼마 지나지 않아서 자신을 따라오는 남자가 카메라로 사진을 찍은 걸 봤었대요. 흐릿한 형태지만 분명 남자였고 손에는 카메라를 들고 있었다고 예선이는 그렇게 말했었어요."

남자와 카메라…. 스토커는 신예선을 스토킹하기 시작한 뒤로 매일 같이 그녀를 따라다녔고 카메라로 사진까지 찍으며 스토킹을 한 모양이다.

“카메라까지 등장하니까, 저는 너무 겁이 나서 이번에는 정말로 경찰에 신고하자고 했는데, 예선이는 좀 더 주시하자고 말했어요. 피해를 당한 게 있어야, 경찰에 넘긴다면서요. 결국 저는 예선이 뜻에 따르기로 했고 예선이는 늘 평소처럼 일상을 보냈어요. 그런데, 카메라를 든 남자를 목격한 이후로 이상하게 잠잠해졌대요. 누가 자기를 따라가는 느낌도 없어졌다고 말했었어요. 저랑 제 친구들은 그래도 아직은 안심하지 말라고 말했었고 예선이도 조심하겠다고 했죠. 그 뒤에는 스토커 얘기도 없고 저도 점점 잊고 살면서 이제는 괜찮은가보다 생각했거든요.”

모은 손에 주먹을 쥐며 혜인이 눈을 질끈 감았다.

“신예선 씨가 사라지기 전에 특별한 일은 없었습니까?”

“아, 있었어요. 예선이가 사라지기 이틀 전에 소개팅이 잡혔었어요. 아는 지인 덕분에 잡혔다면서 잘하고 오겠다고 했었거든요. 근데 예선이가 분명 소개팅이 잘 안됐다면서 자기랑 성격이 잘 안 맞고, 그분이 자기를 별로 안 좋아하는 것 같다고 말했어요.”

소개팅이 잘 안됐다고? 그럼, 김성훈은 뭐지?

“혹시 그 상대 이름을 알고 있습니까?”

“네? 알죠. 제가 물어봤거든요.”

“제가 아까 말한 김성훈이라는 이름이요. 소개팅 상대 이름은 아니죠?”

"전혀 아니에요. 그 이름도 처음 들어보는걸요. 게다가 애인이라뇨. 소개팅에서 성사된 것도 아닌데, 얘가 하루 사이에 저랑 제 친구들도 모르는 애인을 덥석 사귈 리가 없어요. 설마 의뢰를 그 애인이 넣었어요?"

매섭게 물어오는 여자에게서 물러난 해준은 진정하라는 말을 덧붙이며 고개를 저었다.

"아닙니다. 그 사람은."

"그래요…?"

혜인이 입술을 뜯으며 곤란한 표정을 지었다.

"소개팅 상대 말이에요. 또 있어요. 생각나는 거."

"그 사람의 정보입니까?"

"네, 그 사람. 사진작가로 일하고 있다고 들었어요. 자연 풍경을 찍는 것도 좋아하지만, 사람을 찍는 걸 더 좋아한다고, 자기 입으로 그렇게 말했었대요."

사진작가라…. 김성훈이 사진작가란 말이지.

"몇 가지 더 여쭙고 싶은 게 있는데. 가능하시다면 신예선 씨의 집 주소를 알고 싶습니다. 불편하다면 상세 주소는 말해주지 않아도 됩니다."

"주소도 알아야 하나요?"

"직접 찾아가고 싶어서요. 실종과 관련된 단서를 얻을 수 있을 거라고 생각됩니다. 또, 아르바이트 장소도 알 수 있었으면 합니다."

망설이던 여자는 침묵 끝에 입을 열었다. 신예선의 주소와 가게 위치를 말한 뒤의 그녀는 여전히 해준을 의심하고 있는 얼굴이었다. 그 때문에 집 호수까지 알려주지 않았겠지. 화면 속 빌라 위치를 확인한 해준이 여자의 목소리에 고개를 들었다.

"실종된 이유가 뭐라고 생각해요?"

"신예선 씨의 실종이요?"

"스토커 자식이 한 짓이겠죠? 그래서 사라진 거죠? 그쪽은 이런 일 많이 해서 잘 알 거 아니에요."

"모릅니다. 하지만 그쪽의 얘기를 듣고 나니 확실하게 알 수 있는 게 하나 있습니다."

"이혜인이에요! 제 이름…. 그리고 연락처도 드릴 테니까 예선이 찾으면 꼭 연락해 주세요."

두 손을 모은 채 간절히 부탁하는 혜인을 가만히 바라보자, 그녀가 해준이 대답할 틈도 주지 않고 입을 열었다.

"그리고! 확실하게 알게 된 게 도대체 뭔데요? 저한테도…!"

"연락처 받겠습니다. 신예선 씨 찾게 되면 연락도 드릴게요. 하지만 뒤에 하신 질문은 아직 대답해 드릴 수 없습니다. 확실하다곤 했지만 제가 혼자 추측해 본 거라서 괜히 들었다가 신경만 쓰이실 겁니다."

"하지만 예선이는 제 친구라고요!"

"죄송합니다."

숙인 고개와 전한 사과 속에서 해준은 진심을 담았다. 사라진 신예선에 대한 미안한 마음 또한 담았다.

"정말 못 알려주시는 거예요? 아무한테도 말하지 않을게요. 정말이에요!"

“혜인아, 밖에서 계속 뭐 하는 거야? 얼른 안 가고.”
편의점에서 나온 아르바이트생이 해준과 혜인을 차례대로 바라봤다. 남자를 향해 고개를 저으며 혜인이 다가갔다.
“아무것도 아니야. 그냥 아는 분이랑 대화한 거야.”
“아는 분?”
남자가 해준을 바라보더니 손을 들어 얼굴을 가리켰다.
“조금 전에 편의점에서 어떤 여자 찾던 분이시죠? 혜인이랑 아는 사이세요?”
“응! 그냥 건너 건너 아는 사이야. 오빠는 얼른 들어가.”
“괜찮아. 손님도 없고…. 게다가 친한 후배가 곤란해 보이는데 가만히 있을 수가 있어야지.”
“하나도 안 곤란했어.”
어색하게 웃으며 해준을 바라본 혜인의 옆에서 이상하다는 눈빛을 보낸 남자가 입을 열었다.
“아까 보여준 여자요. 얘한테도 물어봤어요?”
“네. 여쭤봤습니다.”
“내 친구야 오빠. 실종됐다던….”
“아, 그 친구?”
고개를 끄덕이며 머리를 긁적인 남자의 팔을 혜인이 덥석 잡으며 물었다.
“근데, 내가 지난번에 전단지 주지 않았어? 아까 오빠, 예선이 보고 모른다고 했었잖아.”
“내가 얼굴을 잘 못 알아보잖아…. 미안해. 네 친구 일인데.”

어색하게 웃으며 사과하는 남자를 바라보던 혜인이 그에게 미소를 보이며 고개를 저었다.

"아니야. 괜찮아. 얼른 들어가 오빠."

"너도 얼른 가. 약속 있다고 하지 않았어?"

"아, 맞다. 완전히 잊고 있었어. 늦겠다. 이만 갈게."

손을 흔들며 남자와 인사를 마친 혜인이 해준에게 고개를 숙였다.

"연락 기다릴게요. 감사합니다."

급하게 뛰어가는 혜인을 지켜보던 남자가 시선을 돌리더니 웃으며 해준에게 다가와 손을 내밀었다.

"강지훈이라고 합니다. 그쪽은요?"

"아, 서해준이라고 합니다."

내민 손을 바라본 해준이 시선을 옮겨 지훈을 보았다. 눈이 마주친 그는 해준의 속뜻을 알았는지 뻗은 손을 잡지 않았는데도 불구하고 민망한 기색 없이 손을 내렸다.

"근데 해준 씨는 신예선을 왜 찾아다녀요?"

"아, 전…."

혜인에게 했던 말을 그대로 전하기 위해 입을 뗀 해준이 말을 꺼내기도 전에 지훈이 말했다.

"신예선을 이미 알고 계시잖아요. 직접 만나서 대화도 나눠놓고선 왜 모르는 척 찾아다니는 거예요?"

신예선을 알고 있다고? 웃는 강지훈의 얼굴을 보는 해준의 뇌리에 김성훈이 스쳤다. 최 경위를 만난 뒤에 찾아와 신예선을 알고 있지 않느냐며 화를 내던 그 남자. 그 남자와 똑같이 처음 만나자마자 신예선을 알고 있다고 말하는 강지훈. 기이한 상황에 소름이 돋은 해준이 얼굴을 구기며 물었다.

"무슨 소립니까?"

"신예선이랑 같이 있었잖아요. 사라지기 전날에. 친근해 보이던데요? 대화도 나누면서 걸어가던데요."

"잠깐 만난 게 답니다."

잠깐이었다. 휴대폰을 빌려준 뒤에는 서로 반대 방향으로 헤어졌고. 그 잠깐 사이에 강지훈 또한 해준을 본 건가? 그렇다면 왜 편의점 안에서는 신예선을 모른다고 한 거지. 정말 얼굴을 기억 못 하는 게 맞을까. 거짓말이라면…. 그 이유는 도대체 뭐지.

"하하, 그래요? 잠깐이요…. 그래요. 잠깐이라면 잠깐이겠죠."

소리 내 웃으며 다른 곳으로 고개를 돌린 지훈이 성큼 다가와 고개를 갸웃했다.

"근데 서해준 씨한테는 신예선이 발견되지 않는 게 좋지 않아요? 이렇게 찾아다니는 게 좀 이상한데? 그렇게…. 아니, 아니다."

손을 내저은 뒤, 입가를 가린 채 웃음을 참던 남자는 편의점 문으로 들어가는 중학생 무리를 바라보고 아쉬운 표정을 지었다.

"아, 이만 들어갈게요."

"잠시만요. 방금 하신 말씀…."

해준의 말을 무시한 채 안으로 들어간 남자는 계산대로 향했다. 바깥에 서 있는 해준에게는 일절의 시선도 주지 않은 채 계산하러 다가오는 중학생 무리를 웃는 얼굴로 맞이했다.

강지훈. 저 남자는 확실히 무언가를 알고 있었다. 신예선과 내가 친근하게 걷고 있었다…라. 저 남자가 잘못 본 게 아니라면….
정말로 내가 생각하는 게 맞는 건가….

걸어서 몇 분 안 되는 거리에 있는 신예선의 집은 상가가 줄지어 위치한 인도 사이에 끼어 있는 주상복합건물이었다.
바로 앞 카페 안에서 대화를 나누는 사람들을 바라보던 해준은 고개를 들어 건물 전체를 확인했다.
스토커가 신예선을 따라갔다면 카페 앞 cctv에 모습이 담겼을 것이다. 그리고 그런 cctv는 빌라 건물 안에도 있겠지.
중앙 현관 앞에 서서 cctv를 확인한 해준은 이어 엘리베이터 앞에 멈춰 섰다. 이혜인의 말에 따르면 신예선은 누군가 자신을 쫓아오는 기분을 느꼈다고 말했다. 소개팅 건도 그렇고 애인 유무도 그렇고 신예선의 개인사를 친구들은 모두 알고 있는 모양이다. 만약 스토커가 엘리베이터까지 신예선을 따라왔다면 그 얘기를 들은 혜인이 그런 일이 있었다고 얘기해줬을 것이다. 신예선이 걱정할 친구들에게 사실을 숨겼을 수도 있고. 해준과는 처음 본 사이기 때문에 혜인이 깊은 사정까지는 말하지 않았을 경우도 있지만, 그쪽에선 해준을 사라진 친구를 찾아주는 사람으로 인식했으니 딱히 숨길 필요가 없었을 것이다. 혜인의 말로 파악되는 신예선 또한 묻는 것에는 숨김없이 대답해 주는 모양이고….
엘리베이터까지 따라온 게 아니라면 쫓아온 건 빌라 앞까지인가. 건물을 다시 나와 맞은편 도로를 응시한 해준은 카메라와 남자. 두 키워드를 떠올리며 생각에 잠겼다. 카메라라. 신예선은 카메라로 자신을 찍는 남자를 어떻게 본 것일까. 이 건에 대해선 자세히 물어보지 못한 것이 흠이 됐다. 건너편에서 사진을 찍었다면 남자가 보였을까? 아르바이트가 끝난 그녀의 귀갓길은 밝을 리가 없었다. 어둠 속에서 사람의 형체를 보기는 꽤 어려울 텐데…. 시선을 옮기던 해준이 가로등에 눈길을 고정하고 짧게 탄식했다. 가로등의 불빛이라면 스토커의 모습을 확인하기 쉬웠을 것이다. 무엇을 들고 있었는지도 보였을 거고. 그렇다면 신예선을 따라가던 스토커가 뒤에서 사진을 찍었기보다 그녀의 앞이나 아니면 맞은편 도로에서 사진을 찍었을 가능성도 생각해 둘 필요가 있다.

그 장소가 바로 여기 이 자리일 테고.

신예선의 사진을 꺼낸 해준이 사진을 들어 자신의 시선과 평행이 되도록 맞추었다. 사진 속 신예선의 뒤로 보이는 건물, 그리고 해준이 이곳에 서서 보고 있는 저 건물의 생김새가 유사했다. 파란색 간판, 그 위층에 넓은 유리창이 딸린 미용실. 거리감은 다르더라도 같은 건물임이 확실했다. 스토커는 이곳에 서서 사진을 찍었다. 그리고 그 사진을 해준에게 보냈다.

김성훈. 그자가 신예선의 스토커인가. 남자친구라고 주장하긴 했지만 신예선이 없는 이상 그가 정말로 신예선의 애인인지 확인할 방도가 없다. 거짓말로 애인임을 주장하고, 해준에게 다가왔다. 그리고 스토킹 대상인 신예선이 해준을 만나 사라진 것을 목격했기 때문에 그 분노를 담아 협박 편지와 꽃바구니를 보냈다. 그리고 몰래카메라까지. 택배 속의 사진들도 김성훈이 보냈겠지. 사진작가니까 카메라를 가졌을 거고, 그 카메라로 신예선을 찍었을 텐데. 왜 그 사진을 굳이 나한테 보낸 거지. 남자친구로서 사진 한 장쯤은 가지고 있을 테니까? 남자친구라는 사실이 밝혀지지 않는다면 의심받을 수 있다는 생각은 못 한 건가?

아, 짧게 탄식한 해준이 이를 악물었다. 협박 편지도 화분도 꽃바구니도 조사하기만 한다면 보낸 이가 누구인지 알기 쉽다. 피해 사실을 경찰에 알린다면 이른 시일 내에 보낸 이를 알 수 있었겠지. 하지만 해준은 그러지 않았고, 그 반응을 확인한 김성훈이 신예선의 사진을 보낸 모양이다. 이걸 보내도 내가 가만히 있을 거니까. 그렇게 생각했으니까 보내도 별걱정을 안 했겠지. 하지만, 그렇게 생각한다면 처음 보낸 협박 편지와 화분은 어떻게 받아들여야 할까. 해준의 성격을 모르는 상태로 무작정 보냈다? 경찰에 신고해서 조사받을 걸 각오하고 보냈다? 이건 말이 안 되는 것 같은데.

복잡한 머리에 골머리를 앓던 해준의 몸에 짧은 진동이 울렸다. 이에 휴대폰을 꺼낸 화면의 메시지를 확인한 해준의 눈동자가 흔들렸다.

'이상한 일이요? 전혀 없었어요. 수상한 사람도 없었어요. 제가 둔해서 못 알아챘을지도 모르지만…. 전혀 이상하거나 꺼림칙한 일 없었어요.'

다행이라고 해야 할까. 아무렇지 않다는 메시지에 걱정을 덜어낸 해준이 빠르게 답을 보냈다. 답을 끝낸 해준이 화면에서 눈을 돌려 빌라 건물에 시선을 고정했다.

일단 여기서 더 얻어낼 건 없다. 이곳이 아니면 다음은 신예선의 아르바이트 가게인가….

신예선이 아르바이트하는 가게는 프랜차이즈 카페가 아닌 개인이 차린 작은 카페로 카페 안의 빈티지한 분위기와 카페만의 독특한 음료로 인해 특정 사람들의 인기를 끌어 장사가 꽤 되는 모양이었다. 블로그의 글이나 SNS를 통해 알아본 결과 한창 영업 중일 텐데, 가게 안은 사람 하나 없이 어두웠다.

'오늘은 가게 사정으로 인해 휴업합니다.'

가게 안에서 붙여진 쪽지를 확인한 해준이 뒤로 물러나며 전체적인 가게의 풍경을 눈에 담았다. 통유리창으로 인해 카페 안이 훤히 보인다. 테이블과 의자, 그리고 카운터까지. 밖에서도 커피를 제조하는 모습을 볼 수 있을 정도니 굳이 카페 안으로 들어가지 않아도 이곳에서 일하는 신예선의 모습을 확인할 수 있다.

이곳에서 신예선을 봤을까. 스토커인 김성훈이, 그리고….

"서해준 씨. 여기서 뭐 하십니까?"

유한의 말이 귀에 들어오자, 생각에 빠졌던 해준의 의식이 돌아왔다. 두 손을 주머니에서 빼고 성큼거리며 다가온 유한은 카페를 바라보고는 이어 해준과 눈을 마주했다.

"아까 카페 앞까지 가시던데, 용건이 뭐예요?"

이런 곳에서 마주칠 거라고는 생각하지 못했다. 일반 사람이 아닌 그라면 이곳에 있는 자신을 분명 이상하게 여길 테니까. 더군다나 유한은 해준을 의심하고 있다. 해준이 신예선 실종의 원인이라고.

"서해준 씨, 분명 신예선 씨와 관련이 없으시다고…."

"신예선한테 스토커가 있다는 사실 알고 계십니까?"

"네? 스토커요?"

뜬금없는 질문이라 생각했을 상대는 눈을 찡그리더니 헛웃음을 지었다.

"네. 압니다. 그럼, 서해준 씨는 그 사실을 어떻게 알았죠?"

"이혜인이라는…. 신예선 씨의 친구분한테 들었습니다."

솔직하게 사실을 전했다. 여기서 거짓을 말한다면 해준이 불리하다. 신예선의 스토커가 김성훈이라면, 잡아낼 수 있는 건 이 남자니까.

"지난번에 경위님이 저를 경찰서 앞으로 부르셨을 때, 귀갓길에 김성훈 씨를 만났습니다. 그날 처음 봤는데도 불구하고 그 남자는 자신이 신예선 씨의 남자친구임을 밝히며 신예선 씨가 사라진 게 제 탓이라며 화를 냈습니다."

"김성훈 씨가 해준 씨를 찾아갔다고요?"

"그 남자가 신예선 씨의 스토커라고 생각됩니다."

해준의 말에 유한의 가늘던 눈이 커졌다. 이어 턱에 손을 얹은 채 말없이 시선을 내린 유한은 생각에 잠긴 얼굴이었다.

"그렇게 생각한 근거가 뭡니까?"

그 근거를 모두 말하려면 해준에게 일어났던 일까지 말해야 한다. 하지만 그럴 필요 없어도 충분히 김성훈은 수상하기 그지없었다. 먼저 혜인이 말한 소개팅 건. 소개팅 상대와 신예선의 애인임을 주장하는 김성훈은 다른 자다. 혜인은 김성훈의 이름을 몰랐으니까. 하지만, 그렇다면 왜 김성훈은 신예선의 애인임을 주장했지? 휴대폰만 조사하면 다 나올 텐데.

"저는 아니라고 생각되는데요."

유한의 말에 해준이 가만히 그를 바라봤다.

“김성훈 씨가 스토커가 아닌 이유를 제가 대보죠. 김성훈 씨는 신예선 씨와 실제로 소개팅을 진행했습니다. 하지만 진짜 이름이 아닌 가짜 이름으로 신예선 씨를 만났죠. 흔히 하는 말로 소개팅 대타라고 하죠. 아마?”

소개팅을 대신 나가? 해준이 눈살을 찌푸리며 혜인의 말을 떠올렸다. 그녀는 김성훈이라는 이름을 몰랐다. 자신의 이름이 아닌 다른 이름으로 신예선과 만났더라면, 남자의 얼굴을 모르는 혜인의 입장에선 김성훈과 신예선의 소개팅 상대가 동일 인물이라고 생각하긴 어려웠겠지. 이건 생각하지 못한 부분이다.

“김성훈 씨는 스토커가 아닙니다. 어디서 들으셨는지는 몰라도….”

“김성훈 씨가 사진작가 일을 하고 있다고 들었습니다. 그리고 신예선 씨가 스토커에게서 사진을 찍힌 적이 있었고요. 아마 신예선 씨 빌라 앞에서 찍혔을 겁니다.”

가지고 있던 신예선의 사진을 내민 해준은 사진 속의 배경과 유사한 주변 풍경에 시선을 옮겼다.

“사진은 어디서 났습니까? 김성훈 씨의 직업은 또 어떻게 알았고요?”

“택배를 통해 받았습니다. 김성훈 씨가 보낸 택배에 사진이 들어있었고요.”

“택배라뇨. 두 사람 집 주소까지 알고 있는 겁니까? 저번에는 분명 모른다고…!”

"김성훈 씨가 저를 의심하고 또 증오하고 있습니다. 그래서 제 뒤를 밟아 집 주소를 알아낸 거고요. 전 김성훈 씨에 대해 전혀 모릅니다. 경위님이 지난번에 이름을 알려주신 덕분에 이름을 알게 된 거지. 전부터 알고 있던 사이가 아니라고요. 정말입니다."

해준의 말을 자르지 않고 천천히 듣던 유한이 다시 한번 사진을 보고는 복잡한 얼굴로 머리를 쓸어 넘겼다.

"그렇다면 김성훈 씨가 일방적으로 본인을 적대하고 있는 거라고 그렇게 말씀하시고 계신 겁니까?"

해준이 말없이 유한의 얼굴을 살폈다.

"그럼, 왜 신예선의 사진을 가지고 이곳까지 찾아왔습니까? 빌라 앞이라고 말하시는 거 보면 집 주소까지 알고 있는 모양인데, 상관이 없다면 오지 않아도 될 일이잖아요."

대답 없는 해준에게 또다시 물어오는 유한의 표정은 해준의 눈에 들어올 틈이 없었다. 가슴 속 응어리. 이 커다란 짐을 밖으로 빼내어도 될까. 그 고민으로 심장 박동이 빨라지고 있었다.

"이봐요. 서해준 씨. 계속 대답을 안 하실 겁니까?"

"나중에…. 설명해 드릴 수 있습니다."

정말 말할 수 있을까. 설명할 수 있을까. 입술을 깨문 해준의 표정은 점차 어두워졌다. 한 번도 남에게 꺼내본 적 없는 얘기. 꺼낸다면 보일 반응에 대한 상상으로 더욱 깊은 땅굴을 파서 짐을 묻어버리고 싶은 마음이 해준의 정신을 흔들었다. 나오지 않도록 꺼내고 싶지 않도록 깊게 묻는 일만 해오던 그였기에 간단하게 꺼낼 방법 따위는 알지 못했던 것이었다.

"연쇄 실종 사건에 대한 단서 또한 얻어낼 수 있을 겁니다. 그러니 조금만 기다려 주세요. 저를 믿어주세요. 경위님."

힘겹게 내뱉은 말은 주워 담을 수 없었다. 연쇄 실종 사건에 대한 단서. 이건 언급하지 말 걸 그랬나. 뒤늦은 후회가 마음속에 차올랐지만 이미 전달된 말은 수습할 수 없었다. 하지만 방금의 발언으로 유한이 자신을 믿어준다면 이 고민을 해결해 준다면 해준으로서는 후회할 필요 없는 감정이었다.

지키기로 하지 않았는가. 이제는 도망치지 않기로 결심했지 않은가. 외면하지 않겠다. 지난번처럼 얼굴을 보고 도망치지도 않겠다. 주먹을 쥔 해준이 말없이 유한을 바라봤다. 그 눈에 자신의 의지를 가득 담고, 거짓 없이 아직은 전할 수 없는 속마음을 담았다.

"그 말 사실인 거죠?"

허리에 손을 올린 채 해준을 바라보던 그의 입에서 한숨이 새어 나왔다.

"좋아요. 믿겠습니다. 하지만 이건 해준 씨에 대한 확실한…. 결정적인 물증이 없으니까 하는 말이에요. 김성훈 씨를 다시 만나 얘기를 들어보죠. 증오하는 것도 스토커에 대한 것도요."

다가온 유한이 신예선의 사진을 들어 보였다. 엄지에 들어간 힘으로 인해 잡힌 부분이 구겨져 있었다.

"그리고 이건 제가 가지고 있겠습니다. 이런 짓도 의심을 살 수 있으니까 이젠 그만두시고요."

사진을 든 손으로 카페를 가리킨 유한의 행동에 해준이 고개를 끄덕였다. 그 모습을 확인한 유한은 그녀의 사진을 제 품속에 넣고는 손을 들어 입가를 가리며 헛기침했다.

"이만 집으로 돌아가시죠. 나중에 해주실 그 설명 속에 정말 단서가 있으면 좋겠네요."

그 말을 끝으로 발걸음을 돌린 유한에게 고개 숙여 인사를 마친 해준의 시선은 자연스레 카페 안으로 향했다. 사라진 신예선. 그리고 연쇄 실종 사건. 단어들을 입 안에 머금으며 해준은 이를 악물었다. 유한에게 이것만큼은 전해도 되지 않았을까. 세상 사람들이 알고 있는 은정동 연쇄 실종 사건이 단순 실종 사건이 아닐 수도 있다는 해준의 생각 정도는 말해줘도 되지 않았을까. 그들은 이미 죽었고, 그렇기에 발견될 수 없었다고 말해도 되지 않았을까.

그렇게 생각하며 해준은 두 눈을 질끈 감으며 떠오르는 기억을 애써 무시했다.

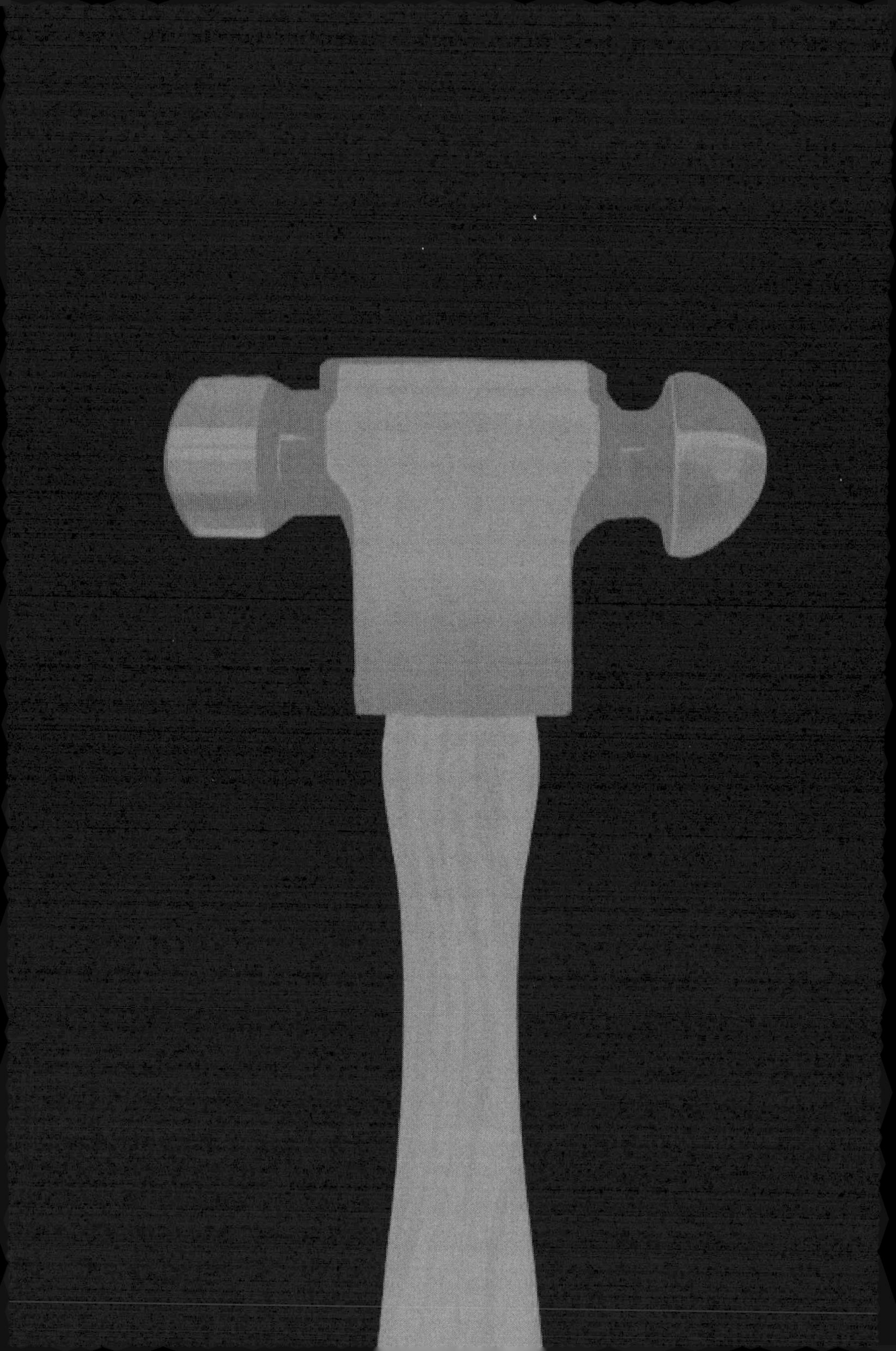

—

긴 하품을 하며 잠을 깨우기 위해 크게 기지개를 켜던 유한의 눈에 하얀 연기를 내뿜는 철민의 얼굴이 들어왔다. 흡연구역의 벤치에 앉아 긴 한숨을 쉬는 그에게 다가간 유한이 팔짱을 낀 채 벽에 기대며 입을 열었다.

"담배 끊었다며."

"손에 계속 잡히는 걸 어떡하냐."

손에 든 담배를 들어 보이며 철민이 웃자, 유한이 중앙에 장만되어 있던 쓰레기통을 보며 물었다.

"다 형이 핀 거 아니지? 그러다 죽어."

"야, 말이 되는 소리를 해라."

"어, 말 안되는 소리 좀 해봤어. 졸린 것 같아서."

웃으며 철민을 돌아선 유한이 자판기 앞에 섰다.

"커피 마실래?"

"됐다. 잠 깰 필요도 없고. 참…. 야, 너 제수씨한테 연락했냐? 이 늦은 밤에 일하는 남편 걱정 많이 할 텐데. 문자라도 줘."

"안 그래도 문자 남겼어. 자느라 답장은 못 하는 것 같지만."

요란한 소리를 내며 떨어지는 커피를 꺼낸 유한은 캔의 뚜껑을 따며 벤치에 털썩 앉아 긴 한숨을 쉬었다.

"뭔 한숨을 그렇게 쉬냐."

"아까 형도 한숨 쉬었잖아."

"답답해서 그러지."

철민의 대답을 끝으로 두 사람 사이의 대화가 끊겼다. 커피를 홀짝이며 어두운 밤하늘을 바라보던 유한이 빠르게 지나치는 차들을 바라보며 기억을 상기시켰다.

지난 월요일, 원룸촌 빌라에서 살해당한 피해자는 스물아홉 살의 여성 곽아영이었다. 몇 년 전 부모님을 모두 여의어 그 충격으로 인간관계를 끊어버렸고 현재는 직장 동료들과 남은 가족인, 그녀의 언니가 유일한 연락망이었다. 언니와의 마지막 연락은 사망하기 이틀 전의 문자로 간단한 일상을 주제로 대화를 나누었고, 그 후로는 연락을 주고받지 않은 채 일상생활을 한 것으로 파악됐다.

검시를 통해 알아낸 사망 시각은 시신이 발견되기 전날인 오후 여덟 시에서 아홉 시 사이, 곽아영이 음식을 배달하기 위해 주문 전화를 한 시각은 일곱 시 삼십 이 분으로 경찰은 제일 먼저 가게의 배달원을 용의자로 꼽았다.

"정말이라고요. 현관문 앞에 돈이 놓여 있었고, 그 돈이 딱 치킨값이랑 맞아서 돈을 챙긴 뒤에 문앞에 치킨을 두고 갔어요. 그 밖에는 정말 아무것도 안 했어요. 집에도 안 들어갔고요!"

배달원의 말은 가게 주인도 신용하고 있었다. 권아영의 집으로 배달을 마친 후, 가게로 돌아온 배달원이 돈에 대한 일화를 얘기했다. 단골손님이었던 곽아영이 그런 방식으로 결제했다고는 들어본 적이 없었기에 의아하게 생각하고는 있었지만, 배달이 끝나고 바로 가게로 돌아온 배달원에게서는 수상쩍은 부분이 전혀 없었다며 그의 무죄에 생각이 기울어져 있었다.

그런 그들의 얘기를 모두 듣고 난 뒤, 배달원이 가게 주인을 속이기 위해, 일부러 돈을 언급한 게 아니냐는 추측이 잠깐이나마 들었었다. '권아영을 살해 후, 아무렇지 않은 척 돈 얘기를 꺼내며 자신은 집안에 들어가지 않았음을 어필했다.' 진욱의 그런 의견에 선재는 동의하는 듯했고 유한 또한 일리가 없는 말은 아니라고 생각했었다. 하지만 빌라 cctv를 통해 배달원이 빌라에 들어가고 나오는 데 소요한 시간은 고작 1분 남짓이라는 사실이 밝혀지고 그를 통해 그 짧은 시간에 범행을 저지르기는 어렵다고 판단되었다. 그리고 건물 안을 들어갔다 나왔을 때의 복장이 똑같았으며 가게까지 향하는 도중 옷을 갈아입은 모습이 포착되지 않았으므로 살해 도중 피가 튀었을 범인의 행색과는 거리가 멀었기에, 사망 추정 시각 음식을 배달했던 배달원은 혐의가 없다는 결론에 이르렀다.

그 과정에서 배달원의 무혐의에 힘을 실어준 것은 또 다른 용의자의 등장이었다. cctv에 잡힌 사건 당일 저녁, 배달원이 도착하기 약 십오 분 전. 검은색 계열의 복장으로 치장한 누군가가 빌라 안으로 들어가는 모습이 포착됐다. 그가 들어가고 오 분 정도가 지난 후 그는 그 차림새 그대로 다시 건물을 나왔고 cctv 사각지대를 이용하여 어둠 속에서 모습을 감췄다.

"cctv가 어디에 있는지 다 알고 주도면밀하게 범행을 저지른 거야. 무기도 집안에 없으니, 미리 계획했겠지."

조사를 통해 그는 빌라에 거주하는 사람이 아닌, 외부인으로 파악됐으며 거주자의 자택에 방문한 자 또한 아니라는 사실이 밝혀지자, 경찰 측에서는 그자를 범인으로 보았다.

현장에서 발견된 미세한 족적과 증거들을 통해, 빌라에 들어가는 낯선 이는 오른손잡이에 평균 키보다 살짝 더 큰 키를 가진 남성으로 범행 당시 275mm 운동화를 신고 있었다는 사실을 알아냈다. 범인이 남성이라는 사실로 수사망이 좁혀짐과 동시에 범인을 추려내던 과정에서 배달원이 아니면 문을 열어주지 않을 피해자가 문을 열어줬다는 건, 알고 있는 면식범이 아니고서는 불가능한 행동이라는 의견이 나왔다. 이에 피해자의 언니나 직장 동료들, 특히 지인 중에서도 남성들을 더 예의주시하며 그들을 용의선상에 올려 관계를 조사하기 시작했으나 불화나 갈등은 없는 것으로 파악됐고 그들의 증언을 통해 사건 당일 알리바이도 확인했지만, 그날 곽아영의 집에 찾아갈 마땅한 인물이 없는 것으로 확인돼 피해자의 주변 인물 중 범인이 존재할 경우는 우선 배제되었다.

"피해자를 살해한 무기로 추정되는 건, 이겁니다."

선재가 소개한 사진 속 볼핀해머는 시중에서도 쉽게 구할 수 있는 망치의 한 종류였다. 이것이 살인 무기로 추정되는 건 피해자의 타상 흔적 때문이었다. 처음 후두부 가격으로 인한 상처와 왼쪽 접형골 부근을 가격한 상처의 모양이 달랐으며 그 상처와 망치의 각 부분을 대조한 결과 가장 일치했기 때문이었다. 후두부의 상처 깊이와 접형골 부근의 상처 깊이도 달랐는데, 이것을 통해 처음 망치를 휘둘렀을 때 범인이 모종의 이유로 힘을 덜 실었고, 강한 타격을 맞지 않아 정신을 잃지 않은 피해자가 최선을 다해 집안을 기었다고 추측할 수 있었다. 하지만, 현관문이 범인으로 인해 막혀 도주할 경로는 없었고, 기어가는 여자를 확실하게 죽이기 위해 다가간 범인이 측두골이 부서질 정도로 강하게 망치를 휘둘렀고 그 타격으로 피해자는 즉사했다.

선재는 그 모종의 이유가 범인과 피해자가 일면식이 있었기 때문에 망설였던 게 아니냐며 말을 덧붙였다.

"아는 얼굴이기 때문에 죽이기 전에 망설인 거 아닐까요?"

턱을 쓸며 진지하게 고민하는 그에게 진욱이 물었다.

"망설였기 때문에 힘이 약했다. 망설인 이유는 아는 얼굴이기 때문이다?"

"네, 그렇죠."

"그럼 망설일 거면 왜 죽였지? 확실하게 죽일 의도가 있었으니까, 범행 도구를 들고 갔겠지. 게다가 cctv 동선 파악까지 했어. 이 이상 망설일 이유는 없다고 생각하는데."

"그래, 살인 계획을 세웠는데 망설였다고 보기는 조금…."

진욱의 의견에 동의하는 성태를 바라보며 선재가 입을 열었다.

"죽이려고 다짐은 했었지만, 실제로 이행할 때 겁이 나서 망설인 거예요. 첫 살인이니까요."

"선재 말도 일리가 없는 건 아니야. 꼭 아는 얼굴이 아니어도 사람을 죽이려고 하면 동요하게 돼 있어. 감정 없는 사이코패스 같은 놈이면 몰라도. 그리고 이번 놈이 분노로 인해 홧김에 살인을 저지른 것도 아니니까."

철민의 말에 모두가 복잡한 얼굴로 고민에 빠졌다. 유한 또한 그들 틈에서 잔뜩 꼬여버린 실타래를 풀어나가며 진지한 얼굴로 머리를 굴렸다. 첫 번째 가격과 두 번째 가격의 상처 깊이. 이에 대한 의문점과 함께 머릿속에 차지한 또 다른 의문이 벽 앞에 가로막혀 해소되지 않고 있었다.

"이상한 건 그것뿐만이 아니에요. 일단, 범행 당시 상황을 생각해 봅시다. 만약 범인이 피해자가 문을 열자마자 망치를 휘둘러서 현관에 그렇게 피가 튄 거라면 마주 보고 있는 상태일 텐데, 이렇게 피해자의 후두부에 상처가 생길 수 없거든요?"

유한이 검지와 중지를 붙여 들어 자신의 머리를 두드리며 말을 이었다.

"그렇다면 피해자가 뒤를 돌아섰을 텐데, 전혀 모르는 얼굴이 문 앞서 서 있었다면 당황하거나 놀랐을 겁니다. 문을 닫으려고 했겠죠. 문을 닫으려는 피해자를 막기 위해 실랑이를 벌였다면 분명 옆집에서도 그 소리가 다 들렸을 겁니다. 하지만 옆집에선 그런 소음은 듣지 못했다고 말했고, 문에서도 그런 흔적이 발견되지 않았으니까, 문을 열기 위한 실랑이는 없었다고 봐야 합니다. 피해자가 문을 열어줬고 범인이 그를 통해 집 안으로 들어왔다…. 그리고 무슨 연유에서인지 피해자가 범인에게 뒤를 보이자, 범인이 둔기를 휘둘렀다."

"저도 그건 이상하게 생각했어요. 문을 열어준 피해자를 현관문에서 때렸다면, 마주 보고 있는 상태 아니에요? 얼굴을 마주한 상태에서는 후두부를 가격하기 힘들 텐데, 어디를 때리던 죽이기만 하면 되는 거니까 범인이 피해자를 잡고 몸을 돌려서 굳이 후두부를 가격하지는 않았겠죠…. 그럼, 형 말대로 피해자가 직접 몸을 돌렸다는 건데. 그 이유를 전혀 모르겠단 말이죠."

골머리를 앓으며 다른 이들을 바라보던 선재를 검지로 가리키며 성태가 물었다.

"계산이 끝나고 뒤를 돌았다던가."

"계산을 마치고 뒤를 돌았다고 하기에는 문을 닫지 않은 게 이상해요. 보통 계산을 마친 뒤에는 문을 닫고 배달원은 가게로 돌아가잖아요. 치킨을 배달한 배달원은 범인이 아니고. 치킨도 현관 밖에 그대로 있고, 집 안으로 들였으면 현관에 떨어져 있거나 주워 담았다고 쳐도 흔적이 남았겠죠."

진욱의 말에 수긍하며 고개를 끄덕인 성태를 바라보던 유한이 멈칫했다. 계산하고 나서 뒤를 돌았다. 이건 진욱의 말대로 어색한 상황이었다. 배달원이 아닌 이상 배달 음식을 들고 있었을 리도 없다. 하지만, 그 반대라면?

"계산하기 전이라면요?"

유한의 질문에 모두가 그에게로 시선을 돌렸다. 생각을 정리한 유한이 시선을 들어 그들을 바라봤다.

"계산하기 위해 뒤를 돌았다면 후두부를 가격하기 쉬웠을 겁니다. 피해자가 스스로 뒤를 돈 이유에도 들어맞고요."

"그니까, 결제하기 위한 카드나 현금을 가지러 뒤돌았다?"

피해자가 어떻게 뒤를 돌았는지. 이제야 조금 추측이 될 것 같다. 흩어져 있던 머릿속의 유리 조각이 천천히 맞춰지기 시작했다. 왜 진작에 생각하지 못했을까. 풀려가는 실타래에 유한의 심장 박동이 빨라졌다.

"배달원이 아닌데 결제를 해? 말이 안 되잖…."

웃으며 그의 말을 부인하려던 성태의 말끝이 흐려졌다.

"피해자가 현관문 밖에 돈을 놓아서 배달원이 그 돈과 배달한 음식을 바꿔 가게로 돌아갔다는 대목에서 가게 사장이 이런 말을 했잖아요. 피해자가 단골이어서 잘 아는데, 그런 식으로 돈을 놔둔 적은 없어서 이상하게 생각했다고요. 그 말을 전하면서 덧붙인 말이 하나 있어요. '전에 배달했던 친구한테도 그런 말은 들어본 적이 없다.'"

"그래, 맞아…. 피해자는 단골손님에다가 특정 주에 한 번씩, 같은 메뉴를 같은 날짜와 시간에 주문하는 습관이 있었지. 고용한 지 얼마 안 되는 배달원은 이런 사실을 잘 모르겠지만. 전부터 배달을 해왔던 놈은 알고 있겠지. 피해자가 언제 배달 음식을 시킬지."

철민이 유한의 말을 잇자, 두 사람의 말을 조용히 듣던 선재가 엄지와 중지를 부딪쳐 탁 소리를 내었다.

"게다가 계속 그 집으로 음식을 배달해 줬을 테니까. 얼굴도 알고 있었겠네요! 그래서 자연스럽게 배달이 왔다고 생각했던 거고, 돈을 가지러 뒤를 돌았던 거고요."

"아마 그것까지 노렸을지도 몰라."

"그럼 나왔네! 그놈이 범인이겠네요!"

주먹을 쥐며 밝은 얼굴로 미소를 지은 선재를 보며 유한 또한 피식 웃었다. 그때까지만 해도 일이 술술 풀리고 있다고 생각했었다. 어쩌면 생각했던 것보다 빠르게 범인을 잡을 수 있을지도 모른다고 그렇게 자만했었다.

"연락처가 없다고요?"

"예, 없어요. 일 그만둔다고 하면서 다 지워달라고 부탁해서 지워버렸죠. 개인정보 귀하다면서 꼭 좀 지워달라고 하던데요."

"집 주소나 다른 정보도 전혀 없습니까?"

선재의 질문에 눈살을 찌푸리며 고개를 저은 가게 주인이 말했다.

"걔가 워낙 말주변이 없어서 제대로 대화도 잘 안 했어요. 아르바이트 돈도 현금으로 받았어요. 그러고 싶다고 해서. 배달 일 하겠다고 한 것도, 바로 앞에 붙여둔 종이 때문이고…."

"그럼, 사장님이 아시는 건 이름뿐이네요."

선재의 낮아진 기색에 유한이 입술을 깨물었다. 자신 또한 힘이 빠지긴 마찬가지였다. 배달원이 바뀐 지 꽤 시간이 지나 cctv의 기록도 모두 지워진 상태. 가게 안의 cctv 또한 최근에 교체하느라 전에 있었던 세이브 기록들은 모두 사라져 확인할 수 없었다. 이로써 전에 일하던 배달원의 얼굴을 확인할 방도는 사라졌다. 이렇게 되니 알려준 이름 또한 사실이 맞는지 신용하기 어려워졌다. 거짓 이름으로 배달 일을 했다면 알 방도가 더더욱 없으니. 그 이후로 해결될 줄 알았던 수사는 다시 멈춰 서게 되고 사각지대로 사라진 범인의 행방을 파악하는 어려움으로 인해 모두에게 피로도가 쌓여갔다. 그런 순간에도, 야속한 시간은 그럼에도 흐르고 있었다.

유한이 기억을 상기시키는 사이, 담배를 떨구어 발로 지르밟은 철민이 코를 훌쩍이며 자리에서 일어났다.
“야, 춥다. 이제 안으로 들어가자.”
“어, 그래. 그래야지.”
다 마시지 못한 캔을 흔들며 유한이 대답했다.
“버리지 마. 아깝다.”
“버릴 생각 없었거든.”
눈살을 찌푸리며 대답한 유한이 우뚝 선 채, 캔 안에 남은 음료를 빠르게 마시기 시작했다. 식도를 타고 내려가는 차가운 커피에 남은 한 방울까지 털어 넣은 유한이 커피를 흔들어 보이며 말했다.
“자, 됐지?”
“하, 야. 그걸 굳이 나한테 알려줘야 해?”
캔을 구겨버린 뒤 쓰레기통 안에 던져넣은 유한은 하얀 입김을 내뱉으며 어이없다는 듯이 웃는 철민에게 다가갔다.
“버리지 말라며.”
“아잇, 커피 냄새. 너 옆에 있으니까 확 풍긴다. 말하지 마라.”
“형은 담배 냄새나. 옆에 있지 마.”
팔짱을 낀 채 인상을 꾸긴 철민이 성큼 다가와 유한의 몸에 제 몸을 부딪쳤다. 힘에 밀려난 유한 또한 어이없는 상황에 웃음을 터뜨렸다. 몸을 부딪치는 장난 이후, 한달음에 건물 안으로 달려 나간 철민의 뒷모습을 바라보던 유한이 미소를 지었다. 하지만 맑아진 정신에도 불구하고 복잡한 마음만큼은 풀어낼 수 없어서 씁쓸한 웃음을 지은 채 유한 또한 건물 안으로 걸음을 옮겼다.

다음 날 오후, 점심시간. 밥을 먹지 않고, 서 밖으로 나와 운전대를 잡은 유한은 도로 위에서 신호대기 중에 있었다. 내비게이션에 찍힌 주소를 다시 한번 확인한 뒤 핸들을 돌린 그가 한참을 달려 도착한 곳은 고등학교 근처에 있는 사진관이었다. 주차를 마친 유한이 차량에서 내리자 차디찬 바람이 그를 맞이했다.

옷을 여미며 팔짱을 낀 채 사진관 앞에 멈춰선 유한이 힐끔거리며 안을 살폈다. 안이 밝은 걸 보니 문을 닫은 건 아니겠네. 중얼거리며 유리창 너머로 진열된 여러 사진을 훑어보던 그가 곧이어 문고리를 잡아당겼다. 턱을 괸 채 컴퓨터 앞에 앉아 마우스를 달칵거리던 남자가 유한의 모습에 몸을 일으키며 미소를 보였다.

"무슨 사진 찍으러 오셨어요?"

"경찰입니다. 사진을 찍으러 온 게 아니라, 김성훈 씨를 뵈러 왔는데요."

신분증을 내밀자 다가온 남자가 당황한 기색을 감추지 못했다. 경찰의 등장에 바싹 긴장한 눈치였다. 갈라진 목소리가 나오자, 헛기침하며 주위를 둘러보던 남자가 머리를 긁적였다.

"사장님은 오늘 안 오셨는데요."

"그렇습니까? 그럼, 언제쯤 출근하시는지 알 수 있을까요."

"글쎄요. 아마 당분간 출근 안 하실 것 같은데요. 지방으로 출장 가셨거든요."

"출장이요?"

"출장이라기보다는 일하러 지방 가는 겸, 사진 촬영을 위한 여행에 가까워요. 일이 빨리 끝나면 혼자 여행 가시면서 이런저런 자연 풍경 찍으시거나 그리시거든요. 이번에는 겨울 바다 풍경을 찍는다고 가셨어요."

유한의 눈치를 보며 조금씩 걸음을 옮기던 그가 넌지시 물었다.

"커피 드실래요? 여기까지 찾아오셨는데, 죄송하네요."

"아…. 그럼, 부탁드릴게요."

유한의 대답에 고개를 끄덕인 그가 사무실 구석에 갖춰진 유리 부스 안으로 들어갔다. 크기가 꽤 되는 유리 부스는 약 2평 정도 돼 보였다. 휴게실 용도로 사용하는 듯한데, 이미 사무실에 마련된 소파를 두고 굳이 2평이나 되는 부스를 설치해야 했었는지 의문이 들었지만, 넓은 사무실에 비하면 딱히 자리 차지도 되는 것 같지 않기에 그 의문은 빠르게 사그라들었다. 걸음을 옮긴 유한이 부스 앞에 다가가 안을 힐끔 바라봤다. 3인용 소파와 커피 테이블, 그리고 반대편 벽에는 작은 냉장고와 함께 싱크대가 마련된 꽤나 돈을 들여 구성된 휴게실이었다.

"사진관은 당신과 김성훈 씨. 단둘이서 운영하는 겁니까?"

"네. 어시는 저 한 명이고 사진 찍으러 오시는 분들은 주로 형이 찍어주세요. 저는 뭐…. 포토샵 작업이나, 촬영 장비 같은 거 도와주고 그래요. 오늘 같은 날은 제가 사진 찍기도 하고요."

"김성훈 씨 혼자서요…."

말끝을 흐리며 빈 촬영장을 바라보던 유한이 남자의 목소리에 고개를 돌렸다.

"자, 커피 여깄습니다."

"감사합니다."

웃으며 커피를 받아 든 유한이 걸음을 돌리려던 순간이었다. 부스 벽에 기대어 놓여 있던 비닐이 그의 발에 차였고 그 힘으로 인해 옆으로 넘어간 비닐이 요란한 소리를 내며 바닥으로 쓰러졌다. 묶여 있지 않았던 탓인지, 비닐 안에 들어있던 플라스틱 쓰레기들이 튀어나와 바닥을 굴렀다.

"죄송합니다. 저 때문에…."

급하게 탁자 위에 커피잔을 내려놓은 유한이 굴러다니는 쓰레기로 다가갔다. 이에 쓰레기를 집던 남자가 어색하게 웃으며 고개를 저었다.

"아뇨, 아뇨. 죄송할 필요 없으세요. 제 탓이죠. 뭐. 이거…. 일찍 치울 걸 그랬네요. 지저분하죠?"

"아닙니다. 근데, 김성훈 씨가 여기서 술을 자주 마시나 보네요."

비닐 안에도 비닐 밖으로 빠져나온 쓰레기에서도 맥주 캔이 가득했다. 비닐의 크기로 보아 플라스틱을 모은 쓰레기는 한꺼번에 버리는 모양인데, 저 정도 양이면 언제부터, 얼마나 마셨을까. 대충 감을 잡으며 생각하던 유한에게 굴러다니는 캔을 주워 담던 그가 머쓱해하며 입을 열었다.

"예? 하하, 아니요. 사장님은 술 못하세요. 알코올 알레르기인가? 그것 때문에 술 마시면 피곤해진다고 한 입도 안 대세요. 이 많은 것들은 다 제가 마신 거예요."

품에 모은 캔들을 모두 비닐 안에 넣은 유한이 손을 털었다.

"너무 많이 마시면 건강에 안 좋습니다."

"하하, 그래야죠."

미소 짓는 남자를 따라 웃으며 고개를 끄덕여 보인 유한이 사무실을 쭉 훑어보다 입을 열었다.

"그럼, 나중에 김성훈 씨가 돌아온다면 연락해 주세요."

유한의 부탁에 긍정적인 얼굴로 고개를 끄덕인 남자를 뒤로하고 사진관 밖으로 나온 그는 긴 한숨을 쉬었다. 김성훈이 출장을 갔다고…. 이래서는 직접 만날 수가 없겠는데. 머리를 긁적이며 다시 차로 돌아온 유한은 진지한 얼굴로 말하던 해준을 떠올렸다.

'연쇄 실종 사건에 대한 단서 또한 얻어낼 수 있을 겁니다.', '저를 믿어주세요. 경위님.' 그 얼굴에서 흔들리는 동공 속에서 유한은 두려움을 보았다. 두려움과 공포. 그 차가운 얼굴과는 어울리지 않는 감정에 자신도 모르게 휘둘렸다. 그대로 두고 가는 게 아니었는데, 그때만큼은 왠지 내버려 두어야 할 것만 같았다. 그렇게 한다면 정말 그의 말대로 연쇄 실종 사건에 대한 단서를, 그리고 그에게서 느낀 이질감을, 유한이 서해준을 통해 무엇을 봤는지를 알 수 있을 것만 같았다.

"미쳤지. 내가…."

시트에 머리를 기대며 두 손을 들어 얼굴에 갔다 댄 유한은 차가운 손의 온기로 얼굴을 식혔다. 그 찬 손길 때문에 정신까지 개운해지는 기분이었다. 한참을 그러고 있던 유한이 몸을 바로 세워 안전벨트를 맸다.

김성훈의 출장. 그 여부를 확실하게 하기 위해서는 역시 그 방법밖에는 없다. 사진관 안을 힐끔 바라본 유한의 눈에 창문 너머로 이쪽을 바라보는 남자의 얼굴이 들어왔다. 거짓말하는 눈치는 아니었지만, 만약 숨기고 있다면 김성훈과 한패인 셈. 하지만 김성훈에게 속은 거라면 억울해질 입장이었다. 그 여부 또한 가면 알 수 있겠지.

한적한 빌라 주차장에 차를 세운 뒤, 정문 앞에 멈춰 선 유한은 주위를 둘러보았다. 평일 낮이라 그런지 주차장에 차량은 몇 대 보이지 않았다. 유한의 차를 제외한 차량은 총 두 대뿐이었다. 세워진 남색 승용차와 흰색 카니발을 스치듯 바라보던 유한은 눈에 띈 흰색 카니발에 빌라로 향하던 걸음을 멈추었다. 익숙하다. 이상하게 눈에 익었다. 걸음을 멈춘 유한이 천천히 차량으로 다가갔다. 오다가다 몇 번 본 차량이기에 익숙한 게 아니었다. 번호판과 앞유리창을 차례대로 바라보던 유한이 기억을 더듬었다.

김성훈이다. 지난날, 서를 떠나는 그 뒷모습이 향하던 그 차량. 찰나였지만 기억 속에 담아둔 그 번호판이 현재 눈앞에 있는 번호와 일치했다. 김성훈의 차량이 왜 자택에 있는 거지? 출장 간다는 사람이 차량을 두고 갈 리 없다. 게다가 사진작가라면 촬영 장비가 중하기에 차량 없이는 멀리 나가지 않을 거라고 생각되는데. 카니발의 뒷좌석 창문으로 다가간 유한은 손을 들어 안을 확인하기 시작했다. 시트에는 하얀 천이 올려져 있었는데, 모양이 일정하지 않게 올록볼록했다. 천 아래에 무언가 있다. 생긴 걸 봐서는 카메라 따위나 촬영 장비 같았다. 장비를 차량에 두고 사람만 없다. 혀를 차며 차량에서 물러난 유한은 깜빡이는 블랙박스에 시선을 두며 생각에 잠겼다. 김성훈이 출장을 갔다는 사실. 이것 거짓말에 가까울 것이다. 그럼, 김성훈은 지금 집에 몸을 숨기고 있을까. 이것도 확실하지 않다. 남들에게 출장 간다고 거짓말하면서까지 조용히 지내야 한다면 집안이 아닌 다른 장소로 이미 이동했을 것이다. 그러나 이것 또한 유한 스스로의 섣부른 판단일 수 있다. 집에 있을지는 직접 확인해 봐야지. 걸음을 떼고 빌라의 정문 앞에 멈춘 유한이 닫혀있는 유리문에 짧은 한숨을 쉬며 허리에 손을 얹었다. 공동 현관의 비밀번호를 모르는 이상 들어갈 수 없다. 호수 번호를 눌러 호출한다면 모를까….

어쩔 수 없나. 난처한 미소를 지은 뒤 천천히 번호를 누른 유한이 어색하게 움직이며 번호 위 카메라를 바라봤다. 경쾌한 음악 소리가 흘러나오는 동안 발을 굴리며 기다렸지만, 그쪽에서의 반응은 전혀 없었다. 정말 집에 없는 건가? 김성훈의 차량에 잠시 눈길을 돌린 뒤, 한 번 더 같은 번호를 눌러 기다리던 유한의 옆으로 중년 여성이 손을 뻗었다. 김성훈에게 신경을 쏟느라 인기척을 느끼지 못한 유한은 시야에서 툭 튀어나온 팔에 화들짝 놀라며 옆으로 물러났다.

"엄마, 깜짝이야. 내가 더 놀랐네."

"죄송합니다."

뒷목을 쓰다듬으며 고개를 숙인 유한은 몰려오는 창피함에 얼굴이 뜨거워졌다. 자리를 떠나지 않고 물러난 유한을 바라보던 여자가 심장을 쓸어내리던 손으로 열린 정문을 가리켰다.

"안 들어갈 거예요?"

"네? 아, 들어갑니다!"

여자를 따라 안으로 들어간 유한이 풍겨오는 락스 냄새에 눈살을 찌푸렸다. 뭔 놈의 락스를…. 속 밖으로 꺼내지 못할 말을 삼키며 쌓여있는 501호의 우편함을 힐끗 바라본 유한은 1층에서 멈춰서서 어질러져 쌓여있는 잡동사니를 정리하는 여자를 지났다. 계단을 올라, 맨 위층까지 다다른 유한은 소매로 호흡기를 가리며 현관 옆 초인종을 꾹 눌렀다. 여기까지 락스 냄새가 진동했다. 옷으로 가려도 여전히 코를 찔러오는 냄새에 저절로 눈살이 찌푸려졌다. 벨소리가 복도에 울리며 귀를 파고들었고 문 너머 집안에서도 희미하게 소리가 들려왔다. 하지만 그 외에 다른 소리는 들리지 않고 잠잠했다. 기척 없이 고요하다. 정말로 집안에 없나? 한 번 더 초인종을 누르기 위해 손을 올리려던 찰나, 계단 쪽에서 목소리가 들려왔다.

"거기서 뭐 하세요?"

현관 앞에서 마주한 여자가 눈을 끔뻑이며 물었다. 고개를 돌린 유한이 목을 가다듬더니 신분증을 내밀었다.

"경찰입니다. 여기…. 거주하시는 분 좀 만나러 왔는데요."

"아, 501호 총각이요? 집에 없을 텐데?"

"집에 없다고요? 어디로 갔는데요?"

"몰라요. 얼마 전에 커다란 캐리어 끌고 나가던데요. 듣기로는 출장 간다나 뭐라나. 그랬어요. 초인종 암만 눌러봐야 열어주는 사람 없어요."

출장? 이쪽도 김성훈의 출장을 알고 있나. 근데 커다란 캐리어는 차 안에서 보지 못했는데. 트렁크에다 실은 건가. 고개를 끄덕이며 걸음을 돌리려던 그때, 아래층에서 또 다른 목소리가 들려왔다.

"아, 거기 계셨네. 아주머니, 냄새 해결된 거 정말 맞아요?"

"401호 청년이네? 집에 있었어?"

"네…. 근데 락스 냄새는 또 뭐예요. 언제 청소하신 거예요?"

"좀 전에 업체 불러서 복도 청소 좀 했어. 그런데도 아직도 나?"

냄새? 그들의 대화를 엿들으며 우뚝 선 유한이 소매를 내렸다. 강한 락스 냄새에 머리가 지끈거렸다.

"창문 다 내려놔서 락스 냄샌 금방 빠질 거야."

"복도가 문제가 아니라 집 안이 문제인 것 같다니까요. 특히 화장실만 가면 냄새가 더 심해요. 음식물 쓰레기 냄새랑 쉰내가 동시에 난다고요. 구역질 나올 것 같아요."

"이상하네? 다른 집에서 날 리가 없는데. 확인해 봤는데 다들 집 깔끔하게 쓰면서 살고 있어. 청년 집에서 나는 냄새랑 헷갈린 거 아니고?"

"아녜요! 그럼, 제가 이렇게 고생하겠어요? 집 환기도 다 했고 추워 죽겠는데 창문까지 열어놨어요. 그런데도 아직도 난다니까요? 다른 집에서 뭐 썩고 있는 거 아니에요?"

"썩을 게 뭐가 있어."

손사래를 치며 부인하는 여자와 인상을 찌푸리는 남자. 그 두 사람을 시야에 담아둔 채 그들의 대화를 천천히 되짚던 유한은 뇌리에 스친 생각에 몸이 굳어버렸다.

"잠깐 비켜보세요."

앞을 가리고 서 있던 두 사람을 물러나게 한 후, 그들 뒤에 있던 소화기를 들어 올린 유한이 도어락을 향해 강하게 내리쳤다. 유한의 행동에 놀라 소리를 지르는 여자와 무슨 짓이냐고 묻는 남자의 목소리는 귀에 들어오지 않았다. 다시 한번 소화기를 들어 손잡이를 내려치자 시끄러운 소리를 내며 문에 붙어있던 도어락의 부품이 부서져 떨어졌다. 문틀과 문 사이에 손을 넣어 힘을 주자, 잠금장치가 사라진 현관문은 맥없이 열렸다.

열어젖힌 문 너머로 짝을 잃고 어질러져 흩어진 신발이 눈에 들어왔다. 그것과 동시에 어쩌면 더 빠르게 역한 냄새가 코를 찔러왔다. 복도에 풍겼던 락스의 냄새보다 더욱 끔찍한 그 냄새에 유한이 손을 들어 코를 가렸다. 현관문 안에 있던 도어락의 나머지 부품도 힘없이 떨어지고 뒤에서 모든 걸 지켜보던 두 사람이 눈에 들어온 모습에 소리를 질렀다. 저 반대편, 불 켜진 화장실 앞. 집안에 잔뜩 풍긴 역한 냄새의 근원이 차갑고 딱딱하게 굳은 채 누워있었다.

폴리스라인이 붙은 501호 앞 복도는 분주했다. 바로 옆집에 거주하던 502호 남자는 한참 전에 나와 빌라 주인인 중년 여성과 401호의 남자와 함께 빌라 밖에서 심각한 얼굴로 대화를 나누고 있었다. 빌라 주변으로 지나가던 사람들은 몰린 인파와 여러 대의 경찰차에 대해 호기심을 가지며 다가왔다. 무슨 일이냐고 묻는 사람들의 질문에 대답해 줄 수 없다고 말하며 통행을 막는 경찰들을 반대편 빌라 사람들이 신기한 듯 구경하고 있었다.

다시 돌아온 501호 앞. 지끈거리는 관자놀이를 누르며 유한은 화장실 안에 시선을 고정했다. 김성훈이 죽은 채 발견됐다. 그것도 누군가에게 살해당한 채 끔찍한 몰골로 발견됐다. 발견 즉시 연락을 취한 유한은 제일 먼저 통행을 금지했다. 바깥에서도 한눈에 볼 수 있는 어질러진 집안. 김성훈을 죽인 범인의 흔적이 지워지지 않도록 현장을 최대한 보존해야 했다. 유한과 함께 있던 두 사람은 충격받은 얼굴로 그의 뜻에 순순히 따라줬고 신고를 받고 출동한 경찰들을 맞이한 유한이 상황을 설명했다.

김성훈의 시신은 화장실 안과 밖, 그 사이에 쓰러져 있었는데 둔기로 여러 번 가격한 머리 부분이 화장실 안에 있었기에 머리에서 흐른 피는 화장실 바닥에 흘러 딱딱하게 굳어있었다. 그 외에 어질러진 신발장과 넘어져 있는 쓰레기통은 그의 죽음 전 다툼이 있음을 알려주었다. 주방과 거실 사이 복도에 튄 피, 그리고 화장실 앞 벽에 튄 피, 그리고 열려있는 화장실 문에 튄 다량의 피. 이것으로 화장실에 쓰러진 김성훈을 향해 범인이 여러 번 둔기를 휘둘렀다는 사실을 추측할 수 있었다. 이미 죽은 상태에서 계속 내리쳤다…. 끔찍한 시신의 몰골이 머릿속에 떠올라 유한은 눈살을 찌푸렸다. 난방기도 꺼져 있고, 최근 한파로 부패 속도는 느렸지만, 한눈에 봐도 전날에 살해당한 게 아니었다. 즉, 죽은 지 하루 이상은 됐다는 소리였다. 출장을 간다는 말. 캐리어를 끌고 가던 김성훈. 그 모습이 마지막인가?

“잠깐 볼일 보러 간다는 애가 뭔 짓거리를 한 거야. 혼자서 움직이면 어떡해. 너 자꾸 그럴래?”

유한의 옆으로 다가온 철민이 꾸짖듯 말했다.

“김성훈을 만나려고 했어. 그래서 집에 찾아왔던 거고.”

“신예선의 남자친구…. 그래, 만나서 뭘 하려고 찾아왔는데?”

"신예선의 스토커에 관해서 물어보려고."

스토커라니? 되묻는 철민을 보며 유한이 말을 이었다.

"스토커 신고 기록은 없었지만, 친구를 통해 같이 들었었잖아. 신예선한테 스토커가 있었다고. 근데, 그 스토커가 김성훈이라는 얘기를 들었었어. 그래서 확인차 만나려고 했고."

"김성훈이 스토커였다고? 그걸 어떻게 아는데?"

또다시 날아온 질문에 유한은 입을 다물었다. 입 안에 머금은 그 이름을 도저히 꺼낼 수 없었다. 차가운 눈동자를 가진 그 얼굴이 머릿속에 스쳤다.

'그 남자가 신예선 씨의 스토커라고 생각됩니다.'

서해준 당신 대체 뭐야. 김성훈이 스토커라는 말, 그 말은 거짓이었던 건가? 내가 거짓말에 넘어간 건가? 이 짓도 그 남자가 벌인 건가? 모르겠다. 그 남자를 믿어도 되는 건지 잘 모르겠다.

"최유한. 어떻게 알았냐니까."

제 어깨를 붙잡는 철민의 힘 때문에 옆으로 몇 걸음 물러난 유한의 눈에 하얀 종이 뭉치가 들어왔다. 카메라의 플래시가 번쩍이지 않았으면 보이지 않았을 종이 뭉치는 플래시가 터지지 않자, 어둠 속에서 사라졌다.

"잠깐만."

카메라를 들고 있는 감식요원을 지나 시신이 있던 현장 가까이 다가간 유한이 화장실 옆 서랍장 앞에 멈췄다. 인조 화분이 놓여 있는 서랍장 밑은 팔 하나가 간신히 들어갈 정도로 좁았다. 주먹만 한 작은 물건 따위만이 굴러 들어갈 수 있는 틈으로 손을 집어넣은 유한이 아까 보았던 종이 뭉치를 꺼내어 천천히 펼쳤다.

"뭘 꺼낸 거야? 뭐야, 영수증이야?"

꼬깃꼬깃한 영수증을 바라보던 유한에게 철민이 물었다.

"이걸 뭘 그렇게 봐? 안주랑 술 좀 산 게 문제 될 거 있냐? 뭐…. 사망 시각을 알아내는 데 도움은 되겠네."

문제야 있다. 그것도 아주 크게. 봉투를 쥔 손에 힘을 준 유한이 심각한 얼굴을 지었다.

"김성훈은 술 못 마셔. 알코올 알레르기가 있어서."

김성훈이 마시지 못하는 술을 구매할 리가 없다. 술이 구매된 영수증이 이곳에 있다는 건, 김성훈 이외에 누군가…. 김성훈을 살해한 범인밖에 없다.

—

멍하니 서 있던 틈에 횡단보도의 빨간불은 꺼지고, 시야 끄트머리에 서 있던 사람들은 이미 출발한 뒤였다. 반대편으로 걸어가는 사람들을 지켜보던 해준은 이내 걸음을 돌려 멈춰있는 택시를 향해 손을 뻗었다.

택시에 올라 주소를 내뱉은 뒤, 창문으로 고개를 돌린 해준이 빠르게 지나가는 밤 도시의 풍경을 바라봤다. 신예선에 대한 조사를 멈추라는 말. 유한의 그 말은 경고였다. 더 이상 일반인인 해준이 간섭하지 말라는 경고. 잘 알고 있다. 그 상황에서 입장을 바꿔본다면 해준 또한 그런 말로 그에게 주의를 줬을 테니까.

하지만 그는 해준을 믿겠다고 말해줬다. 해준이었다면 주지 못했을 믿음을 눈앞에서 보여줬다.

주먹을 쥔 해준이 입술을 깨물었다. 지금 경고를 무시하는 행동을 하고 있어서, 그 믿음을 배신하는 행동인 것 같아 마음이 불편해졌다. 그렇지만 이러지 않는다면 버틸 수 없을 것 같았다. 찾아내야만 한다. 찾아야 한다. 남이 아니라 자신이 직접 찾아야 했다.

택시에서 내린 해준의 눈에 밝게 빛나는 카페가 들어왔다. 오늘은 전날과 다르게 영업 중인 모양이었다. 어제 생각했던 대로 훤한 유리창 너머로 가게 안에서 커피를 제조하는 아르바이트생의 모습이 한눈에 들어왔다. 확실히 이곳을 지나가다 신예선의 모습을 확인하는 건 쉬운 일이다. 시력이 좋다면 건너편에서도….

시선을 옮기던 해준이 표정이 빠르게 굳었다. 반대편 레스토랑에서 웃는 얼굴로 누군가와 대화하며 테이블을 닦은 남자는 이내 바로 옆 테이블의 어질러진 접시를 치우며 자리에서 벗어났다.

잘못 본 게 아니라면 해준의 머릿속에 존재하는 인물이었다. 아니, 멀리 있어서 잘못 알아봤을지도 모른다. 스치듯 지나가서 헷갈렸을지도 모른다. 그래, 착각했을지도 몰라. 확실하게 알기 위해 타이밍 맞게 켜진 횡단보도를 건넌 해준이 안에서는 보이지 않는 위치에 서서 레스토랑 안을 확인했다.

강지훈이다. 테이블보를 정돈하는 그의 얼굴이 한눈에 들어오자, 해준의 심장이 덜컥 내려앉았다. 우연치고는 너무 절묘해서 소름이 돋았다. 심드렁한 얼굴로 앉아있다가 일어나 신예선의 사진을 확인하며 모르겠다고 말하던 그 얼굴이 거짓으로 보여서, 신예선을 찾는 이유를 물으며 웃던 그 얼굴이 끔찍하게 느껴져서 해준은 빠르게 고개를 돌렸다.

그냥 우연이겠지. 머리에서는 흔들리는 속내를 진정시키기 위해 끊임없는 자기 암시를 내렸다. 일하는 가게가 근접한 것뿐이다. 건너편에서 누가 일하는지 따위는 쉽게 알 수 없고, 알아보지도 못할 것이다. 그래. 단순한 우연이다. 우연히, 우연히 일하게 됐고 이를 해준이 우연히 발견하게 된 것뿐이다.

하지만, 만약…. 우연이 아니라면. 신예선을 알고 있던 강지훈은 도대체 어떤 사람인 거지? 딱 들어맞던 태엽이 삐거덕거리기 시작했다. 알 수 없는 무언가에 걸려 돌아가지 않았다. 걸리는 물건을 빼내기 위해 손을 뻗은 그 순간이었다.

들려오는 인기척에 황급히 숨을 죽이며 보이지 않게끔 몸을 숨긴 해준은 레스토랑 밖으로 나가는 강지훈의 모습을 조용히 지켜보았다. 흥얼거리며 문을 열고 나온 그는 양손을 비비며 옷을 여미고 걸음을 옮기기 시작했다.

강지훈. 그에게 가졌던 의구심은 아직 풀리지 않았다. 그날 그곳에서 왜 그런 이야기를 했는지. 의도를 알고 싶어졌다.

걸어가는 강지훈의 뒤를 밟기 시작한 해준은 숨을 죽이며 발소리를 낮췄다. 이어폰을 꽂은 채 걸어가는 강지훈은 다행히 뒤를 돌아본다던가 수상함을 감지하지 못한 눈치였다. 몰래 미행하는 모양새가 어색하기 그지없었지만, 알아낼 수 있는 게 있다면 충분히 이겨낼 수 있었다. 따라간 뒤에 얻어낼 것. 거기서 강지훈이 보였던 알 수 없는 태도를 설명할 수 있는 게 있어야 한다. 그게 없다면, 직접 부딪히는 선택을 하는 것도 나쁘지 않겠지. 그날, 그렇게 편의점으로 들어가 버린 강지훈에게 더는 묻지 못했으니까. 이번에는 놓치지 않고 붙잡아서 물어봐야 한다.

신예선이 실종된 그날 본 게 무엇인지, 어제 그런 질문을 던진 이유가 무엇인지. 혹시 그 사람과….

강지훈이 걸음을 멈춘 것과 동시에 해준이 담벼락 뒤로 몸을 숨겼다. 눈치챈 건가. 미행은 여기서 그만두고 다가가서 말을….

고개를 내민 해준의 시야에 강지훈의 모습이 들어왔다. 어느새 가까이 다가온 강지훈의 눈동자에는 해준이 들어와 있었다. 흔들렸던 눈빛을 감추며 해준은 말없이 강지훈을 응시했다.

"어, 당신이었어요?"

놀란 기색 없이 다가온 지훈이 머리를 긁적였다.

"왜 따라왔어요? 저는 수상한 사람인 줄 알았잖아요."

따라온 것에 대해서는 딱히 나무라지 않는 건가. 놀란 마음을 진정시키고 차분해진 해준이 입을 열었다.

"언제부터 아셨습니까."

"알바 끝나고 걸어오는데 계속 따라오는 기분이 들어서요. 못 알아챌 리가 없죠. 둔한 사람이 아니라면."

역시 알아챘었나. 하긴, 장시간 따라오는데 못 알아채는 게 더 이상하다. 강지훈이 그저 단순한 사람이라고 섣불리 판단해 버렸다. 이 점에 대해서는 해준이 간과했다.

"지나던 길에 강지훈 씨가 보여서요. 묻고 싶은 게 있어서 따라왔습니다."

"저한테 묻고 싶은 거요?"

"신예선 씨가 사라진 그날 정확히 뭘 본 겁니까?"

해준의 질문에 지훈이 입을 벌리며 흥미로운 얼굴을 지었다.

"그게 궁금해서 따라오신 거예요? 대체 왜요? 진짜로 이해할 수가 없네. 이런 식을 굴면 더, 더 수상해요. 서해준 씨."

"정말 저를 봤는지 묻는 겁니다. 친근하게 걸었다는 그 사람이 제가 맞냐고요."

"제가 잘못 봤다고 생각하시는 거예요? 참…. 재밌으신 분이네요. 불안하세요? 그날의 일을 제가 말하기라도 할까 봐?"

무엇이 그렇게 웃기는지 지훈은 웃음을 터뜨리며 몸을 들썩였다.

"하하, 말 안 해요. 뭐, 처음에는 짜증 났는데…. 이제는 괜찮아졌어요. 말고도 많으니까."

원하는 대답이 나오지 않았다. 무엇을 봤는지 묻는 말에 엉뚱한 대답만 늘어놓는다. 무언가를 단단히 착각하고 있는 모양새인데, 다른 질문을 던져볼까.

"아르바이트가 끝나면 이 시간입니까?"

"예? 뭐, 그렇죠. 근데 이런 질문은 왜 해요?"

"주변 가게도 이 시간에 마치고요?"

"제가 어떻게 알아요. 가게 사장도 아니고."

"일 마치고 자주 걷다 보면 알게 되지 않나요?"

"지치고 피곤해서 남의 사정 따위 안 궁금해요."

손사래를 치던 지훈이 주머니에 손을 찔러넣었다. 왠지 모르지만 금방 떠나지 않고 답을 내놓고 있다. 그 이유는 모르겠지만 이 기회를 놓치고 싶지 않았다.

"그럼 다른 가게에서 누가 일하는지도 모르겠네요."

"그런 것도 궁금해요? 몰라요, 몰라. 자, 또 물어볼 거 있어요?"

"한 곳에서만 일하진 않나 봐요. 아니면 편의점 일은 그만두기라고 한 겁니까?"

"하하, 이런 것까지 물어보는 거면 속내가 궁금해지는데. 말해줄

리는 없을 것 같으니까…. 제가 먼저 대답해 줄게요.”

어깨를 으쓱하며 지훈이 말을 이었다.

“제가 알바를 많이 해서요. 이것저것. 레스토랑이랑 편의점이랑…. 아, 치킨집에서도 일해봤다. 해준 씨는 번듯한 직장 다니셔서 할 필요 없겠네요.”

번듯한 직장?

“제 직장에 대해서는 어떻게 알고 계신 거죠?”

해준의 질문에 눈을 동그랗게 뜬 지훈이 조소를 머금은 입가를 가렸다.

“아…. 말을 잘못했네. 이래서 말할 때는 늘 신중해야 한다니까…. 뭐, 이렇게 된 거 사실대로 말하죠. 저 사실 서해준 씨 처음 봤을 때부터 알았어요. 사무실에서 봤거든요.”

지훈이 웃는 얼굴로 물건을 드는 시늉을 보였다.

“‘꽃 배달 왔습니다.’하고 사무실 드나들던 그 배달원이요. 저였어요. 헬멧 쓰고 있어서 얼굴은 안 보였겠지만.”

손으로 자기 얼굴을 휘저으며 장난스럽게 웃는 지훈을 바라보던 해준이 그때의 사무실을 머릿속에서 재현했다. 마주 보며 꽃바구니를 받았던 그 남자. 지금 생각해 보니 강지훈과 체격이 비슷했다.

“못 알아채셨죠?”

“얼굴이 가려져 있으니까 당연한 거 아닙니까.”

“그렇네요. 어쨌든, 그래서 다시 만났을 때 당황했어요. 아는 얼굴이 뜬금없이 사람을 찾으니까…. 그것도 아는 얼굴을요.”

아는 얼굴. 방금 그 말은 신중하게 생각해서 나온 걸까. 헛나온 말이라면 과이불개한 태도가 한심하게 느껴졌지만, 일부러 한 말이라면 이유가 궁금해졌다.

“그때는 모른다고 해놓고, 오늘은 원래 아는 사람이었던 것처럼 구시네요.”

“그때는 모르는 척해야 할 것 같았는데, 오늘 이렇게 해준 씨를 만나고, 가만히 생각해 보니까 그럴 필요 없겠는 거 있죠.”

말의 맥락을 모르겠다. 내가 모르는 걸 알고 있는 건가. 여유로운 표정의 그를 빤히 바라보는 해준에게 지훈이 넌지시 물었다.

“제가 신예선을 언제부터 알았는지 궁금하시죠? 그래서 절 미행한 거고.”

해준이 무어라 입을 떼기도 전에, 다가온 지훈이 남들이 들을세라 행동하며 속삭였다.

“레스토랑 반대편에 카페가 하나 있어요. 거기서 일하는 모습 봤거든요. 엄청 오래전부터.”

입을 가리던 손을 뗀 지훈이 이내 손뼉을 치고는 팔짱을 꼈다.

“자, 여기까지 온 이상. 서해준 씨도 말해줍시다.”

“무엇을요.”

“그만하자고요. 우리 이제 알 거 다 눈치채지 않았나?”

“강지훈 씨 대체 아까부터 무슨 말을….”

“죽여놓고 찾아다니는 이유. 말해달라고요.”

예상하지 못한 말에 해준의 눈동자가 흔들렸다. 해준의 반응에 그가 손을 다시 들어 입가를 가렸다.

“무슨 소린지 이해할 수 없는데요.”

"아니, 저로서는 이해할 수 없는 행동이라서요. 물어봤죠. 겸사겸사 서해준 씨가 이제는 모르는 척 그만해 줬으면 해서. 웃기잖아요. 왜 계속 시치미 떼지? 전 다 봤거든요. 쓰러진 신예선을 당신이 어떻게 하는지."

쓰러져? 내 눈앞에서 쓰러진 적이 없는데 무슨 소릴…. 차갑던 눈동자가 미세하게 떨리기 시작했다. 그 떨림은 온몸에 전염돼 고동치던 심장을 쥐었다.

설마, 정말로…?

"근데 겁먹진 말아줬으면 해요. 방해받아서 짜증 나긴 했지만 생각해 보면 같은 부류잖아요. 그래서 전 비밀로 하기로 다짐했어요. 그날의 일에 대해서는 입을 닫을 거예요. 수사를 열심히 하던 경찰이 저한테 와서 물어봐도 모른다고 대답한다고요. 서해준 씨가 그랬냐고 물으면 안 그랬다고 증언해 줄 수도 있어요. 어차피 신예선은 당신이 그렇게 만들지 않아도…. 뭐, 그랬을 거라나 뭐라나."

뒤로 걸으며 해준과 멀어지던 그가 어깨를 으쓱이며 몸을 돌렸다. 주저 없이 걸어가는 그의 뒷모습을 바라보던 해준이 비틀거리며 벽에 몸을 기댔다.

다시 떠오른 그 얼굴이 자신과 마주쳐 반달눈을 뜨며 웃는 그 얼굴이 사실이라서. 자신이 예상했던 끔찍한 상상이 현실이라서 구역질이 나올 것 같았다. 입가를 틀어막은 해준이 떨리는 손으로 벽을 짚고 간신히 몸을 세웠다.

확인해 보고 싶은 게 있다. 강지훈이라는 저 남자에 대해서 저 여유로운 얼굴에 대해서. 자신의 착각에 대한 진실을 확인하고 싶어졌다.

"이혜인 씨, 접니다."

해준의 목소리에 상대방은 다급한 목소리로 귀를 찔러왔다.

"흥신소 그 사람이죠? 예선이 찾았어요? 지금 어딨어요?"

"아뇨, 그게 아니라. 강지훈 씨에 대해 묻고 싶은 게 있어서요."

"지훈 오빠요? 뜬금없이 지훈 오빠는 왜…."

실망한 기색이 역력한 목소리가 들려왔다. 그날 해준을 만난 이후로 쭉, 신예선의 소식만 기다렸던 모양이다. 안타깝지만, 원하던 소식은 영원히 전할 수 없을 것이다. 미안한 마음을 꾹 눌러 담고 해준이 입을 열었다.

"강지훈 씨와는 어떻게 알게 된 겁니까? 보기에는 꽤 친한 사이 같았는데요."

"아, 친하죠. 대학 선후배 사이니까요."

"같은 학과생입니까?"

"아뇨, 같은 과는 아니고요…."

갈라진 목소리에 목을 가다듬은 혜인이 말을 이었다.

"사진동아리요. 사진동아리 일원이에요."

—

김성훈이 살해된 장소에서 발견된 영수증의 지문 감식 결과가 나온 뒤, 모든 일은 속전속결로 진행됐다. 결과가 나오기 전 미리 찾아간 해당 편의점에서 영수증을 가져가는 남자의 얼굴을 cctv로 확인했고, 지문의 주인과 동일 인물임을 추가로 확인한 뒤, 김성훈의 사망 추정 시각에 빌라 안으로 들어가는 낯선 남자가 지문의 주인이자 김성훈을 살해한 범인으로 보고 그를 용의선상에 올렸다.

용의자인 강지훈의 집에 경찰들이 들이닥쳤고 그 집안에서 곽아영과 김성훈의 혈흔이 묻은 흉기와 곽아영의 DNA가 묻어있는 신발을 발견했다. 그리고 추가로 김성훈의 방 벽에 붙여진 수많은 여자의 사진 속에서 곽아영뿐만 아니라 실종된 신예선의 사진 또한 발견됐다. 자택을 조사하는 내내 범행을 증명하는 단서들의 잇따라 확인되고 경찰 측은 즉각 아르바이트 중인 강지훈을 체포했다.

돌아온 심문실 안. 팔짱을 낀 채 매직미러 너머로 보이는 지훈의 모습을 지켜보던 유한에게 그의 신경질적인 목소리가 들려왔다.

"말했잖아요. 김성훈 그 남자는 그냥 죽이고 싶어서 죽였다고요.

때리다 보니까 나도 모르게 흥분해서 그랬어요. 나도 그렇게 많이 때리려고는 안 했어요."

"곽아영도 같은 이유로 죽였나?"

웃는 얼굴의 지훈이 손을 들어 뺨을 긁적였다.

"아니, 그 여자는 아니죠. 죽이려던 건 아니었는데…. 내가 배달원이 아닌 줄도 모르고 착각해 버려서, 난 음식도 안 들고 있는데 이미 문을 열어준 사람한테 음식 없다고 할 수 없잖아요. 그래서 죽일 수밖에 없었어요."

"죽이려던 게 아니었다면 흉기는 왜 챙겨갔지?"

"그냥 위협만 하려고 했거든요. 형사님. 진짜예요. 저 막 사람 죽이는 거 좋아하고 그렇게 보여요?"

대화를 나누고 있는 그의 얼굴을 보고 있자니, 문득 그가 내뱉은 말이 생각났다. '어떻게 나인 걸 알았냐.' 그렇게 질문하는 그의 얼굴은 정말로 궁금한 마음뿐이었다. 자신의 범행이 들키지 않을 거라는 과오가 너무나 잘 느껴져서 분노가 사라지지 않았다. 다시 신경을 취조실 안으로 돌린 유한의 귓가에 익숙한 이름이 들려왔다.

"신예선의 사진은 왜 가지고 있었지? 신예선도 네가 죽였나?"

"하하, 참…. 형사님, 저 그건 정말 억울합니다. 신예선이라는 그 여자가 사라진 이유는 제가 아니라 다른 사람한테 물어봐야 해요."

"다른 사람?"

채워져 있는 수갑을 덜거덕거리며 강지훈이 두 손을 테이블 위에 올려놨다.

"서해준이라는 남자예요. 제가 봤습니다. 여기 있는 누군가는 알 거예요."

시선을 옮긴 강지훈이 이쪽을 향해 미소를 지었다. 그쪽에서 이곳을 볼 수 없다는 걸 알아도 역겨운 기분에 인상을 찌푸린 유한이 문을 박차고 빠르게 밖으로 나갔다.

서해준. 저 남자의 입에서도 서해준이 언급됐다. 더 이상 지체할 수 없다. 기다릴 수 없다. 휴대폰을 들어 그에게 연락을 취한 유한은 끊임없이 들리는 송신음에 답답한 듯 욕을 내뱉었다. 도로를 질주하던 유한은 여러 번의 시도에도 응답 없는 통화에 신경질적으로 휴대폰을 던졌다.

그때였다. 사거리 횡단보도에서 익숙한 얼굴이 들어오자, 유한이 빠르게 핸들을 꺾어 갓길에 차를 세웠다.

깜빡이는 초록불에도 건너지 않고 멍하니 서 있던 해준이 신호가 바뀌는 것과 동시에 발을 뗐다. 차량 사이에서 질주하던 오토바이가 요란한 경적을 울리며 두 사람이 부딪히기 직전, 급하게 달려온 유한이 해준의 팔을 잡아당겼다. 힘에 이끌려 넘어진 해준을 매섭게 일으킨 유한이 성난 얼굴로 물었다.

"대체 정신을 어디에다 두고 다니는 겁니까. 예? 빨간불이었어요. 죽을 뻔했다고요!"

가까이서 보는 해준의 얼굴은 전과는 매우 달라져 있었다. 흔들림 없던 무표정의 얼굴은 사라지고 숨겨져 있던 두려움이 드러났다.

"죄송합니다."

해준의 사과에 맥이 빠진 유한이 긴 한숨을 쉬며 그에게서 손을 뗐다. 한 걸음 뒤로 물러난 유한이 답답함에 터져 나오려는 화를 눌러 담고 천천히 물었다.

"도대체 김성훈이 스토커라는 얘기는 왜 한 거예요? 무슨 소리를 들었길래 그런 말을 전한 겁니까? 이미, 이미…. 김성훈은 죽었습니다. 스토커도 더더욱 아니었고요. 서해준 씨…. 대체 뭐 하는 사람입니까?"

김성훈의 소식에 해준의 동공이 흔들렸다. 우뚝 서 있던 그가 조금 휘청이더니 시선을 내린 채 낮은 목소리로 말했다.

"스토커는…. 제 착각이었습니다. 김성훈 씨가 스토커라고 잘못 판단했어요. 신예선 씨의 진짜 스토커는 강지훈이에요."

"이미 강지훈도…. 알고 계시네요."

허탈함에 유한이 이마를 짚었다. 이젠 정말로 모르겠다. 서해준을 서로 데리고 가서 심문하는 방법밖에 생각나지 않았다. 믿어 달라는 얼굴에 속아 넘어간 것 같아 기분이 더러워지기 시작했다. 혼란스러운 유한을 가만히 바라보던 해준이 조용히 물었다.

"형사님…. 제가 저번에 뵀을 때. 나중에 모두 말하겠다고 한 말. 기억하십니까?"

언급된 과거의 말에 시선을 돌린 유한이 해준의 얼굴을 응시했다.

"연쇄 실종 사건에 관한 단서도 얻을 수 있다고 하셨죠. 기억하고 있습니다."

"사실 그렇게 말하면서도 아니었길 바랐습니다. 제가 생각하는 사람이 아니었기를 바랐습니다. 그래서 그냥 우연히 사건에 엮인 거라고 그런 거라고 생각하면서 부인했습니다."

"무슨 소립니까. 알아듣게 설명하세요."

"전에 협박 편지를 받은 적이 있습니다. 신예선 씨가 사라진 후부터 쭉 꽃바구니를 받았어요."

뒤이어 해준은 믿을 수 없는 이야기들을 줄줄 내뱉었다. 몰래카메라가 담긴 꽃바구니와 쫓아오는 불길한 시선, 마주쳤던 김성훈과 장례식장 쪽지, 그리고 신예선의 사진이 담긴 택배 상자까지. 그 모든 것들을 말하는 서해준의 얼굴은 직접 겪은 당사자가 맞는지 의심될 정도로 담담했다.

"그럼, 진작에 경찰에 도움을 청했어야죠! 하물며 저한테라도 도와달라고 말하셨어야죠. 그 뒤로 많이 만났었잖아요. 말할 기회도 많았고요."

"경찰에게…. 찾아갈 수 없으니까요."

이해할 수 없는 말에 유한의 눈이 저절로 찌푸려졌다.

"못 찾아간다면 그 상황에서 해준 씨가 혼자 뭘 할 수 있는데요. 그 상황에서 누굴 믿고 해결합니까?"

"처음에는 혼자 해결하려고 했습니다. 하지만, 저와 관련이 없는 사람까지 피해받는다고 생각돼서 도움을 요청할까도 생각했습니다. 하지만…."

떨리는 손으로 주먹을 쥔 해준이 힘겹게 말을 내뱉었다.

"처음 그 생각이 들었을 때도, 백화점에서 그 얼굴을 봤을 때도 제가 생각한 게 아니길 빌었습니다. 제 착각이었으면 좋겠다고 생각했어요. 근데, 죽였다는 얘기를 들으니까 확실해졌어요. 제 생각이 맞았던 거예요. 그 남자가…."

떨리는 어깨를 강하게 붙잡은 유한이 인상을 쓰며 말했다.

"서해준 씨. 진정하시고 천천히 처음부터 얘기하세요. 서해준 씨가 알고 있는 모든 것들을 저한테 알려달라고요."

믿음. 그 단어가 목구멍까지 올라왔다. 현재로서는 여전히 이 남자의 정체가 무엇인지 유한은 모른다. 처음 봤을 때부터 느꼈던 이 이질감이 이제는 좋은 쪽인지 나쁜 쪽인지 알 수 없었다. 하지만 지금 당장 그가 숨기고 있던 것들을 알게 된다면 이 이질감을 해결할 수 있을 것 같았다. 미쳤다고 생각했다. 얼마 전까지는 의심하던 대상을 이제는 믿으려고 든다니 미치지 않고서야 할 수 없는 행동이었다.

하지만, 하지만…. 해준의 어깨를 잡은 손에 힘을 주었다. 눈앞의 남자를 믿어야 한다. 들어봐야 한다. 해준에게 느꼈던 그 이질감을 알려줬던 감은 또다시 유한에게 해야 할 일을 알려주고 있었다.

"믿을게요. 서해준 씨가 하는 모든 말들. 그러니까…. 말해주세요. 얼마나 걸리든 듣겠습니다. 그리고 제가 할 수 있다면 돕겠습니다."

마주친 눈동자는 또다시 흔들렸다. 두려움과 공포가 깃든 검은 눈동자는 깊은 심연 속에 감추어 두었던 비밀을 수면 위로 떠올릴 준비를 마치고 있었다.

—

평범한 가정이었다. 유복한 집에서 태어났고 뭐 하나 부족한 것 없었다. 필요한 물건이 있으면 얻을 수 있었고, 매일 세 끼 균형 잡힌 식사를 했으며, 뛰어놀 수 있는 넓은 마당이 있었다. 학교가 끝나면 집까지 데려다주는 운전기사와 간식을 주는 아주머니, 학교에 가져가야 할 어려운 숙제를 도와주는 개인 선생님이 있었다. 그리고 언제나 미소를 지으며 자신의 이름을 불러주는 자상한 어머니가 있었다. 일 때문에 바쁜 아버지는 밖에서 보내는 시간이 길어 해준과 대면하는 시간이 많지 않았다. 주말 저녁 식사 시간만이 그들의 유일한 대화 시간이었다. 해준의 아버지는 항상 똑같은 표정으로 해준을 대했는데, 그 표정은 웃는 얼굴도 화내는 얼굴도 아닌 전혀 관련이 없는 남을 보는듯한 감정 없는 얼굴이었다. 처음에는 그 얼굴이 무서워서 아버지를 똑바로 바라보지 못했다. 무표정으로 바라보는 아버지의 눈빛을 볼 수 없어 고개를 숙인 채 아버지를 대했다. 아버지 쪽에서는 그런 해준을 딱히 나무라지 않았다. 그가 유일하게 하는 쓴소리는 그릇되지 못한 행실을 보였을 때 하는 잔소리뿐이었다. 남들에게 비칠 해준이 어떻게 행동해야 하는지. 낮고 차가운 목소리로 무미건조하게 전할 뿐이었다. 잘한 것이 있으면 잘했다는 말 한마디, 다음에 더 열심히 하라는 말 두 마디. 세 마디 이상 건네는 법이 없었고 일상적인 대화 따위는 존재하지 않았다.

하지만 그런 아버지에 대한 서운함은 없었다. 차가운 아버지에 비해 사랑을 듬뿍 주시는 어머니가 있었고 해준에게는 어머니만이 유일하게 사랑을 주는 어른이었다. 돌봄이 필요한 유아 시절에는 내내 어머니 옆에 붙어있었고 어머니는 항상 다정한 손길로 머리를 쓰다듬어 주며 자상하게 사랑을 속삭였다. 세월이 흐르며 성장하는 동안 다른 아이들처럼 배시시 웃으며 안기거나, 애교를 부리지는 않았지만, 해준이 딱 하나 굳게 지키는 것이 있었다.

"해준아 늘 고마워. 엄마는 네가 있어서 정말 행복해."

어머니의 바람. 해준이 건강하게 자라는 것. 어머니의 말을 잘 따라주고 올곧게 자라는 것. 여간 아이들과 다를 바 없이 평범하게 자라는 것. 그것이 그녀의 바람이었고 해준이 굳게 지키고 싶었던 바였다. 학교에 가서 남들과 어울리지 못해도, 혼자서 주구장창 책만 들여다보고 있어도 어머니가 슬퍼할 일을 만들지 않도록 주의하자고 다짐하며 매일 그렇게 지냈다. 어머니를 늘 따른 탓에 주말이 되면 함께 성당에 갔었다. 멋모르고 어머니의 손을 잡고 따라간 그곳은 너무나 고요하고 또 웅장했다. 무거운 분위기에 눌려 평소보다 더욱 얌전하게 앉아있는 해준의 옆에서 어머니는 항상 손을 모은 채 두 눈을 감고 앉아있었다. 무엇이 그리 간절한지 모은 두 손에 힘을 쥔 채 기도하는 어머니에게 그에 관해 물어보면 어머니는 아무것도 아니라며 웃어넘겼다.

“남편이랑은 왜 같이 안 오고?”

“남편이랑은 종교가 달라서요.”

해준과 어머니를 보는 사람들은 항상 아버지의 존재를 물었다. 어머니는 항상 같은 대답을 했고 그렇게 말하는 얼굴이 어딘가 괴로워 보여서 해준은 묻지 못했다.

아버지가 도대체 어떤 종교를 가졌는지 감히 물어볼 수 없었다. 어느 늦은 밤, 손을 모은 채 하늘에 대고 찬양하는 아버지의 모습이 눈에 아른거려도 언급하지 않았다.

어머니와는 다른 분위기를 풍기는 아버지의 기도와 그 희미한 미소가 왠지 모르게 무서웠기 때문에 그랬던 것도 있다. 하지만 제일 큰 이유는 오직 어머니의 슬픔을 만들지 않기 위해서였다. 물어봤다간, 그랬다간 괴로운 얼굴이 무너질 것 같아서 입을 꾹 다문 채 호기심을 무시했다.

1년에 한 번씩 이루어졌던 친척 모임. 아버지의 친가 식구들이 모여 한 집에서 식사하며 그간의 근황을 주고받는 시간을 해준은 매우 불편하게 생각했다. 아버지의 형제들은 어머니를 좋아하지 않았다. 그 이유는 오로지 어머니가 탐탁지 않은 집안 출신이기 때문이었다. 상대가 누구든지 간에 결혼이 목적이었던 아버지는 첫 번째 맞선 상대였던 어머니와 결혼식을 올렸다. 상대를 제대로 알아가지 않았던 탓에 어머니 같은 사람을 만난 거라며 그들은 어머니에 대한 구설을 끊지 않았다.

"올케, 해준이 학교에선 잘 지낸대? 애가 애답지 못하던데. 우리 애들이랑 잘 어울리지도 못하고…."

"그래. 이제 좀 혼자 다니게 내버려 둬. 언제까지 품고 살 거야?"

"낳아주신 아버지 이름에 먹칠 안 하게 잘 키워야지. 안 그래?"

아버지의 두 여자 형제는 매일 같이 웃는 얼굴을 하며 모진 말로 어머니를 조롱했다. 어머니와 아버지가 각별한 사이가 아닌 걸 알기 때문에, 어떤 말을 들어도 아버지에게 알리지 않고 입을 다물고 있을 걸 잘 알기 때문에 주저하지 않고 벌이는 그들의 행동이 너무나도 화가 났다. 그리고 모진 말을 듣는 어두운 어머니의 표정에도 나서지 못하고 바라봐야만 했던 자신에게 화가 났다.

"해준이 이놈은 좀 더 웃을 필요가 있겠어. 애가 방긋거리면서 웃어야지. 조용히 있을 게 아니라."

"어릴 때 얌전한 건 제 아비를 닮았네. 제수씨가 나중에 병원 한번 데려가 봐. 정신이 멀쩡한지 안 멀쩡한지."

"형은 왜 그런 얘기를 해. 애 앞에서…."

아버지의 두 남자 형제가 해준의 앞에서 몹쓸 말을 꺼냈을 때, 그들이 떠난 뒤에도 주눅 들어 있는 해준에게 다가와 어머니는 두 귀를 가려주었다. 그리고선 따뜻한 손으로 해준의 뺨을 만지며 속삭였다.

"해준아, 괜찮아. 엄마는 네가 어떻든 상관없어. 네가 다 클 때까지 옆에서 꼭 지켜줄게."

등을 토닥이는 손길이 너무나 따뜻하고 간지러워서 속상했던 것도 잊고 환하게 미소를 지었다. 품에 안겨 어머니의 등을 똑같이 두드리며 서로를 더욱 의지했다. 시간이 지나 해준이 열한 살이 되던 해. 주기적인 모임 시간이 또다시 찾아왔다. 그리고 그날 이루어진 그 모임에서 일은 시작됐다. 조용하고 평범해 보이던 가정에 균열이 생기는 계기가 그날 이루어졌다.

즐겁게 숨바꼭질하자, 넌 여기에 숨어있어. 왜 싫다는 건데. 여기에 숨으면 안 들킬 거야. '못 찾겠다 꾀꼬리' 하는 소리가 들려오면 널 찾으러 와줄게. 그러니까 절대 소리를 내지 말고 여기 뒤에서 꼭 숨어있어야 한다…?

.

.

의식을 찾자마자 쭈그려 앉아있던 다리가 저릿하며 고통을 호소했다. 숨바꼭질을 위해 억지로 아버지의 차량에 떠밀린 해준은 아버지가 올까 두려워하며 운전석 뒤에서 조용히 떨었다. 아버지가 해준을 발견하게 된다면 분명 혼이 날 것이다. 왜 자신의 차량에 허락도 없이 들어갔냐고 물어보시겠지. 어떤 이유든 이곳에 들어온 해준이 제일 크게 혼날 것이다. 그로 인해 어머니가 힘들어진다면 어떡하지. 여러 걱정으로 표정을 찡그리며 손가락을 매만졌다.

숨바꼭질에서 들키지 않도록 이곳에서 숨죽이고 있던 해준은 어느 순간 자기도 모르게 잠들어 버린 모양이다. 시간이 얼마나 지났을까. 혹시 차가 잠겨있진 않겠지? 아니면 여전히 숨바꼭질 중일까. 입을 가린 채 아픔을 참으며 두 다리를 쭉 뻗은 해준의 귓가에 이상한 소리가 들려왔다. 괴물의 소리. 책이나 영화에서 보았던 괴물의 소리와 비슷했다. 처음 듣는 기이한 소리에 조심스레 좌석 위로 오른 해준은 창문 너머로 보이는 울창한 나무의 모습에 고개를 갸웃했다. 분명 아까 전까지만 해도 여러 대의 차가 세워진 주차장이었는데….

아버지가 나의 존재를 모르고 여기까지 오신 건가. 사색이 된 얼굴로 좌석에 주저앉은 해준이 두 눈을 질끈 감았다. 어쩔 수 없다. 여기까지 온 이상 혼나지 않는다는 선택은 없다. 사실대로 말하고 꾸지람을 들을 수밖에 없다. 아버지의 무뚝뚝한 얼굴을 떠올린 해준이 조심스럽게 손을 뻗어 차량의 문을 열었다. 내내 굽히고 있던 몸을 일으키니 다리에 제대로 힘이 들어가지 않았다. 비틀거리며 차량에서 내린 해준은 커다란 나무로 둘러싸인 공터를 구경하며 두리번거렸다.

"컥…. 커헉…."

또다시 들려오는 기이한 소리에 해준이 그곳을 향해 고개를 돌렸다. 굴러다니는 돌, 흩날리는 나뭇잎. 얼마 떨어지지 않은 거리에서 흙바닥에 누워있는 여자와 그런 여자의 위에서 두 손으로 여자의 목을 잡고 있는 아버지가 차례로 눈에 들어왔다.

괴물의 소리가 아니었다. 여자의 모습이 눈에 들어온 순간, 공포스럽게 느껴졌던 포효가 고통스러운 신음으로 변했다.

사람이다. 사람이 고통에 몸부림치고 있었다. 힘들어하며 발버둥치고 있다. 아버지에게 손을 뻗으며 아버지의 팔을 잡으며, 다리를 수없이 움직이고 몸을 비튼다. 끔찍한 소리는 계속해서 이 숲속에 울렸다. 나뭇가지에 앉은 새들이 그 모습을 지켜보고 구름에 가려진 태양이 모습을 드러내자, 풀잎들이 살랑거리며 여자와 아버지의 위로 긴 그림자를 만들었다. 그림자 아래에서 아버지는 힘을 주어 여자의 목을 눌렀다. 발버둥이 심해지며 허공으로 쭉 뻗은 손이 힘없이 바닥으로 떨어진 순간.

시간이 멈춘 듯 모든 게 고요해졌다. 흙에 신발이 끌리는 소리도 괴로워하던 소리도 아버지의 팔을 두드리던 소리도 멎었다. 그저 숲에 사는 새들의 울음소리만이 귀를 간질였다. 미동이 없는 여자를 가만히 바라보던 아버지가 몸을 일으켜 고개를 돌렸다. 해준이 서 있는 곳을 향해. 심해와 가까운 색을 띠는 눈동자를 고정했다.

아버지와 눈이 마주친 순간, 해준의 온몸에 전율이 돋았다. 지금껏 느끼지 못한 공포감에 몸을 움직일 수 없었다. 인간이 초월적인 존재를 만나 생기는 두려움. 앞으로 자신의 목숨이 끊길지도 모른다는 생각과 함께 두 눈에 들어온 믿기지 못할 광경에 해준은 손가락과 발가락을 힘껏 오므렸다.

감정을 겉으로 드러내서는 안 된다. 아버지가 그렇게 말씀하셨다. 그 말을 전하던 당시 감정을 숨겨야 하는 대상이 아버지 본인에게도 향할 수 있다는 것을 아버지는 아셨을까. 우뚝 선 해준이 공포를 감추며 아버지에게 시선을 고정하자, 그가 말없이 다가와 무릎을 꿇고 해준과 시선을 맞췄다.

"봤구나."

대답할 수 없었다. 여기서 거짓말을 한들, 달라지는 게 있을까. 못 봤다고 하면 용서해 줄까?

"아버지를 신고할 거니."

아버지의 물음에 해준은 입을 다물었다. 신고? 당연히 신고해야 하는 거 아니야? 사람이 쓰러져있는데. 눈동자를 굴려 쓰러진 여자를 바라보자, 아버지는 해준의 어깨를 가볍게 두드리며 먼지를 털어냈다.

"하긴 신고한다고 해서 뭐가 달라질까. 죽은 저 여자가 다시 살아 돌아온다고 생각하는 건 아니겠지? 그런 어처구니없는 발상은 거두는 게 좋아."

죽었다고? 아버지가 사람을 죽였다고? 죽음이라는 단어에 오금이 저린 해준은 티 나지 않도록 두 발에 잔뜩 힘을 주었다. 정말 죽은 거야? 내가 들었던 그 소리가 정말로 죽어가는 여자의 소리였다고?

"아버지는…. 왜 저런 짓을 하는 거죠?"

"저런 짓이라는 건, 내가 저 여자를 죽이기라도 했다는 말이냐."

"사람을 죽였잖아요. 그건 나쁜 짓이잖아요. 살인이잖아요."

"그래. 사람을 죽이는 건 살인이 맞지, 하지만 네가 목격한 건 살인이 아니란다. 나쁜 짓도 아니고."

어깨에 올라간 손이 떨어지고 그의 아버지가 몸을 일으켜 해준을 내려다봤다. 해준은 아버지의 얼굴을 마주 보며 그가 내뱉은 말의 의미를 깨닫기 위해 머리를 굴렸다. 방금 한 일이 살인이 아니면 대체 뭘까. 사람이 죽었는데, 아버지는 왜 저렇게 멀쩡하실까.

시선을 돌린 해준은 다시 한번 누워있는 여자를 살폈다. 흐트러진 머리카락 사이에서 마주친 눈동자는 금방이라도 해준을 집어삼킬 것 같은 한이 서려 있었다. 온몸을 짓누르는 공포감에 해준은 움직일 수 없었다. 그 얼굴에서 도저히 시선을 뗄 수 없었다.

“넌 이게 무섭지도 않은가 보구나.”

떨리는 손으로 옷을 움켜쥔 채 해준이 입을 다물었다. 해준의 대답이 들려오지 않자, 아버지는 해준의 머리를 천천히 쓰다듬기 시작했다.

“난 내 가족은 해치지 않는다. 우리 가족은 구원받을 필요가 없으니까.”

구원이라고? 그게 무슨 말이지? 아버지의 얼굴을 바라본 해준은 자신의 두 눈을 의심했다. 아버지는 웃고 있었다. 흐릿하고 희미한 미소가 아닌, 너무나 행복해서 짓는 웃음이었다. 처음으로 보는 아버지의 활짝 웃는 얼굴이었다.

“구원! 신께서는 너의 할아버지께 계시를 내려주셨다. 불행하고 슬픈 자들에게 삶의 고통에서 벗어날 수 있도록 안식을 진행할 수 있는 자는 오직 너뿐이라는 것을, 네가 죽고 사라진다면 너의 아들이, 그 아들이, 그 아들의 아들이 계속해서 불쌍한 어린 양을 도와 안식으로 향하게 만들라는 것을!”

구원. 그 단어의 해준의 심장이 꿈틀거렸다. 꿈틀거렸다기보다 욱신거렸다는 것에 가까운 표현이었지만, 공통점은 거부감이 들었다는 것이었다. 사람을 죽이는 게 구원이라고? 그게 맞는 거야? 조여오는 심장에 속이 메스꺼웠다. 속에 있는 것들이 밖으로 나오지 않도록 마른침을 삼키며 해준은 아버지의 눈치를 살폈다.

“이제 구원을 마쳤으니, 저 여자는 이제 더 이상 불행하지 않을 거란다. 저 여자의 삶은 불행했다. 단 한 순간도 행복한 순간은 없었겠지. 그 여자가 계속 불행한 채 살아가는 게 옳을까? 아니, 그렇지 않아. 불행한 고통 속에서 삶을 연명한다면, 죽음으로 삶의 고통에서 벗어나는 게 거룩하고 옳은 행위란다."

아버지가 쏟아내는 말들은 머릿속에 들어오지 않았다. 환한 미소로 번진 그 얼굴이 너무나 어색해서 해준은 아버지가 불편했다. 아니, 불편하다는 걸 넘어서 자신이 알고 있는 아버지가 맞는지 헷갈리기 시작했다. 같은 사람이 맞는지, 같은 얼굴을 한 다른 사람이 아닌지 생각하던 해준에게 아버지는 희열에 찬 얼굴로 말했다.

"자, 보렴. 어서!"

해준의 팔을 붙잡은 그가 쓰러진 여자에게로 해준을 끌고 갔다. 무력하게 끌려간 해준의 발치에 여자의 손이 닿았다. 흐트러진 머리카락과 흙투성이의 옷, 그리고 여자의 목에 남은 붉은 손자국이 선명하게 들어왔다. 해준이 봤던 그 죽음의 눈동자가 움직이는 듯했다. 해준을 똑바로 응시하며 화를 내고 있었다. 타인에 의해 죽음을 맞이한 분노가 해준에게로 향하고 있었다. 손을 들어 발목을 붙잡고 살려내라고 소리칠 것 같았다.

싫어. 보고 싶지 않아. 울렁거리는 속과 금방이라도 튀어나올 것 같은 심장 소리가 해준의 귀를 막았다. 산속의 바람 소리도 새소리도 귀에 들려오지 않았다. 공황에 빠진 그의 고막을 뚫는 건 오직 아버지의 목소리뿐이었다.

"안식을 얻은 평온한 얼굴이지. 이제 곧 흙에 묻혀 자연으로 돌아가게 되면, 영원히 쉴 수 있게 되는 거란다."

평온한 얼굴? 저 얼굴이 평온한 얼굴이라고? 영원히 쉴 수 있다고? 고통스러워하던 여자의 목소리가 해준의 뇌리를 스치자, 해준이 주먹을 쥐었다. 저 얼굴은 평온과는 거리가 멀다. 행복하지도 않다. 영원히 쉴 수조차 없다. 죽임당했으니까. 원치 않는 죽음을 겪었으니까! 살해당했으니까!

목구멍에 걸리는 수많은 말들을 해준은 도저히 꺼낼 수 없었다. 아버지의 저 미소가 금방이라도 사라질 것 같아, 두려웠다.

"자, 해준아…. 앞으로 언젠가, 네가 해야 할 일이야. 똑똑히 봐둬. 불행한 자는 얼굴을 보고 알 수 있단다. 신께서 알려주시지, 너는 그 뜻에 따라 안식을 진행하면 된다."

"하지만 이유를 모르겠어요. 어째서 안식이 필요하죠? 저도 그 안식이 필요한가요?"

"그런 질문은 도움이 되지 않는다. 생각할 가치도 없는 질문이야. 서해준, 아버지가 한 말을 이해하지 못한 거니?"

"못했어요. 잘 모르겠어요."

"이해해야지! 넌 이 아비의 자식이니까!"

해준의 어깨를 꽉 잡으며 소리치는 아버지의 낯선 얼굴에 해준이 숨이 턱 막혀왔다. 미소가 사라지고 광기 어린 분노가 아버지의 얼굴에 드리웠다. 화난 얼굴을 한 아버지가 당장이라도 자기 목을 잡을 것 같아 해준의 눈시울이 뜨거워졌다.

"잘못했어요. 이해할게요."

"지금 네 머리통에 집어넣고 똑똑히 기억해 두거라! 앞으로의 네가 할 일들을 잊지 말고 아버지가 보여준 것을 잊지 않고 머릿속에, 마음속에 담아서 똑같이 실행해야 해. 알아들었지?"

"알아들었어요."

뜨거운 눈시울에서는 결국 눈물이 터져 나왔다. 흐느끼기 시작한 해준을 보자 그가 눈썹을 찌푸리며 해준의 얼굴을 붙잡았다. 두 뺨이 그의 한 줌에 들어와 힘없이 눌렸다.

“울어서도 안 돼. 겁을 먹어서도 안 돼. 이건 나쁜 일이 아니라 좋은 일이니까. 만약 네가 계속 그런 식으로 군다면 아버지의 말을 거역하는 것과 다름없다. 그럴 테냐? 아버지의 말을 거역하고 도망칠 테냐? 엄마의 옆에 달라붙어서 이 일이 얼마나 숭고한지도 모른 채 불행하게 살 테냐?”

막혀있는 입 탓에 해준이 고개를 저었다. 손에 더욱 힘을 주며 아버지가 물었다.

“오직 너만이 아버지의 일을 이어받을 수 있어. 네가 자라고 난 뒤에는 아버지가 아닌 네가! 불행한 자들에게 안식을 선사해 줘야 한다. 그러니 명심하거라.”

그의 말이 끝나자마자, 해준의 입을 막던 손이 떨어졌다. 쏟아지는 눈물을 소매로 닦으며 해준은 소리 없이 흐느꼈다.

이 끔찍한 상황을 벗어나게 해줄 사람은 이곳에 없다. 그리고 집으로 돌아가서도 손을 내밀어 줄 자는 없을 것이다. 유일한 자신의 편인 어머니에게도 알릴 수 없다. 이 일은 그 누구한테도 말하지 못하는 불행이었다. 한순간의 놀이로 인해 생긴 커다란 불행이었다.

“서해준.”

아버지의 부름에 움찔 놀라며 해준이 식기를 내려놓았다. 놀란 건 어머니도 마찬가지였다. 지금까지 보였던 것과 다른 해준의 행동에 아버지의 눈치를 살피며 어머니 또한 수저를 내려놓았다.

"이름을 불렀으면 대답해야지."

"네, 아버지."

뒤늦게 입을 여는 해준을 가만히 바라보던 그가 자리에서 일어나며 말했다.

"점심을 먹은 뒤, 잠시 내 방으로 오거라. 중히 해야 할 얘기가 있으니 잊지 말고 꼭."

말을 마친 아버지는 어머니에게 시선 한 번을 주지 않은 채 조용히 그 자리를 떠났다. 아버지가 떠나버린 문을 바라보던 어머니는 조심스레 다가와 해준의 옆에 앉았다.

"해준아 왜 그래, 입맛이 없니?"

"아뇨…."

"자, 그럼 얼른 먹자. 먹고 아버지한테 가야 하잖니."

해준의 수저를 손에 쥐어준 어머니가 다정하게 손을 잡았다.

"그래도 급하게는 먹지 말고, 천천히 체하지 않게 먹어야 해?"

고개를 끄덕인 해준이 힘겹게 젓가락질하기 시작했다. 눈앞에 놓인 음식들을 억지로 구겨 넣어야 한다는 생각에 속이 거북해졌다. 쉽사리 밥을 먹지 못하는 해준을 바라보던 어머니가 걱정스러운 눈으로 아들의 어깨에 손을 올렸다.

"해준아 무슨 일 있니? 요새 밥도 잘 못 먹고, 얼굴빛도 나쁘잖아. 학교에서 무슨 일 있었어?"

"아뇨. 아무 일 없었어요."

"아무 일이 없는 얼굴이 아닌걸?"

장난스럽게 웃던 어머니의 얼굴이 천천히 굳어졌다. 해준의 어깨에 올려진 손이 떨리기 시작했다.

“그럼, 혹시 저번에 아버지랑 단둘이 간 곳에서….”

그녀의 말에 황급히 고개를 돌린 해준이 어머니의 손가락을 꽉 쥐였다. 엄마가 알아선 안 된다. 절대로 안 돼. 알려져서는 안 돼.

“엄, 엄마. 괜찮아요. 요즘 입맛이 없어서 그랬어요. 그니까 걱정하지 않아도 돼요. 아버지랑은 아무 일도 없어요. 정말이에요. 나쁜 일은 전혀…!”

“알았어.”

횡설수설하는 아들의 머리를 쓰다듬으며 어머니는 미소를 지었다.

“해준이가 그렇다면 엄마는 믿을게.”

그 손길과 웃음에 해준이 입술을 깨물었다. 엄마, 속여서 미안해요. 거짓말해서 미안해요. 눈물을 삼키고 밝은 얼굴을 지은 해준이 억지로 밥을 욱여넣었다. 어머니 앞에서 맛있게 밥을 먹는다면 걱정이 조금이라도 덜어질 것 같아서 토할 것 같은 기분을 애써 무시한 채 억지로 밥상 위의 음식들을 속에 집어넣었다.

억지로 집어넣은 식사에 속이 울렁거렸다. 마른침을 삼키며 아버지의 서재로 향한 해준의 눈에 천천히 책장을 넘기는 아버지의 얼굴이 들어왔다. 문이 닫히고 단둘만이 존재하는 커다란 공간에서는 차가운 공기가 흘렀다. 아버지의 이름을 부를까 망설이던 해준이 이내 입을 다물자, 저쪽에서 먼저 해준을 불렀다.

“가까이 와서 서 있어.”

대답과 함께 책상 앞으로 향한 해준이 자신을 내려다보는 눈을 조심스레 바라보았다. 무슨 말을 할지, 전혀 모르겠다. 그날 이후 아버지는 아무 일도 없었던 척 해준을 대했다. 산속의 그 일이 마치 꿈이었다는 듯이.

평온한 아버지의 태도에 해준은 더욱 괴로웠다. 꿈속에서 그 여자가 살려달라며 해준의 다리를 붙잡았고 이어 해준의 목을 잡았다. 내가 이렇게 괴로웠다고, 그런데도 너는 나를 돕지 않았다면서 원망하고 화를 냈다. 악몽 속에서 해준이 할 수 있는 건 없었다. 도망칠 수 없이 완전히 굳어버린 몸은 여자의 원망을 온통 받아내는 데 일조하고 있었다.

"산속에서의 일을 잊은 건 아니겠지."

"잊, 잊지 않았어요."

"아버지가 한 말도?"

고개를 끄덕이는 해준을 보며 책을 덮은 그가 재차 물었다.

"안식이 무슨 행위라고?"

"불행한 사람들을…. 구원해 주는 숭고한 일이에요."

떨리는 손을 감추기 위해, 뒷짐을 진 해준은 울렁거리는 속 탓에 이젠 어지럽기 시작했다. 일렁거리는 아버지의 얼굴을 바라보던 해준에게 그가 웃으며 말했다.

"그래, 잘 기억하고 있구나. 이래야 내 아들답지."

걸음을 옮긴 그가 해준의 바로 옆에 서서 눈을 맞췄다. 쭈그려 앉은 아버지는 이젠 해준의 두 어깨를 붙잡고 있었다.

"이 세상에서는 살인은 죄라고 생각한다는 것쯤은 너도 잘 알고 있겠지. 하지만 구원을 통해 생명을 끊는 행위는 죄가 아니란다."

무릎을 펴고 두 팔을 뻗으며 아버지는 천장을 바라보았다.

"나는 삶의 고통 속에서 신의 가르침에 따라 구원하는 숭고한 일을 하는 자다. 나의 아버지, 즉 너의 할아버지께서는 계시받았지. 불쌍한 어린양을 구원해야 한다고 지속되기 어려운 삶과 그 불행을 구원하기 위해서는 죽음을 통해서 평화와 안식을 선사해야 한다고."

신. 아버지가 말하는 신이라는 존재는 대체 어떤 존재이기에 저런 이상한 말을 하는 걸까. 불행을 구원한다고? 그러기 위해서는 죽여야 한다고? 이상해. 다 이상하다고. 그런 게 왜 이유가 되는 건데?

"계시를 받은 사람들은 알 수 있지. 내가 어떤 자를 구원해야 하는지 구원하지 않아도 되는지. 눈에 들어온 사람이 구원의 대상인 걸 느낄 수 있다."

고개를 내린 아버지의 미소가 점점 사라지고 이내 근엄한 얼굴이 두 눈에 들어왔다.

"그러니 해준아, 인간 세상에서의 규칙에서 벗어나거라. 경찰을 믿지 말거라. 그들은 인간 세상의 법에 따라 행동하고 인간 세상의 정의를 따르지. 그래서는 천국에 갈 수 없다. 그들을 믿지 말고 거짓으로 대해야 한다. 알아들었지?"

억지로 고개를 끄덕인 해준을 바라보던 아버지는 다시 두 어깨를 강하게 붙잡으며 말을 이었다.

"숲속에 그 일을 다시 보고 싶지 않다면 기억해 두는 게 좋아."

그 말속에 담긴 의미가 무엇인지 한눈에 알아챈 해준의 눈동자가 흔들렸다. 동요하는 해준에게서 멀어진 아버지가 입을 열었다.

"경찰을 믿지 말거라. 경찰은 절대 믿어선 안 된다. 그날의 일을 오늘의 일을 기억하면서 마음에 새겨두거라."

다시 앉았던 의자로 향한 아버지가 의자에 앉은 뒤 입을 열었다.

"좋아. 그럼, 오늘 당장 첫 번째 안식을 진행하자꾸나."

첫 번째 안식. 그 단어를 들은 귀가 잘못됐기를 바라며 해준은 멎어버린 숨을 쉬기 위해 침을 삼키며 힘을 주었다. 나보고 사람을 죽이라는 소리야? 오늘 당장? 아버지가 했던 것처럼? 그렇게 고통스러워하는 사람을….

"뒷마당 흔들의자 앞에 준비해 뒀다. 이건 제대로 된 안식을 위한 예행이니 정신을 똑바로 차리고 진행하도록 해."

말을 마친 아버지가 다가와 해준의 손을 펼쳐 무거운 벽돌을 쥐여주었다. 벽돌이 눈에 들어온 순간, 놀란 눈으로 손에 힘을 빼자, 우악스러운 손길로 제대로 벽돌을 쥐여준 아버지가 해준의 손목을 잡고 있던 손에 힘을 주었다.

"똑바로 잡지 못해?"

"아, 아버지 이걸로 무엇을…."

"똑바로 잡아, 서해준."

공허한 눈빛에 벽돌을 쥔 손에 힘을 주었다. 그제야 손목을 놓아준 아버지가 해준의 뺨을 쓰다듬었다.

"자, 이제 마당으로 나가거라. 직접 보지 않고서 겁먹지 말고 차근차근히 해나가는 거다. 말 그대로 이건 예행이야. 물론 불행한 생명을 구해주는 일이라는 건 변함이 없다. 그러니 안심해도 좋아."

힘없는 어깨를 돌려 등을 밀어낸 아버지의 손길은 너무나도 차가웠다. 소름이 돋았다. 아버지가 밀어버린 이 길 끝은 지옥일 것 같아서 보이지도 않는 저 정원에는 악마가 기다릴 것 같아서 너무나 무서웠다. 몸이 의지대로 움직이지 않았다. 한 걸음, 두 걸음. 힘겹게 뻗은 다리는 아버지의 지시에 따라 해당 장소로 향하고 있었다. 밝은 햇살 아래, 풀내음이 풍기는 정원을 가로지른 해준이 바람에 조금씩 움직이는 흔들의자 앞에서 멈춰섰다. 바람 소리 속에서 작고 여린 울음소리가 귀를 간질였다. 그제야 정신을 차린 해준이 주위를 둘러보기 시작했다. 그리고 그런 해준의 눈에 너무나도 작은 고양이가 우는 모습이 들어왔다. 새끼 고양이다. 어미의 돌봄이 필요한 시기에 이런 곳에서 어미를 찾아 홀로 울고 있었다. 아버지가 말한 게 고양이인가…. 이 작은 생명을 죽이라고? 울고 있잖아. 이 벽돌보다 작잖아. 아직 너무 어리잖아…. 해준의 얼굴이 일그러지며 두 손과 호흡이 떨리기 시작했다.

무섭다. 무섭다. 무섭다. 무섭다. 무섭다. 무섭다. 무섭다. 무섭다. 무섭다. 무섭다. 무섭다. 무섭다. 무섭다. 두려워, 하기 싫어…!

무섭고 두려운 감정이 해준의 머리와 가슴을 뒤흔들었다. 떨리는 손에 쥐어진 벽돌은 너무나 무거웠다. 저 작은 생명체를 죽이는 일을 꼭 해야 할까. 저 가냘픈 울음소리를 듣고 아버지는 불행하다고 생각하는 걸까? 왜 불행하면 죽어야 하는 거지? 떨고 있는 해준의 눈이 뜨거워지고 시야가 뿌옇게 흐려졌다. 또 눈물이 흘러나왔다. 참으려고 해도 참아지지 않았다. 울음소리가 새어 나오지 않게 입술을 깨물며 해준은 고개를 저었다.

못하겠어. 난 못해. 정말로….

퍼억-

둔탁한 소리와 함께 고양이의 비명이 귀에 들려왔다. 해준이 눈이 동그래지고 그의 옆으로 다가온 남자아이가 웃으며 물었다.

"넌 이것도 못 해?"

"형…."

말끝을 흐리며 형을 바라보자, 그가 싱긋 웃으며 쭈그려 앉은 뒤 자신이 던진 벽돌을 들어 올리며 입을 열었다.

"아버지가 시키신 일이잖아. 왜 아빠 말을 거역해?"

물음을 던지고 한 번 더, 벽돌을 내려치는 그의 행동에 해준은 움찔 놀라며 뒷걸음질 쳤다. 싱그러운 잔디 위에 붉은 피가 튀어 비릿한 냄새를 풍기고 있었다.

"하, 하지 마. 그만해."

"하하, 해준아 설마 겁먹은 거야?"

비웃는 그의 얼굴을 바라보자, 아버지에게서 느꼈던 그 감정이 또 다시 찾아왔다. 공포. 아버지가 여자를 죽이던 모습에서 느꼈던 그 공포가 그에게서도 똑같이 느껴졌다. 다리에 힘이 풀려 넘어진 해준을 뒤로하고 형은 벽돌을 들어 올려 수풀 너머로 힘껏 던졌다. 그러고는 아무 일도 없었다는 듯 손바닥을 털고 일어났다.

"이 일은 비밀로 하자. 네가 했다고 해. 알겠지?"

"내가 안 했잖아…."

"아버지가 너한테 시켰잖아. 대신해서 죽여주는 건데, 왜 주는 걸 못 받아? 고맙다는 인사까지는 바라지도 않았는데. 그런 표정 지으니까 기분 나쁘네."

아버지와의 일을 그가 어떻게 알았는지 궁금했으나 다가온 형이 해준의 앞에서 다시 쭈그려 앉자, 머릿속이 새하얘졌다. 두려운 눈으로 자신을 바라보는 동생을 보며 입꼬리를 올린 그가 말했다.

"아버지가 널 선택하셨잖아. 아버지가 시켰으면 그에 따라서 살아야 할 거 아냐."

"난 싫어. 안 하고 싶다고…."

해준의 두 어깨에 손을 올린 그는 웃음기 없는 얼굴로 매섭게 해준을 노려보았다. 생글거리며 웃고, 화내는 표정 하나 없던 형의 평소 모습과는 너무나 달라, 해준은 미동 없이 그를 바라볼 수밖에 없었다.

"안 하고 싶어도 해. 해야지. 네가 해야지. 아버지를 이어야 한다며 이렇게 싫다고 떼쓰면 안 되지."

점점 힘이 들어가는 손에 두 사람 사이의 공기가 더욱 무거워졌다. 매서운 얼굴을 하던 형은 이내 싱긋 웃으며 다가와 해준의 귓가에 속삭였다.

"해준아…. 아버지의 말을 거역한다면 네가 소중하게 생각하는 어머니는 어떻게 될까?"

엄마? 엄마가 왜? 귓속말을 전한 형을 바라보자, 형은 반달 웃음을 한 채 해준의 손을 잡고 그를 일으켰다. 형의 손길에 따라 자리에서 일어난 해준이 멍하니 형을 응시했다.

"아버지랑 어머니는 서로 사랑하지 않는다는 것쯤은 너도 잘 알고 있겠지. 바보가 아니라면 말이야."

알고 있다. 너무나 잘 알고 있다.

"아버지의 말을 거역한다면 어머니는 어떻게 될까. 분명 불행해질 테고 그럼 안식을 받게 되겠지. 너 때문에."

해준을 강하게 밀친 뒤, 그는 자리를 떠났다. 아버지와는 다르게 언성을 높이거나 화를 내지 않았지만, 형 또한 해준에게 한 가지만을 알려주고 있었다.

안식. 사람을 죽이는 행위를 해야 한다고. 그 잔인한 짓을 해야 한다고. 그게 다 자란 해준이 해야 하는 일이라고 알려주고 있었다.

"해준아?"

어머니의 목소리에 해준이 고개를 돌렸다. 마당에 나온 어머니가 놀란 얼굴로 다가와 해준의 몸을 살폈다.

"여기 왜 앉아있어? 무슨 일…."

주변을 둘러보던 어머니는 죽은 고양이의 사체를 바라보고 멈칫했다. 그 얼굴에서는 감추지 못한 당혹감이 비쳤다.

"고양이가 왜…."

"제가 그랬어요."

해준의 말에 놀란 얼굴이 천천히 굳어지더니, 이내 어머니의 눈가가 붉어졌다. 그녀가 손을 뻗어 해준을 끌어안으며 머리를 쓰다듬었다. 천천히 따뜻하게 해준을 쓰다듬었다.

"괜찮아, 괜찮아. 놀랐지? 괜찮아 해준아."

어머니의 품에 안긴 해준의 두 눈에서 눈물이 주르륵 흘러내렸다. 뜨거운 액체가 볼을 타고 턱으로 흘렀다. 가슴이 너무나도 아파 어머니의 소매를 꼭 쥐며 울분을 터뜨렸다. 입에서 새어 나오는 울음소리를 참지 않고 그렇게 흘려보내는 동안 어머니는 해준의 등을 계속해서 토닥였다. 그 손길이 너무나도 따뜻해서 해준은 더욱 서글펐다. 하기 싫다고 너무 무섭다는 말이 목구멍에 걸려 나오지 않았다. 엄마가 불행해진다면 그렇게 된다면….

자신을 안고 있는 어머니의 소매를 꼭 쥐며 해준이 이를 악물었다. 어머니가 불행하지 않도록 막아야 했다. 자신이 잘해야 했다. 어머니의 앞에서 거짓된 얼굴을 하고 안심시켜야 했다. 그것이 어머니를 지키는 일이라고 생각했다. 바보처럼 그것만이 유일하게 자신이 할 수 있는 행동이라고 생각했다. 자신이 헛된 그 행동이 모든 걸 돌이킬 수 없게 만드는 잘못된 방식이었음을 그때는 알지 못했다.

서해원은 해준과 두 살 터울의 하나뿐인 형제였다. 해원과 해준은 남들이 보기에는 쌍둥이 형제라고 착각할 정도로 비슷한 체형과 얼굴을 가지고 있었다. 해원에게 입술 밑의 점이 없었더라면 그 착각은 더욱 많았을 것이다. 그러나 비슷한 겉모습과는 다르게 두 형제의 성격은 천지 차이였다. 해준과 달리 해원은 밝은 성격을 소유하고 있었고 자주 미소를 지었다. 게다가 여러 방면에서 뛰어난 재능을 보인 탓에 해원은 아버지의 자랑이 되었으며 친척 일가에게도 부러움의 대상이었다.

"애가 참 똑부러지다."

"어떻게 이렇게 잘 키웠어? 나중에 한 인물 하겠는데?"

아버지의 옆에서 미소를 지으며 서 있는 형에게 모인 어른들은 항상 칭찬을 퍼부었다. 장남이 아버지를 닮아서 다행이라고 애답지 않고 아주 어른스럽다고 부러운 눈길을 보냈다.

"다 아버지 덕분이죠. 아버지가 훌륭하게 가르쳐주신 덕에 이렇게 자랄 수 있었어요."

자신에게 다가온 어른들에게 해원은 웃는 얼굴로 예의를 차려 대답했고 그 대답에 어른들은 천재를 보는 시선을 가졌다. 하지만 그 속에서는 시기와 질투가 섞여 있었다. 제 자식이 아닌 남의 자식이 잘났다는 사실에 대한 암상궂은 눈빛들은 해준의 눈에는 너무 잘 들어왔다. 그래서 현재보다 더욱 어렸을 적에는 형도 그 눈빛을 알아차릴까 두려워하던 때도 있었다. 형이 상처받지 않을까 걱정하면서, 어른들에게 둘러싸인 형의 미소를 보며 눈치를 살폈다.

그 걱정이 소용없다는 걸 알게 되기까진 그리 오랜 시간이 걸리지 않았다. 어른들 앞에서 웃는 얼굴로 맑은 목소리로 칭찬에 감사하며 명랑한 목소리를 내뱉던 그에게서 찰나의 순간을 보았다.

찰나의 얼굴에서는 웃는 얼굴도 미소도 없었다. 검은 눈동자는 반짝이지 않았다. 늘 반짝거리던 그 눈이 밤보다 깊은 어둠을 품고 떠들어대는 어른들을 바라보고 있었다. 오직 해준만이 그것을 알아차렸다. 가면을 쓰고 있는 형의 벗겨진 진짜 얼굴을.

그 눈이 아버지를 참 많이 닮았다고 생각했다. 자신을 내려다보는 그 눈과 정말 많이 닮았다고. 그래서 형의 그런 얼굴을 알아챈 순간부터 마음속에 거리감이 쌓여갔다. 애초에 형과 가까운 사이가 아니었으니까 이대로만 지낸다면 서로 불편할 게 없다고 생각했다.

"해준아, 여기서 뭐 해."

3년 전. 겨울의 어느 날, 마당에 있던 해준에게 자연스레 다가온 해원이 그의 옆에 쭈그려 앉았다.

"우리 이렇게 단둘이 있는 건 오랜만이네."

말없이 해원의 말을 듣던 해준에게 그가 물었다.

"너도 이젠 학교에 들어가지? 형이랑 같은 학교."

생글거리며 웃는 그의 얼굴을 보던 해준은 가면 아래의 얼굴이 또다시 생각나 시선을 회피했다.

"앞으로 학교는 형이랑 같이 다니면 되겠다. 형이 잘 챙겨줄게."

마당에 쌓인 눈을 뭉치며 주절거리던 해원이 하얀 입김을 내뿜더니 고개를 내밀며 해준에게 물었다.

"참, 해준아…. 우리 숨바꼭질 안 할래?"

"숨바꼭질?"

"학교에서 친구들끼리 많이 하거든. 학교 갔는데 네가 잘 못하면 친구들이 안 좋아할 거 아냐. 형이랑 숨바꼭질 연습해 보자."

해원의 내민 손을 붙잡자, 그가 해준을 일으켜 세웠다. 이어 주먹을 내민 그가 말을 이었다.

"가위바위보! 지면 술래, 이긴 사람은 도망쳐서 꼭꼭 숨기. 숨어서 절대 들키지 않기. 들키게 된다면…. 빵! 사냥당하는 거야."

외침과 함께 손 모양을 바꾼 해원이 키득거렸다.

"사냥은 왜 당하는데?"

"이건 사냥꾼과 사냥감의 숨바꼭질이야. 사냥꾼이 사냥감을 찾아다니다가 이렇게 말해. '못 찾겠다 꾀꼬리!' 그러면 사냥감이 이기는 거지."

"진짜 총을 쏘는 거야?"

"하하, 해준아 진짜 총이 어딨어. 지금 나한테는 총 없어. 그래서 총으로는 못 죽여."

웃음을 터뜨리던 형이 이내 미소를 지었다. 그 미소만큼은 가짜가 아닌 진짜였다. 가면을 벗고 보이는 진짜 미소.

"자, 이제 시작해 보자. 얼른! 가위바위보로 술래부터 정하자."

그날, 가위바위보를 하지 말았어야 했을까. 형을 피해 숨어다닐 곳을 찾아 뛰어다니지 말았어야 했을까. 가짜 얼굴도 잊은 채 숨바꼭질 하나로 인해 신이 나서 웃지 말았어야 했을까.

어쩌면 커다란 불행은 그때부터였을지도 모른다. 마당에서 굴렸던 작은 눈덩이를 치우지 않아서, 그 눈덩이가 굴러 커다란 재앙이 된다는 것을 미처 몰랐던 것 때문에 모든 불행이 일어난 걸지도 모른다고 뒤늦게야 그런 생각이 들었다.

깊다. 그리고 답답하다. 떠지지 않는 눈에 해준은 눈살을 찌푸리며 몸을 움직였다. 어깨에 부딪히는 딱딱한 벽과 다리로 떨어지는 이상한 가루에 화들짝 놀라 눈을 떴다.

숨을 들이마시며 눈앞의 풍경을 바라봤다. 흙이다. 왼쪽도 오른쪽도 발아래도 모두 흙이다. 주먹을 들어 흙을 두드렸지만 딱딱하게 굳은 흙은 움직임이 없었다. 두드리는 힘에 떨어지는 흙만이 해준의 다리 위에 쌓여갔다.

호흡이 점점 가빠졌다. 살려달라고 외쳤으나 땅 위에 그 누구한테도 들리지 않는 모양이었다.

"엄마! 엄마! 도와주세요!"

흐느끼는 목소리가 갈라졌다. 이제는 목소리가 나오지 않았다. 흐르는 눈물에 시야가 흐릿해졌다. 살려줘요. 누가 제발 좀….

눈이 번쩍 뜨이며 침대에서 일어난 해준이 천천히 숨을 골랐다. 커튼 사이로 달빛이 흘러들어온 달빛에 컴컴해야 할 방안은 어둡지 않았다. 고요한 방안을 바라보던 해준의 등줄기에 땀이 흘러내렸다.

또 악몽이다. 이마에 맺힌 식은땀을 닦으며 침대 밖으로 나간 해준은 타는 듯한 갈증에 주방으로 향했다. 새벽의 집안은 조용했다. 어머니도 지금은 한창 잠들어 있을 때다.

악몽 하나 때문에 엄마한테 갈 순 없어.

"안 자고 있었어?"

해원의 목소리에 해준이 고개를 돌렸다. 어느샌가 복도에 서 있던 해원은 흘러내린 겉옷을 올리며 다가왔다.

"왜 잠옷 바람으로 돌아다녀. 안 추워?"

해준은 대답하지 않았다. 그의 얼굴을 보고 싶지 않았다. 상대하고 싶지 않았다. 입을 꾹 다문 채 자신을 무시하는 해준이 재밌다는 듯 웃으며 그가 벽에 기대어 물었다.

"표정이 안 좋네? 악몽이라도 꿨어?"

"아무것도 아니야."

고개를 저으며 컵에 물을 따른 해준이 목을 축였다. 무미건조한 반응에도 자리를 떠나지 않은 해원이 피식 웃었다.

"해준아, 밤에 그렇게 물 마시면 잠 안 올 텐데."

"신경 안 써도 돼."

"방으로 들어가려고?"

“응, 형도 이제 들어가.”

해원을 지나쳐 걸음을 옮기던 해준의 뒤통수에 대고 그가 물었다.

“잠 안 올 텐데? 형이랑 있을래?”

“괜찮다니까.”

“왜? 싫어? 잠도 깰 겸…. 숨바꼭질하자.”

숨바꼭질. 진절머리 나는 단어에 해준이 고개를 세차게 저으며 눈을 부릅뜨고 해원을 바라봤다.

“싫어, 나 이제 그딴 거 안 해.”

“왜? 지금까지 재밌게 해놓고선 이제 안 한다고?”

고개를 갸웃하며 다가오는 그에게 여전히 화난 얼굴로 해준이 입을 열었다.

“저번에 형이! 형이 그렇게 아버지 차에만 태우지 않았더라면…!”

“그래서 내 탓이라고?”

당연히…. 떨어지지 않는 입이 옴짝달싹하더니 이내 꾹 닫혀버렸다. 기막힌 듯 한숨을 내쉰 그가 해준의 몸을 툭툭 건드렸다.

“아버지의 말 못 들었어? 선택받은 건 너야. 애초에 너한테 일어날 일이었다고. 근데 왜 나를 탓해? 너를 탓해야지.”

몸을 밀어내며 다가오던 해원의 얼굴은 점점 굳어졌다.

“남 탓으로 돌리면 편해질 것 같았어? 멍청이같이 그런 생각을 했어? 너한테 일어난 모든 일은 네가 존재하기 때문에 일어나는 거야. 모두 네 탓이라고.”

“아니야!”

가까이 다가온 해원을 밀쳐내며 해준이 뒤로 물러났다.

“난 아무것도 잘못하지 않았어. 난 아무 짓도 안 했어.”

혀를 차며 옷을 털어내는 해원을 보며 해준이 울먹이기 시작했다.

“난 그런 짓 안 하고 싶다고, 그런 건 아버지나 하라고 해.”

“아버지 앞에서는 못 하는 말을 내 앞에서는 잘도 하는구나.”

흠칫 놀란 해준이 바닥에 시선을 고정했다. 바짓단을 쥔 주먹이 분노로 인해 떨리기 시작했다.

“아버지한테도 말할 거야.”

“네가 말할 수 있을까?”

“말할 수 있어!”

“아니, 넌 말 못 해. 영원히 말할 수 없을걸?”

한 걸음 다가온 해원을 피해 뒤로 물러나는 해준을 보며 해원이 냉소한 얼굴을 지었다.

“봐, 나한테도 겁을 먹고 떠는데 아버지 앞에서는 오죽할까.”

심장을 조여오는 공기에 해준은 입을 열 수 없었다. 말할 수 있다고 생각했던 다짐은 해원의 한마디에 물거품이 되어버렸다.

그래, 맞아. 아무 말도 못 해. 아버지 앞에서 나는 아무 말도 못 할 거야….

“형한테 화낸 건 조금 놀랐어. 전혀 그럴 줄 몰랐는데.”

해준의 머리 위에 손을 얹은 해원이 그의 머리카락을 거칠게 쓰다듬었다. 이어서 비릿한 미소를 지은 그가 입을 열었다.

“해준아, 오늘은 형이 술래야. 꼭꼭 숨어야 한다.”

“무슨 소리야! 나 안 한다고…!”

“도망쳐서 꼭꼭 숨기. 숨어서 절대 들키지 않기. 들키게 된다면….

죽을 거야."

머리카락을 움켜쥔 그가 머리를 잡아당겨 제 몸에 가까이 붙인 뒤 해준의 귓가에 속삭였다.

"진짜로 죽일 거라고."

"싫, 싫어…."

"자, 이제 숨는 거다? 1분 줄게."

해준의 머리를 놓아준 해원이 몸을 돌리자, 해준은 홀린 듯이 뛰기 시작했다. 방금 봤던 저 두 눈은 진심이었다. 내내 생각했던 가면이 벗겨져 공허한 눈동자가 해준을 전부 담고 있었다. 죽여버린다고 말하던 자신을 담은 눈동자에서 벗어나고자 해준은 죽도록 달렸다. 마당 밖으로 나온 해준은 잡동사니가 쌓인 창고 안으로 들어가 문을 닫았다. 벽에 기댄 채 주저앉아 두 귀를 틀어막고 추위에 떨리는 몸은 잔뜩 움츠러들었다. 정신없이 뛰는 탓에 잃어버린 한쪽 슬리퍼로 인해 하얀 맨발에는 자잘한 상처가 생겼다. 상처에 맺힌 붉은 핏방울을 바라보던 해준이 좀 더 몸을 오그렸다.

들키면 죽는다. 이 집에서 형이 나를…. 맺혀있던 눈물이 뺨을 타고 흘렀다. 사냥꾼과 사냥감. 형과 늘 같이하던 숨바꼭질에서는 해준이 사냥꾼이 된 적도 해원이 사냥감이 된 적도 있었다. 하지만, 하지만 처음부터 입장은 정해져 있었다. 숨바꼭질을 처음 시작한 3년 전의 그 겨울처럼, 해준은 해원을 피해 도망 다니는 사냥감이었고, 해원은 그를 찾아다니는 사냥꾼이었다. 총 한 번에 목숨을 잃는 사냥감.

총에 죽을까 두려워하면서 숨어다니는 나약한 존재였다. 나약하고 약해서 도망밖에 못 치는 존재였다. 집에 어머니가 있는 이상, 아버지가 훗날 돌아온다는 걸 알고 있는 이상, 형이 정말로 죽이지는 않을 것이라고 생각해도, 공포로 인한 두려움에 그가 한 행동은 오직 도망뿐이었다. 도망쳐 버리는 일. 마주치지 않게 피해버리는 것만이 해원과 부딪히지 않는 방법이었다.

닫혀있던 창고의 문이 벌컥 열리고 흠칫 놀란 해준이 고개를 들었다. 문을 열고 들어온 해원과 눈이 마주친 순간, 해준은 그 자리에서 숲속에서 봤던 아버지의 얼굴을 떠올렸다.

아버지가 죽이던 그 여자의 얼굴이 떠올랐다.

"형! 살려줘…. 내가 잘못했어."

기어가듯이 달려가 형의 옷깃을 붙잡으며 해준이 우는 얼굴로 애원했다. 벌벌 떨리는 몸으로 잡은 옷을 놓치지 않기 위해 잔뜩 힘을 주었다.

"이번에는 여기 숨어있었구나. 한참 찾았어."

"형, 내가 잘못했어…."

"으음, 걱정하지 마. 내가 널 죽인다고 한 적은 없잖아?"

장난스러운 미소에 정신이 멍해졌다. 힘 빠진 손에서 그의 옷깃이 빠져나갔다.

"밤이 많이 늦었으니까, 숨바꼭질은 여기까지만 하자."

얼른 들어가서 자. 그런 말을 덧붙이며 해원은 해준을 뒤로하고 떠나버렸다. 열린 문으로 들어오는 쌀쌀한 공기에 해준이 몸을 떨었다. 역시, 죽이지 않았다. 죽지 않았다.

안도감에 긴 한숨이 나왔다. 하지만 이내 온몸을 감싸는 두려움은 힘없는 다리에 억지로 힘을 줄 생각조차 못하게 만들었다.

아버지와 형. 너무나도 닮은 두 사람. 하지만 뭔가 결이 다르게 느껴지는 건 도대체 무엇 때문인지 해준은 알 수 없었다. 두 사람 모두 해준에게는 두려운 존재라는 건 변함없다. 하지만 형에게서 느껴지는 이 공포는 아버지보다 훨씬 더 잔인하고 차가운 기운을 담고 있었다. 아버지가 사람을 죽이던 숲속의 공기보다, 숨 막히던 숨바꼭질을 마친 지금의 공기보다 더더욱 차가운 기운이 담겨있었다.

교실 안에서 여자아이의 울음소리가 들려왔다. 불길한 기분에 가방끈을 꼭 쥐고 안으로 들어가자, 아이들의 대화 소리가 들려왔다.

“정말이야? 어디 갔는지 모른대?”

“혹시 누가 데려간 거 아냐?”

“누가 그런 나쁜 짓을 해?”

삼삼오오 모여 대화를 나누던 아이들이 해준의 발소리에 고개를 돌렸다. 눈을 깜빡이며 아이들의 눈치를 살피자, 가까이 서 있던 한 아이가 이 상황을 설명했다.

울고 있는 아이의 소중한 반려견이 사라져 버렸다고, 잠시 마당을 뛰어놀 수 있게 풀어놨는데 사라져 버렸다고. 집 밖으로 나갈 리가 없는데 잠깐 사이에 없어졌다고 그렇게 전했다. 다른 이를 통해 소식을 듣는 동안 여자아이는 반려견의 이름을 부르며 서럽게 울었다. 이 모든것을 지켜보던 해준은 알 수 없는 불쾌함을 느꼈다. 교실에서 울고 있는 아이, 주변을 둘러싸고 위로하는 친구들. 우는 아이에 대한 걱정보다 이런 감정을 느끼는 자신이 너무나 미워져 발끝에서 올라오는 불쾌한 감정을 피해 자리를 떠났다.
"학교 잘 다녀왔어?"
오후의 햇살이 드리운 해준의 방. 창문을 통해 들어오는 햇빛을 맞으며 서 있던 해원이 웃는 얼굴로 해준을 맞이했다.
"여기 내 방인데, 어떻게 들어왔어?"
"열려있으니까 들어왔지."
"언제부터 있었는데…?"
"얼마 안 됐어. 걱정하지 마. 훔친 거 없어."
그걸 걱정하는 게 아니겠지만. 말을 덧붙인 해원이 천천히 해준에게로 다가왔다. 한 손을 등 뒤에 감추고 있는 꼴이 영 수상해서 긴장을 늦추지 않고 형을 훑어보며 뒤에 숨겨져 있을 물건을 상상했다. 어떤 것이든 좋은 쪽은 아닐 것 같았다. 설령 좋은 쪽이라고 해도, 나중에는 화를 입을만한 최악의 물건일 것이다. 해원이라면 그러고도 남을 사람이니까. 해준이 경계 어린 눈빛을 보내는 와중에도 해원은 기분이 좋은 듯 웃고 있었다. 기분이 나빠져 그의 눈을 피한 해준에게 해원이 말했다.
"뭘 그렇게 생각해?"
"뒤에 뭘 숨기고 있는 거야?"
"아, 이거? 궁금해?"
"아니, 내 물건이 아니라면 궁금하지 않아."
단호하게 고개를 젓자, 해원이 서운한 표정을 지었다.
"속상하네. 이거 너한테 주려고 내가 준비한 건데."

형이 준비했다고? 억지로 서운한 티를 내는 그의 얼굴을 보자, 교실에서의 그 불쾌한 감정이 다시 살아나 해준의 발을 타기 시작했다. 다리를 감싸고 점점 오르는 불쾌함에 이 방의 공기가, 째깍거리는 시계가, 바람에 조금씩 흔들리는 창문이 모두 예민하게 다가왔다. 뒷짐을 진 채 다가온 해원이 해준과 가까이 선 뒤 서운한 표정을 지우고 입꼬리를 올렸다.

"자, 선물은 이거야."

손에 들린 물건을 들어 올린 해원이 곧이어 물건을 바닥으로 떨구었다. 떨어진 물건을 따라 시선을 내린 해준이 숨을 삼켰다.

피에 젖은 하늘색 목줄. 그리고 목줄에 달린 금색 명찰에 적힌 이름. 그 이름을 부르며 슬피 울던 여자아이의 얼굴이 떠올랐다.

"형, 설마…."

"숨바꼭질 벌칙이야. 너 때문에 일어난 일이니까, 죄책감 가질 필요 있어. 이건 온전히 네 탓이다?"

속이 울렁거렸다. 붉은 피가 계속 눈에 걸렸다. 비릿한 냄새가 올라오는 기분이 들었다. 가족 같은 사이라고 했다. 소중한 동생이라고 들었다. 학교에서 반려견을 자랑하는 여자아이의 얼굴은 너무나 행복했었다. 그 행복이 한순간에 깨져버렸다.

나 때문에. 그날의 숨바꼭질로 인해. 해원의 손에 처참히 죽어버렸다. 몸이 굳어버린 해준이 겁에 질린 눈으로 목줄을 바라봤다. 우뚝 선 채 그런 해준의 모습을 구경하던 해원이 물었다.

"얼른 주워서 친구한테 갖다주는 건 어때? 이거 찾았다고."

피 묻은 목줄을 가리키며 해원이 웃었다.

"그러면 학교에서까지 소문이 나려나. 친구의 강아지를 괴롭혀서 죽인 아이라고?"

턱에 손을 얹은 채 앓는 소리를 내던 해원이 이내 손뼉을 쳤다.

"아버지한테만 말하자. 이거 얼른 가져다드리면서 이렇게 말해. '아버지, 제가 불행한 아이에게 안식을 선사했어요. 아버지의 뜻에 따라서 제가 해냈어요.'"

자신이 해준이라도 되는 양 두 손을 모은 채 눈을 반짝이던 해원의 얼굴은 연기가 끝나자 빠르게 굳어졌다.

"어때. 둘 중에 어떤 선택을 할 거야?"

"둘 다 싫어…."

"그럼 내가 해줄까?"

떨어진 목줄을 다시 주워 든 해원이 그것을 흔들었다. 금색 명찰이 함께 흔들리더니 이내 툭 끊어져 떨어졌다. 떨어진 명찰이 굴러 해준의 발치 아래에 멈추고 해준은 말없이 명찰을 바라봤다.

"아니면 그거라도 주워서 그 친구한테 가져갈래? 거기에는 피 같은 거 안 묻어있는데."

해원의 말을 무시한 채 해준은 입을 다물었다. 반응하면 할수록 그는 즐기는 눈치였다. 해준이 두려워하는 모습을 방황하는 얼굴을 즐기고 있다. 이를 악문 채 가만히 해원을 노려보자, 해원이 표정 없는 얼굴로 입을 열었다.

"이제 말을 안 하기로 한 건가? 대응하지 않기로 한 거야?"

떨리는 입술은 열리지 않았다. 대답하지 않는 동생에게서 시선을 돌려 떨어진 명찰을 바라보던 해원이 이내 들고 있던 목줄마저 해준의 앞에 던졌다.

"그래. 그럼, 오늘은 여기까지 하자. 이건 네가 알아서 해."

해준을 지나쳐 방 밖으로 나가기 전 해원이 멈춰섰다. 손잡이를 잡으며 고개를 돌린 그가 웃으며 물었다.

"너무 걱정하지는 마. 남들한테 발견되는 일은 없을 테니까."

닫히는 문소리와 함께 긴장감이 풀린 해준이 비틀거리며 허리를 숙였다. 목줄과 금색 명찰을 양손에 쥐자, 눈물이 고였다.

"미안해…. 정말, 미안해."

전할 수 없는 사과를 수없이 내뱉으며 해준이 눈물을 흘렸다. 목줄 위에 툭 떨어지는 눈물이 천천히 젖어 들었다. 입술을 깨물며 새어 나가려는 울음소리를 참으며 흐느끼던 그때였다.

"해준아! 무슨 일이야?"

문을 열고 들어온 어머니의 얼굴에 해준이 눈물을 삼켰다. 들고 있던 물건을 들키기 싫어 감추려는 순간, 빠르게 다가온 어머니가 해준의 양팔을 잡았다.

"왜 울고 있어? 이건 또 뭐고…."

피 묻은 목줄을 혼란스러운 얼굴로 바라보는 어머니에게 해준이 급한 얼굴로 입을 열었다.

"엄마, 아무것도 아니에요. 이건…."

"서해준. 거짓말하지 마. 더 이상 거짓말하지 말렴."

항상 미소를 보이던 어머니가 눈살을 찌푸리며 진지한 목소리로 말했다. 달라진 어머니의 분위기에 흐르던 눈물이 멈추었다.

"해준아, 엄마한테 사실대로 얘기해줘. 엄마가 모르는 사이에 무슨 일이 있었던 거지? 네가 아버지를 더욱 무서워하는 것도 아버지가 널 따로 불렀던 것도 다 무슨 일이 있어서 그런 거지? 너한테 몹쓸 짓을 했니? 위험한 일을 시킨 거니?"

머릿속에 어머니의 질문이 들어올수록, 숲속에서의 그 일이 점점 선명하게 재생됐다. 얼굴도 그 소리도 점점 확실해지며 마치 지금 당장 그 장소에 있는듯한 환각까지 보이기 시작했다. 그리고 쓰러진 여자가 어머니로 바뀐 순간, 재생되던 기억이 멈췄다.

"아무 일도 없어요! 정말이라고요!"

잔뜩 성을 내자, 어머니가 당황하며 해준에게서 손을 떼어냈다. 손에 든 것들을 바닥에 떨구며 해준이 두 눈을 질끈 감았다.

"궁금해하지 마세요. 물어보지도 마세요. 아무 일 없다는데 왜 자꾸 물어보시는 거예요. 전 괜찮다고요!"

움직이지 않던 두 발이 바닥과 떨어지고 해준은 그대로 방 밖으로 달려 나갔다. 어머니한테 화를 냈다. 속상해하시겠지. 내가 어머니한테 화를 내서 슬퍼하시겠지. 마당으로 나온 해준이 움츠린 채 구석에 숨었다. 아버지의 얼굴이 형의 얼굴이 어머니의 얼굴이 번쩍이며 머릿속에서 바뀌었다. 싫어. 다 싫어. 괴로워. 무서워.

머리를 감싼 채 해준이 눈물을 글썽였다. 신을 찾고 싶어도 도움을 청하고 싶어도 밝은 동아줄 따위는 내려오지 않을 것이다. 최악의 상황으로 아버지가 믿는 잘못된 신이 해준을 찾아올까 두려워서 감히 부르지 못했다. 도와달라고 빌지 못했다. 그저 이 상황을 부정하며 두 눈을 감은 채 흐느끼는 것만이 해준이 지금 유일하게 할 수 있는 행동이었다.

그로부터 며칠이 지난 어느 날 오후, 학교 정문에 서 있는 익숙한 얼굴에 해준이 걸음을 멈췄다. 아버지의 친척 어른이다. 아버지의 첫 번째 누나.

중년의 여자는 못마땅한 얼굴로 해준을 바라보며 해준의 팔을 붙잡으며 말했다.

"왜 이제 나와? 얼른 따라와."

무슨 일이냐고 묻기도 전에 열린 차 뒷좌석에 가만히 앉아있던 형과 눈이 마주쳤다. 어른과 있을 때는 항상 웃는 얼굴이던 해원이 오늘따라 조용했다. 표정 없는 고요한 얼굴에 기묘한 기분이 든 해준이 물었다.

"형, 도대체 무슨 일이야?"

해준의 질문에도 대답하지 않고 창밖으로 시선을 돌린 해원에게 해준이 팔을 뻗었다.

"무슨 일이냐고. 형."

"조용히 하고 앉아있어라. 가서 설명해 줄 테니."

운전석에 앉아있던 남자가 해준을 바라봤다. 그의 말에 해원을 붙잡은 손을 놓은 해준은 고개를 숙였다. 갑자기 이게 뭔데. 집에 안 가고 어디로 데려가는 거냐고. 말도 안 해주고 뭐야. 생각하면 생각할수록 억울했다. 혹시 나쁜 짓을 하려는 게 아닐까. 어른들 앞에서는 얌전히 구는 형이 묻지도 않은 채 잠자코 있는 거라면 이 상황에 관해 물을 수 있는 건 해준뿐이었다.

"고모, 정말 무슨 일이에요? 왜 말해주시지 않는 거예요? 무슨 일인지 알려줘야 갈 거예요!"

해준의 외침에 차량을 출발하려던 남자와 거울을 든 채 얼굴을 확인하던 여자가 동시에 뒤를 돌아보았다. 그 순간이었다.

"어머니가 돌아가셨어. 그래서 장례식장에 가는 거야."

믿을 수 없는 이야기에 저절로 고개가 돌아갔다. 창문 밖에 시선을 고정한 채 해원이 말을 이었다.

"이제 알았으면 조용히 따라와."

무슨 소리하는 거야. 누가 돌아가셨다고? 해원의 얼굴을 바라보던 해준은 몸은 빠르게 차가워졌다. 차가워지는 몸과 함께 시야도 점점 어두워졌다. 컴컴한 의식 속에서 해준은 해원의 말을 되새겼다. 되새길수록 이해가 되지 않아서 이해하기 위해 쉼 없이 머리를 굴렸다. 그날 그렇게 화를 낸 이후, 해준은 어머니를 피해 다녔다. 화를 낸 것에 대해 사과해야 했는데 그러지 못했다. 다가오는 어머니께 어색하게 굴었고, 못 들은 척하며 자신을 부르는 어머니를 무시했다. 그렇게 한다면 어머니가 자신에게 관심을 거둘 테고, 아버지와의 일을 형과의 일을 더 이상 추궁하지 않을 테고, 시간이 지나 해준이 화를 낸 것에 대해 사과하면 끝날 일이라고 생각했다.

그런데, 이렇게 갑자기…. 멍한 정신으로 해준이 넋을 놓는 동안 차량은 장례식장에 도착했고 어른들의 이끌림에 어머니의 빈소에 도착했다. 그 안에서 아버지를 보는 순간, 어지럽던 머리에 큰 충격이 울렸다. 검은 정장을 입고 조용하게 서 있는 아버지. 어머니의 죽음에도 평소와 같은 얼굴로 서 있는 아버지를 보자, 심장이 멎는 듯한 고통이 찾아왔다. 어머니의 죽음, 평온한 아버지.

작은 가능성이 머릿속에 떠오르자, 온몸에 소름이 돋았다. 고개를 내저으며 그 자리에서 벗어난 해준이 복도를 달려 구석진 계단으로 향했다. 계단에 쭈그려 앉은 해준이 무릎을 끌어안은 채 고개를 숙였다.

'엄마의 어릴 적 꿈은 엄마의 집에 정원을 만드는 거였어. 가운데에 서서 수많은 꽃을 바라보면서 향기를 맡는 게 엄마가 바라던 행복한 삶이었어.'

기억 속에서 튀어나온 어머니의 말. 어머니가 추구하던 행복.

'해준아, 오늘 아침은 팬케이크야. 같이 먹자.'

미소를 지으며 보여줬던 팬케이크의 냄새도 툭 튀어나왔다. 잊고 있었던 기억들이 하나둘씩 튀어나오며 해준의 심장을 옥죄었다.

"약을 먹고 스스로 돌아가셨대. 엄마가."

계단에 앉아있던 해준의 앞에 다가온 해원이 말했다. 튀어나오던 기억들이 그의 얼굴에 의해 모두 부서졌다.

"그럴 사람으로 안 보였는데, 이상하지?"

해원의 질문에 고개를 들었다. 멍한 얼굴이 뭐가 그렇게 웃긴 건지 해원이 말을 이었다.

"해준아, 어머니를 불행하게 만들면 어떡해."

울렁거리는 속쓰림에 해원의 얼굴이 일그러져 보였다. 일그러진 해원의 얼굴은 괴물 그 자체였다. 사악하게 웃는 괴물이었다.

"네가 지키지 못한 거야. 네가 어머니를 불행하게 만들어서 이 꼴을 만든 거라고."

불행. 안식. 구원. 아버지가 해준에게 강요하던 그 단어들이 속을 긁기 시작했다. 다시금 목을 졸리며 죽어가던 여자의 얼굴이 떠오르자, 구토감에 해준의 얼굴은 사색이 되었다. 점점 하얗게 질리는 얼굴은 또다시 시야를 뿌옇게 만들었다. 그러는 사이 해준은 해원이 자신을 떠나간 사실도 어른들이 해준과 해원을 어떻게 할 건지 의논하는 이야기도 듣지 못했다. 그저 멍하니 누군가의 이끌림에 따라 무력하게 움직일 수밖에 없었다.

어른들의 뜻에 따라 집에 돌아온 형제는 아무 말 없이 각자의 방으로 들어갔다. 홀로 방안에 들어와 문을 닫자, 복도에서 새어 나오던 밝은 빛마저 사라져 깊은 어둠이 해준의 눈을 덮쳤다. 어둡다. 이 큰 방이 오늘따라 더욱 어두웠다. 천천히 앞으로 걸어 나가던 해준이 바닥에 놓여 있던 카펫에 걸려 넘어지고 두 무릎을 바닥에 찧었다. 몰려오는 고통에 얼굴을 찡그리며 몸을 일으키려던 해준이 입을 열었다.

"엄마…."

자신도 모르게 나온 단어에 해준은 현실을 깨닫고야 말았다. 이제는 엄마를 불러도 엄마는 오지 않는다. 일으켜 주지 않는다. 괜찮냐고 물어보지 않는다. 엄마는 이제 이 세상 사람이 아니니까.

엄마는 죽었으니까. 엄마가…. 이제는 없으니까.

미소 짓던 어머니의 얼굴을 떠올렸다. 다정한 손길 또한 같이 떠올렸다. 자신을 안아주던 따뜻한 품이 떠올랐다.

'네가 지키지 못한 거야.'

그런 말을 내뱉으며 비웃던 형의 얼굴이 생각나자, 분노로 인한 설움이 몰려왔다. 터져 나오는 눈물에 울부짖으며 연신 땅을 내리쳤다. 아니라고 부인할 수 없어서 더욱 화가 났다. 내 탓이다. 엄마가 그렇게 죽은 건 모두 해준의 탓이었다. 해준이 제대로 하지 못해서, 엄마에게 거짓말을 해버려서 엄마가 죽은 것이다.

작은 가능성. 장례식장 안에서 해준이 생각했던 작은 가능성이 어느샌가 덩치를 키워 해준의 앞에 나타났다. 그리고 그 가능성은 꿈틀거리며 자신의 외형을 바꿔었다. 자신이 두렵고 무서워했던 아버지의 얼굴로 해준을 내려다보았다.

'약을 먹고 스스로 돌아가셨대. 엄마가.'

거짓말이다. 엄마가 그런 선택을 할 리가 없어. 엄마의 선택이 아닐 거야. 아버지 짓일 거야. 엄마가 나를 두고…. 머릿속에 흐려지며 어머니를 외면하던 제 모습이 떠올랐다. 걱정하며 다가오는 얼굴에도 불편한 얼굴로 피하던 과거의 자신이 떠올랐다.

설마, 만약에 그런 모습에 슬퍼하셔서 그것 때문에….

"아니야, 아니야, 아니야!"

주먹을 세게 쥐고 계속해서 바닥을 치던 해준은 이내 엎드려서 흐느끼기 시작했다. 아버지에게 따지고 싶어도 형에게 따지고 싶어도 그들에게 여전히 겁을 먹고 있는 자신이 미워서 이 분통을 해결할 수 없어서 흐르는 눈물은 멈추지 않았다.

어머니가 죽은 뒤 남은 세 사람은 별반 다를 바 없는 일상을 보냈다. 처음에는 멀쩡한 아버지와 형이 너무나 미워서 그들과 대면하지 않도록 노력했다. 하지만 그 노력을 얼마 들이지 않고도 해준이 원하는 대로 상황은 흘러갔다. 무슨 연유에서인지 아버지는 더 이상 해준에게 관심을 가지지 않았다. 안식에 대한 예행 얘기도 꺼내지 않았다. 해준과 마주쳐도 말없이 지나갔다. 그리고 함께하는 식사 자리가 더욱 무겁고 고요해졌다. 마치 해준이 존재하지 않는 사람처럼 대하는 아버지가 갑자기 왜 변했는지 해준은 알 수 없었지만, 오히려 그런 행동을 해주는 아버지에게 우습게도 고마웠다. 하지만 그러는 한편 지우지 못한 어머니의 죽음에 대한 상처가 매일 밤 해준을 괴롭혔다.

바쁜 일과와 잦은 외국 출장으로 아버지의 얼굴은 더더욱 보기 힘들어졌다. 그로 인해 함께하는 식사 시간도 줄어들었고 어린 형제를 챙기는 건 아버지가 고용한 사람들뿐이었다. 별다른 애정 없이 그들의 도움을 받으며 자란 형제 사이도 어머니의 죽음 이후 멀어졌다. 해원은 해준에게 다가오지 않았고, 아버지처럼 해준을 없는 사람 취급했다. 이 또한 해준에게는 좋은 일이었으나. 이 모든 일이 어머니의 죽음으로 이루어진 일인 것 같아서, 너무 괴로웠다. 어머니의 죽음이 없었더라면 이런 상황을 맞지 못했을까. 더욱 최악의 상황이 찾아와도 차라리 어머니가 살아계셨으면 좋겠다고 이루어질 수 없는 일을 바라면서 그렇게 시간은 흘렀다.

열일곱의 겨울, 눈이 쌓인 마당을 바라보던 해준은 걸음을 옮겨 곤히 자고 있을 아버지의 방으로 향했다. 얼마 전, 갑자기 찾아온 지병으로 일하던 도중 쓰러진 아버지는 휴식을 위해 집에서 요양을 시작했다. 하지만 아버지는 시간이 지날수록 더욱 기력이 약해졌다. 병원에 입원하는 게 낫지 않겠냐는 고모들의 의견과 그럴 필요까지 없다는 큰아버지의 의견이 충돌하며 아버지에 대한 어른들의 얘기가 오가는 동안 해준은 집에서 아버지를 간병하는 역할을 떠맡겼다. 원치 않는 일이었지만, 간병인이 홀로 아버지를 돌보는 것보다 아들이 함께 아버지의 상태를 확인하는 것이 낫지 않겠냐는 작은 아버지의 성화에 어쩔 수 없이 내린 선택이었다.

'해원이는 입시 때문에 바쁘잖아. 낳아주신 아버지인데 효도는 해야 할 거 아니냐.'

'집에 있는 네가 아버지 상태 좀 살펴. 늦은 밤에는 간병인도 없는데 위급한 상황일 때 도울 사람은 너밖에 없잖아?'

잠을 자는 아버지의 얼굴을 바라보며 해준이 길게 한숨을 쉬었다. 차라리 이렇게 계속 누워있으면 좋겠다. 이렇게 조용하게 계속 잠을 자듯이 누워있다가….

죽었으면 좋겠다. 모은 두 손에 힘을 쥐고 해준은 두 눈을 감았다. 여전히 사라지지 않은 끔찍했던 기억. 그 기억이 해준의 목을 졸랐다. 불편한 얼굴로 와이셔츠의 맨 윗단추를 풀어 헤친 해준은 의자에 기대 어두운 천장을 바라봤다. 이런 생각을 하면 죽어서 지옥에 갈까. 어머니와 함께하던 성당의 모습이 아른거리자, 해준이 눈가를 짓눌렀다. 그 순간이었다.

"서해준…."

갈라지는 목소리가 해준의 귀를 찔렀다. 놀란 눈으로 벌떡 일어난 탓에 앉아있던 의자가 해준의 힘에 밀려 뒤로 넘어졌다. 누워있는 채로 두 눈을 번쩍 뜬 아버지가 해준을 똑바로 바라보고 있었다. 아버지가 잠이 들 때마다 그의 상태를 확인하던 해준이었기에 이렇게 깨어난 채로 대면하는 건 처음이었다.

"안식…. 안식을 진행하는 자는 네가 되어야 해."

팔을 뻗는 아버지의 손길을 피해 해준이 뒤로 물러났다. 안식. 몇 년 만에 꺼낸다는 대화 주제는 계속해서 해준을 옥죄는 지옥이었다. 수척한 아버지의 얼굴에서는 여전히 광기가 가득 찼다. 울컥한 마음에 성난 얼굴로 해준이 외쳤다.

"갑자기 무슨 소리하시는 거예요! 몇 년 동안 그딴 얘기는 하지 않으셨으면서…. 갑자기 왜 그러냐고요!"

왜…. 왜 갑자기 나한테 이러는 건데. 억울한 마음에 해준은 이를 악물었다. 조용히 살았다. 다른 아이들처럼 친구들과 어울리지 못해도 말썽을 일으키지 않고 잘 지냈다. 그러기 위해 해원과 다른 학교에 진학했고 아버지와 형의 흔적을 지운 채 평범한 학생처럼 보이기 위해 애썼다. 그들처럼 되지 않기 위해서, 끔찍한 모습으로 변질되지 않기 위해서 어머니의 뜻대로 올곧게 자라기 위해 어릴 적 어머니를 따라갔던 성당으로 찾아가 속죄했다. 그렇게라도 하지 않으면 이 죄책감이 자신을 죽일 것 같았다. 아버지가 죽인 여자가, 그리고 그 여자 외에도 수없이 희생당했을 사람들이 해준을 미워할 테니까. 아버지를 내버려 두는 자신을 원망할 테니까. 그런 그들의 생각을 지우고 또 지우기 위해 과거 어머니가 보여줬던 모습처럼 간절하게 두 손을 모았다. 염치없이 자신에게 평범한 삶이 주어지길 바랐다. 이대로 아버지와 형의 관심 밖에서, 혼자 조용하고 평온하게….

하지만, 그런 작은 바람조차 용납되지 못하는 걸까.

"안식을…!"

두 눈을 번쩍 뜨고 힘을 쥐어짠 목소리가 터진 입술 사이에서 흘러나왔다. 자신에게 뻗은 손을 뒤로한 채 해준이 방 밖으로 나섰다. 세게 닫힌 문소리가 복도에 울려 퍼지고 해준이 문에 기댄 채 주저앉았다. 호흡이 떨렸다. 머리를 쓸어 올리며 해준은 입술을 깨물었다. 안식이라는 단어를 지우기 위해 머리를 쥐어뜯으며 계속해서 고개를 내저었다. 오늘의 일을 잊어버리자고 수없이 다짐하며 해준은 이를 악물었다.

폭설이 내린 어느 늦은 밤. 거실 소파에 기대어 잠든 해준이 천천히 눈을 떴다. 언제 잠든 거지. 눈살을 찌푸리며 휴대폰을 집고 시간을 확인했다. 자정이 훌쩍 넘은 시간이다. 늦은 밤에 학교를 마치고 집으로 돌아와 이곳에 앉아 그대로 잠들어버렸다. 눈가를 비비며 화장실로 향한 해준이 가벼운 세안을 마쳤다. 수건을 들어 얼굴을 닦으며 해준은 잠들어 있을 아버지를 떠올렸다. 혹시 지금 깨어있진 않겠지. 저번의 그 일 이후, 아버지의 방에 찾아가는 게 꺼려졌다. 어른들을 속여 늦은 밤 아버지를 챙겼다고 고하는 것도 며칠째. 이제는 직접 찾아가야 하나 고민하던 그때였다. 방문이 닫히는 소리가 귓가에 들려오자, 저절로 고개가 돌아갔다. 늦은 밤에 집에서 깨어있을 사람은 해준 외에는 없다. 아버지가 깨어나시기라도 한 걸까. 일어나서 걸어 다닐 정도로 멀쩡해지신 건가? 마른침을 삼키며 천천히 걸음을 옮긴 해준이 아버지의 방 앞에 멈춰섰다.

"열려있잖아…?"

문이 닫힌 소리는 아버지의 방이 아니었나. 열린 문틈 사이로 아버지가 누워있는 침대를 향해 시선을 옮긴 그 순간이었다. 열린 커튼을 통해 들어오는 달빛에 너무나도 선명하게 두 남자가 눈에 들어왔다. 커다란 베개를 들고 있는 두 손의 주인은 표정 하나 없는 얼굴로 더욱 힘을 주어 베개를 누르고 있었고, 숨이 막혀 버둥거리는 나약한 몸의 주인은 자신을 죽이고 있는 남자의 팔을 꽉 붙들고 있었다. 그제야 들려오는 고통스러운 소리에 해준의 숨이 멎었다.

형이 왜 여기에….

눈에 비친 해원의 모습에 해준은 몸을 움직일 수 없었다. 해원이 고등학교에 진학하고 난 뒤, 그의 기숙사 생활로 인해 3년 동안 얼굴을 보지 못했다. 이따금 집에 오더라도 해준과 마주치는 일은 없었다. 해준이 해원을 피하는 것도 있었지만, 그가 해준을 딱히 찾아다니지 않는 것도 이유라면 이유였다.

"아버지가 그러셨죠. 젊었을 시절 그 두 손으로 아버지를 죽이던 그 기분이 잊히지 않는다고…. 자신이 했던 행동 중에서 제일 값진 행동이었다고요. 그 말씀을 해주셨을 때부터 내내 궁금했어요. 근데 생각보다 별거 없네요."

해원의 말에 더욱 거세게 발버둥 치는 아버지를 보며 그가 웃음을 터뜨렸다.

"아버지, 아버지 기분은 어떠세요? 자식한테 죽임당하는 기분은?"

움직일 수 없다. 이곳에서 얼른 벗어나야 하는데, 몸이 움직여지지 않았다.

"좋은 경험 아니에요? 할아버지의 기분을 똑같이 느껴보는 거잖아요. 그니까 너무 억울해하지 마세요. 저는 아버지처럼 똑같이 행동하는 것뿐이니까."

아버지의 팔은 계속해서 해원을 붙잡고 때리고 또 허공을 휘저었다. 숲속에서 죽임을 당한 그 여자처럼 아버지는 무력하게 몸부림쳤다. 그들이 느꼈을 숨이 막혀오는 공포를 아버지도 똑같이 겪고 있을까? 아버지가 죽인 그 여자처럼? 죽여왔을 수많은 사람처럼?

나약한 중년 남자의 몸부림이 잦아지고 이내 아버지의 몸은 축 늘어졌다. 그럼에도 여전히 베개를 놓지 않고 꾹 누르던 해원이 미소를 지었다.

"정말 돌아가셨어요? 이렇게 허무하게?"

소리 내어 웃던 해원이 이내 침대 아래로 내려왔다. 손에 든 베개를 대충 던져둔 채 죽은 아버지를 바라보던 해원의 뒷모습에선 어렸을 적보다 더한 공포가 느껴졌다.

자신을 길러준 아버지마저 아무런 동요 없이 죽이는 남자가 더 이상 가족으로 느껴지지 않았다. 괴물이다. 사람이 아닌 괴물이었다. 벗어나야 한다. 여기서 나간 뒤에 다른 누군가한테 사실을 전해서, 보았던 모든것들을 말해야….

몸을 움직이기 위해 잔뜩 힘을 주던 해준과 고개를 돌린 해원의 눈이 마주쳤다. 그리고 성큼거리며 다가온 해원이 빠르게 방문을 열 동안 애석하게도 해준은 움직이지 못했다. 눈이 마주친 순간, 두려움에 삼켜진 해준의 의식은 두 발을 이곳에 묶어버렸다.

"봤구나."

소름 끼치는 목소리에 해준이 비틀거리며 주저앉았다. 아무런 말도 할 수 없다. 아니, 무슨 말을 꺼내야 할지 생각이 나지 않았다.

자신을 내려다보며 미소 짓는 해원의 얼굴은 아버지보다 더욱 섬뜩했다.

"왜 안 들어왔어? 멀리서 봐서 잘 안 보였을 텐데."

"뭐…?"

다가온 해원이 해준의 멱살을 잡아 올렸다. 해원의 힘에 끌려 방 안으로 들어간 해준은 죽어있는 아버지의 얼굴을 보았다. 두 눈을 감지도 못한 채 부릅뜬 눈동자에 자신을 잡은 해원의 손을 떨쳐내며 소리쳤다.

"이거 놔! 뭐 하는 짓인데!"

"이제야 정신 차렸네? 넋 나간 사람처럼 굴더니, 죽은 아버지를 보니까 정신이 드나 봐?"

"아버지…? 지금 형이 그딴 말 할 자격 있어? 정신 나간 건 형이겠지! 어떻게 아버지를…!"

해준을 응시하던 해원이 갑자기 웃음을 터뜨리자, 해준이 입을 다물었다. 배를 움켜잡고 즐겁다는 듯이 웃은 해원이 해준을 보며 입을 열었다.

"야, 누가 보면 충실한 효자인 줄 알겠어. 왜 그런 말로 효자 행세를 해? 누구보다 아버지가 죽기를 바라는 건 너면서."

해원의 말에 심장이 덜컥 내려앉았다. 아버지가 죽었으면 좋겠다고 생각한 과거의 나날이 뇌리에 스치자, 입술이 떨어지지 않았다.

"예전에도 그렇고 이번에도 그렇고 항상 내가 대신해 주네. 형 없이는 못 살겠는데?"

"…지랄하지 마."

떨리는 목소리를 내뱉자, 해원이 웃으며 손을 내저었다.

"장난 좀 쳐본 거야. 표정이 어둡길래. 설마 아버지가 죽어서 속상한 건 아니지?"

"아버지 얘기하지 마. 그만하고, 빨리 여기서 나가. 그리고 당장 나가서 말해. 형이 아버지를 죽였다고…. 형이 말하지 않는다면 내가 말할 거야."

"하하, 말할 순 있고?"

"말할 수 있어."

"그래서 매번 경찰서 앞을 서성거린 거야? 아버지 짓을 말하기 위해서? 아니면 내가 한 짓을 말하기 위해서인가?"

해원의 말에 두 눈이 동그래진 해준이 숨을 삼켰다. 형이 그 사실을 어떻게 알았는지 추궁하기도 전에 해원이 먼저 입술을 뗐다.

"말한다고 해서 달라졌을까? 아니, 애초에 네 말을 믿어줬을까? 경찰들이 아버지가 아닌 네 말을 믿어줄 거라고 생각한 거야?"

"허튼 소리하지마 그런 말 해도 나는…."

"너는 뭐? 나가서 모두 말할 거라고? 형이 아버지를 죽였다고? 가서 신고하면 해결될 것 같아?"

점점 가까이 다가온 해원은 해준의 어깨를 붙잡고 말을 이었다.

"네가 나가서 뭘 하든 간에 네 말은 아무도 안 믿을 거야. 잘 생각해 봐. 서해준. 아버지가 죽기를 바라는 사람이 너 말고는 전혀 없을까?"

"자꾸 무슨 소리하는 건데!"

성을 내며 어깨에 올려진 손을 떨쳐내자, 해원이 뒤로 물러나며 장난스럽게 웃었다.

“사실을 알려주는 거야. 네가 허튼짓할까 봐.”

고개를 돌려 누워있는 아버지를 바라보며 해원이 이해할 수 없는 말을 하기 시작했다. 아버지가 죽기를 바라는 사람이 있다고, 아주 가까이에 있다고 아버지의 죽음에 대해서는 전혀 궁금하지 않을 것이고 알아내려고 하지도 않을 거라고 그 누구도 알지 못하게 덮어버릴 거라고 그는 생글거리며 모두 설명했다.

“너도 잘 알 거야, 내가 말하는 사람이 누군지. 아무 신중하고 겁 많고 자기 이익밖에 모르는 이기적인 사람이지.”

설마…. 해준의 흔들리는 눈빛이 읽혔는지 해원이 씩 웃었다.

“작은아버지는 아마…. 아버지의 죽음에 대해 밝혀내려고 하지 않겠지. 오히려 우리 입을 막기 위해 환심을 사려고 할걸? 자칫하다간 문제가 생길 수 있으니까.”

해준의 팔을 두드린 해원이 말을 이었다.

“그러니까…. 너만 입 다물고 있으면 모든 게 평화로워져. 해준아. 광기 어린 사이비 아버지는 죽고, 나는 한국을 떠나고, 너는 평화로워지는 거야.”

해원의 말에 움찔한 해준이 천천히 시선을 옮겨 해원을 바라봤다.

“어때. 너한테도 좋은 일 아니야? 게다가…. 이건 죽은 어머니의 복수야. 그냥 죽인 게 아니라.”

“뭐?”

“어머니의 죽음에 대해서는 너도 의심하고 있었잖아. 어머니가 스스로 한 선택이 아닌, 다른 사람…. 아버지가 죽였다고 생각했을 거 아니야."

어머니의 언급에 해준의 심장이 요동치기 시작했다. 흐릿해진 얼굴과 그 미소가 해원의 입에 오른 사실이 화가 났다. 어머니가 죽고 난 후, 아무 일도 없었던 것처럼 굴었던 그가 뒤늦게 어머니의 복수를 한다고? 아니, 거짓말이야. 서해원은 어머니의 복수를 할 정도로 인간적인 남자가 아니다. 오직 아버지를 죽이고 싶은 욕망에 이유를 덧붙이기 위해 어머니를 이용한 거다. 죽은 어머니를….

분노에 못 이겨 해원에게 다가간 그가 해원의 멱살을 붙잡았다.

"어머니의 복수? 거짓말하지 마! 네가 죽이고 싶었으니까 죽인 거잖아! 너는 사람을 죽이고 싶어 하는 끔찍한 살인자니까!"

"살인자…?"

해준의 말에 웃고 있던 얼굴이 굳어졌다. 자신의 멱살을 붙잡은 해준의 손을 잡고 힘껏 밀쳐낸 해원이 웃으며 재차 물었다.

"살인자라고?"

해원의 힘에 밀려난 해준이 서랍장에 부딪히고 서랍 위에 꽃병이 흔들거리며 떨어졌다. 유리병이 깨지는 소리와 함께 다가온 해원이 넘어진 해준을 눕혀 목을 조르기 시작했다.

"난 말이야, 쓸데없는 살인은 안 해. 아버지를 죽이고 싶은 것도 지금까지 쭉 참아왔어. 저렇게 힘 없이 나약해질 때까지 기다려서 꼭 죽이겠다고 생각했다고…. 그래, 물론 어머니에 대한 복수는 아니야. 그것 때문에 화가 난 거야?"

끅끅거리며 웃는 해원의 팔을 붙잡으며 점점 조여오는 고통에 해준은 열심히 발버둥 쳤다. 하지만 그럴수록 목을 짓누르는 힘이 점점 거세졌다. 해준의 몸부림이 쓸모없다는 듯이.

“하지만 해준아 하나는 확실하게 말해줄게. 네 생각대로 어머니를 죽인 건 아버지가 맞아. 내가 봤거든.”

“커헉….”

열심히 어깨를 두드리며 반항해 봐도 해원은 미동조차 없었다. 목을 잡은 손을 떨어뜨리기 위해 해원의 손목을 잡으며 힘을 주던 순간 인상을 쓴 해준의 눈에 부서진 꽃병 조각이 들어왔다.

“걱정 마. 여기서 죽이지는….”

손을 뻗어 닿은 조각을 집어 빠르게 해원의 얼굴에 그었다. 붉은 피가 흘러나와 해준의 몸에 떨어지고 목을 붙잡고 있던 손이 떼어졌다. 물러난 해원을 밀치며 넥타이를 풀어 헤친 해준이 거친 숨을 몰아쉬었다. 그런 해준의 옆에서 욕을 내뱉은 해원이 피가 흘러나오는 뺨을 막았다. 손 틈 사이로 흘러나오는 피에 해준의 눈이 흔들리자, 해원이 어이없다는 듯 웃기 시작했다.

“와, 잘하네! 살기 위해서 어떻게든 하는 짓거리를 보면 너도 참…. 우리랑 결이 같아.”

뺨에서 손을 떼어낸 해원이 피가 가득한 손바닥을 보며 웃었다.

“어떻게든 남에게 피해를 줘서 그 상황에서 벗어나고 싶었던 거잖아. 내가 아니었어도 넌 이런 짓을 할 사람이야. 아버지의 아들이니까. 아버지처럼 남을 해치는 데 거리낌이 없는 거라고.”

“아니야, 나는….”

다가온 해원이 해준의 옷깃을 잡았다. 해원의 뺨에서 흐르는 피가 멈출 줄 모르고 바닥으로 뚝뚝 떨어졌다.

“그런 너라고 못할까. 살인 따위를? 나중에 너도 나랑 저 남자와 같은 사람이 될 거야. 그 손으로 사람을 죽이게 될 거라고. 살기 위해서 사람을 죽이고, 너의 평화를 위해 남을 희생시키겠지. 어머니처럼.”

어머니…?

“어머니의 죽음이 뭐 때문인지 알아? 아버지가 어머니를 죽인 이유. 그건 너 때문이었어. 어머니가 고작 너 하나 지키려고 자신을 희생한 거라고…. 아버지가 너를 건들지 않는 것도 내가 그동안 잠자코 있었던 것도 모두 어머니의 짓이니까.”

“어머니의 짓이라니…?”

“아버지만 보면 무서워하던 여자가 자기 자식 지키겠다고 나대다가 죽은 거라고, 근데…. 교활하게 머리를 썼더라고.”

뒤이어 말하는 해원의 이야기는 어머니가 죽기 전 아버지와 나눴던 대화를 담고 있었다. 해원이 두 사람 몰래 지켜보던 그들의 대화, 그리고 어머니의 죽음의 순간을 그는 즐거운 듯 얘기하기 시작했다.

.

.

.

“해준이랑 해원이 더는 괴롭히지 마세요. 아이들에게 더 이상 몹쓸 짓을 하면 저도 가만있진 않을 거예요.”

항상 의기소침했던 여자는 남자를 똑바로 바라보며 말했다.

“무슨 자신감에서 그런 소리가 나오는 거지?”

“당신이 벌인 짓들에 대한 증거를 가지고 있어요. 만약에 아이들에게 위험한 일이 생긴다면 제 지인을 통해서 그 증거를 세상에 알리겠어요.”

여자의 말에 웃음을 터뜨린 남자가 책상을 향해 주먹을 내리쳤다.

“하하하! 무슨 짓? 설마 당신도 살인이니 뭐니 떠들어댈 건가? 서해준의 그런 헛된 생각은 제 어미를 닮았나 보군.”

그렇게 남자와 대치하며 남자가 자신의 이상에 대해 떠들어대는 것을 지켜보던 여자는 남자를 향한 증오 어린 눈빛을 거두지 않고, 증거에 관해 얘기하며 남자를 흔들었다. 표정이 다양하지 않던 남자가 처음으로 동요했고, 몸싸움이 일어났다. 여자를 제압한 남자가 많은 양의 약을 여자에게 억지로 먹였고 몸부림치던 여자는 결국 남자의 손에 죽고 말았다.

“지옥에 가서 당신을 저주할 거야. 남은 삶이 온전치 못하게…. 지병을 달고 고통스러워하며 죽을 수 있도록 저주할 거라고.”

약을 먹고 고통스러워하던 여자를 남자는 가만히 바라봤다. 그 얼굴에서는 여자에 대한 흥미로운 감정과 함께 악에 받친 여자의 목소리에 대한 두려움이 느껴졌다. 죽은 여자를 지켜보던 남자의 앞에 나타낸 해원은 수많은 책장이 꽂힌 남자의 책장을 가리키며 말했다.

“저기 카메라가 있어요. 어머니가 숨겨놓은 카메라요.”

남자와 여자가 대치하기 전, 따로 해원을 부른 여자가 떨리는 목소리로 전한 비밀.

‘나중에 엄마가 잘못되면, 아버지 서재에 있는 책장으로 가서 카메라를 가져가렴. 가져가서 어른들에게 알려. 이 카메라 속에 끔찍한 비밀이 있다고. 그렇게 하면 너랑 해준이는 안전해질 거야.'

그런 여자의 말을 무시하고 해원은 남자에게 사실을 고했다. 책장 사이에 숨겨놓았던 카메라를 알렸다. 스스로 죄를 떠들어대던 남자의 모습이 담겼던 그 카메라를, 여자를 죽이는 남자의 모습이 담긴 그 카메라를. 왜 여자의 말에 따르지 않았냐고 묻는 남자에게 해원이 웃는 얼굴로 입을 열었다.

"지금 저한테 필요한 건 어머니가 아닌 아버지니까요."

.

.

.

어머니의 죽음. 그리고 그 죽음의 길에 해원이 서 있었다. 모든 사실을 털어놓으며 해원은 내내 웃는 얼굴이었다.

"어머니의 카메라가 발견되긴 했지만, 아버지는 어머니의 말을 신경 쓰고 있었어. 또 다른 곳에 남겨두었을 증거. 그게 아버지의 골칫거리였지. 안식에 대한 이상과 함께 성공한 인생을 살고 싶다는 욕망을 가진 아버지는 어리석게도 둘 중의 하나를 포기할 수 없었던 거야. 바보 같지?"

사색이 된 얼굴로 자신을 바라보는 해준에게 그가 웃으며 말했다.

"그래서 아버지는 일단 너를 내버려 두기로 한 거지. 어머니의 숨겨놓은 증거 따위는 존재할 리가 없다는 생각도 하지 않은 채로 말이야. 어떻게 살인 증거를 어머니가 가지고 있었겠어? 아버지가 살인자인 것은 알고 있어도 증거가 없으니까, 있다고 거짓말하며 협박한 거겠지. 소중한 아들들을 위해서. 뭐, 결정적으로 어머니는 원하던 바를 이뤘네. 아버지의 손에 네가 망가지지 않았으니까.”

“서해원….”

두려움과 공포, 그리고 분노의 감정이 휩싸였다. 주먹을 쥔 채 해원을 노려보았다.

“그래, 마음껏 분노해 둬. 하지만 그 대상은 내가 아니라 너야, 서해준. 알아듣겠어? 넌 말이야, 네가 살기 위해 남을 희생시키는 놈이라고. 너도 나처럼 살인자야. 어머니를 죽인 살인자.”

잡고 있던 해준의 옷깃을 강하게 놓으며 해원이 자리에서 일어났다. 손등으로 뺨에 흐른 핏자국을 닦아낸 해원은 이내 인상을 찌푸렸다.

“야, 그래도…. 이건 너무 심했다. 흉터 생기겠어.”

싱긋 웃으며 아버지의 방 밖으로 나간 해원의 뒷모습을 바라보던 해준이 입술을 깨물었다. 세게 악문 탓에 비릿한 피 맛이 났다. 하지만 터진 입술의 아픔보다 어머니의 생각으로 인한 아픔이 심장을 조였다. 손을 들어 가슴을 부여잡으며 어두운 방에서 흐느꼈다. 해원의 말에 반박하지 못하고 또 이렇게 굴복했다.

이젠 모르겠다. 자신이 경찰을 찾아갈 수 있을지, 모든 사실을 고할 수 있을지 해준은 확신이 서지 않았다. 매일 같이 찾아가던 큰 경찰서도 이젠 발을 디딜 수 없을 것 같았다. 경찰을 믿지 말라던 아버지의 말이 발에 사슬을 감았고 자신과 똑같은 사람이 될 거라던 해원의 말이 목을 졸랐다. 그리고 자상했던 어머니의 얼굴에 눈이 흐려지며 해준의 귀에 자기 자신의 목소리가 들려왔다.

알리지도 말고 말하지도 마. 모든 걸 무시하고 오로지 너의 안위만을 생각해. 조용히 있으면 끔찍한 일은 이뤄지지 않을 거야.

그래, 서해준…. 평범하게 살고 싶잖아. 죽고 싶지 않잖아. 그러기 위해서는 모든 걸 무시하면서 살면 돼. 외면하면서 살면 돼.

아버지처럼 형처럼 되지 않기 위해서 남들과 어울리지 않고 살면 되잖아. 혼자서 살아가면 돼. 혼자서도 살 수 있잖아?

눈물 젖은 얼굴로 해준이 웃음을 터뜨렸다. 억지웃음으로 시작된 그 웃음은 참을 수 없을 정도로 미친 듯이 터져 나왔다. 그렇게 웃음을 터뜨리며 해준은 계속해서 눈물을 흘렸다.

그날 밤을 어떻게 지났는지는 잘 기억나지 않았다. 아버지가 돌아가셨다는 소식은 해원이 이미 알렸는지 아침이 밝자마자 도착한 작은아버지가 나서서 아버지의 장례를 치르는 데 힘썼다. 남은 아버지의 형제들은 해원과 해준에게 가식적인 위로를 전했고 외국으로 나가는 해원을 대신해 해준을 돕겠다고 나선 작은아버지는 해준의 어깨를 두드리며 말했다.

"해준이 너는 이제 내가 돌봐주마."

아버지의 유언장대로 아버지의 재산이 나눠지고 더 많은 재산을 가져가는 대신 작은아버지는 해준의 보호자로서 경제적인 지원을 해준다며 큰소리쳤다. 아버지와 함께하던 사업마저 홀로 맡은 그를 보며 아버지의 유언장이 어쩌면 조작됐을 거란 의구심이 들었으나 조작을 알린다고 해도 소용이 없을 걸 알았기에 그만두었다.

성인이 될 때까지 어른들의 관심 밖에서 열심히 버텼다. 아버지를 잊기 위해, 형을 잊기 위해 살아갔다. 조용하던 성격은 더욱 날을 세웠고 남들과 담을 쌓기 시작했다. 평범해 보이기 위해, 남들과 다를 게 없는 평범한 사람처럼 살아가기 위해 노력했다. 하지만 그러면 그럴수록 목을 조여오는 두려움과 마음속이 텅 빈 것 같은 공허함이 해준을 감쌌다. 사람들과 어울리며 짓는 저 행복한 얼굴을 해준은 진심으로 지을 수 없었다. 두려움과 죄책감으로 인한 부정적인 감정은 자신을 불행하게 만들었다. 형이 언젠가 자신을 찾아오지 않을까 두려워하며 악몽을 꾸었다. 안 좋은 일이 일어나면 형의 얼굴을 떠올리고 의심하며 평범해지고 싶어도 그러지 못하고 점점 불행해졌다. 하지만 끊임없는 불행에도 해준은 억지로, 억지로 살아갔다. 남들에게 보일 평범한 사람을 연기하기 위해 가면을 쓰고 그렇게 살아갔다.

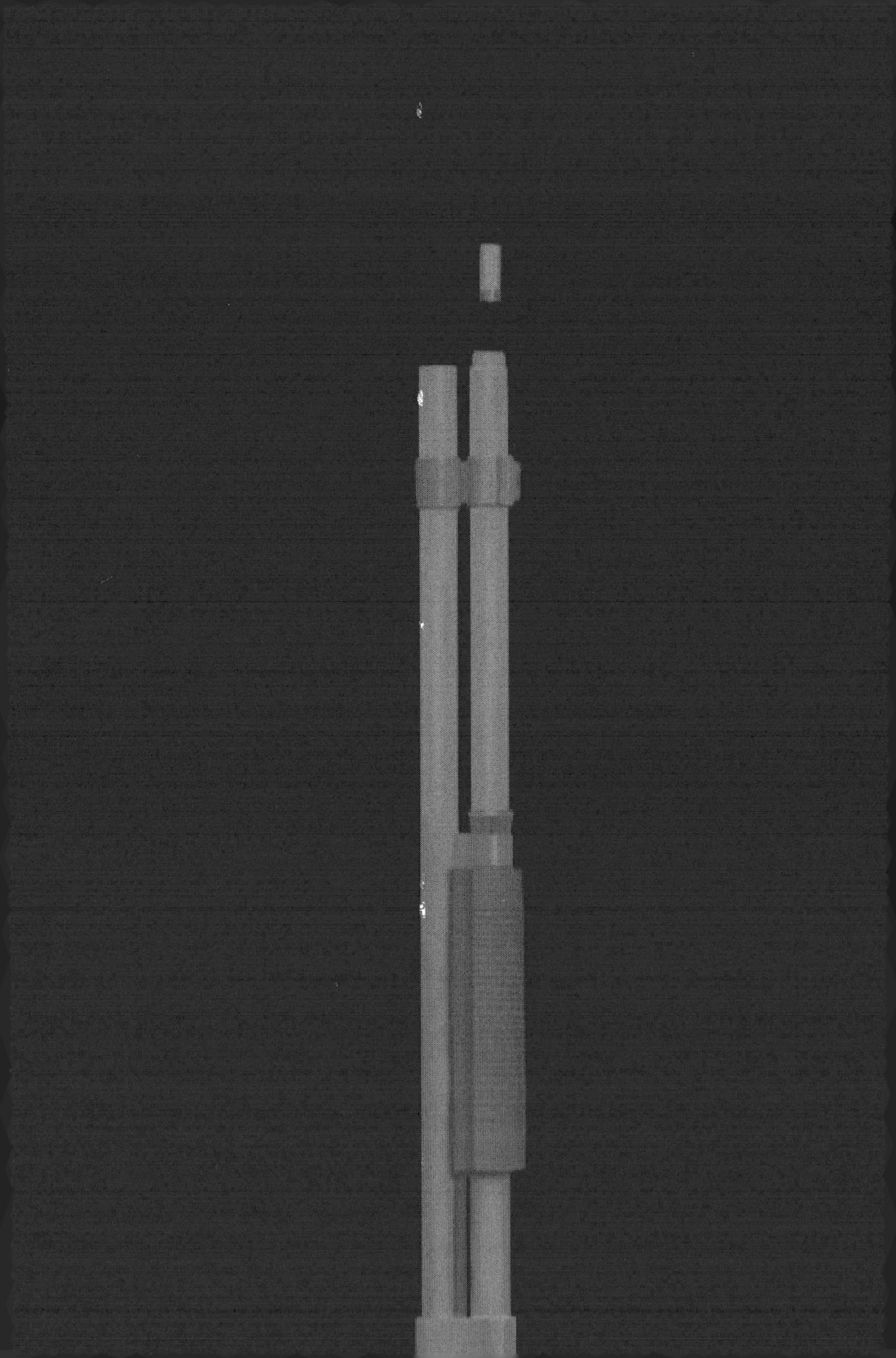

———

"해준 씨, 좋은 아침이에요."

자리에 앉은 해준에게 다가온 성연이 미소를 지으며 어깨를 두드렸다.

"네, 좋은 아침입니다."

"오늘은 괜찮아 보이네요. 고민이 잘 해결됐나 봐요."

"고민이요?"

"입사하고 나서 한 번도 연차를 쓰지 않던 사람이 개인적인 사정이라면서 연차를 쓰고 난 뒤에 상태가 안 좋아 보여서 걱정했거든요. 무슨 고민이라도 있나 걱정했는데, 주말 지나고 나니까 제가 알던 해준 씨로 돌아왔네요."

"저번 주의 저도 성연 씨가 알던 저였는데요."

성연의 말에 왠지 모르게 웃음이 나왔다. 강지훈을 만나고 난 뒤에는 스스로 생각하기에도 상태가 안 좋았으니, 남들이 쉽게 알아차릴 만했다. 실없이 웃는 사이 커피를 든 채 자신의 자리로 향하던 유림의 목소리가 해준의 신경을 끌었다.

"그런데 지안 씨는 오늘 안 왔네요? 무슨 일 있어요?"

"나도 모르겠어. 연락이 없어. 받지도 않고…."

"아직 자는 건가? 이런 일은 없었는데…."

그들의 대화에 시선을 옮겨 지안의 빈자리를 바라보던 해준은 장례식장 안에서 보았던 지안의 얼굴을 떠올렸다. 어쩌면 여전히 친구의 죽음에 대한 슬픔으로 괴로워하고 있을지 모른다. 걱정되는 마음에 휴대폰을 켠 뒤 지안에게 문자를 보내려던 해준이 멈칫했다. 문자까지 보낼 필요는 없나. 사정이 있을 수도 있으니까. 전원 버튼을 눌러 검은 화면을 바라보던 해준이 지난주의 일을 떠올렸다, 유한에게 모든 것을 얘기한 그날, 긴 이야기를 늘어놓는 내내 유한은 말없이 해준의 이야기를 들어줬다. 아무런 반응도 하지 않고 진지하게 모든 일을 들어준 유한은 해준의 어깨를 붙잡으며 말했다. 자신이 돕겠다고. 해준을 옥죄던 그들의 흔적을 지울 수 있도록 죄책감을 덜어낼 수 있도록 도와주겠다고 말했다.

그 이후로 유한과 어떻게 헤어졌는지는 잘 기억나지 않는다. 주말을 어떻게 보냈는지도 잘 기억나지 않았다. 하지만 딱 하나, 오래 묻어두던 비밀을 털어놓은 후련함만큼은 선명하게 남아있었다. 마음에 쌓아둔 죄책감을 조금은 덜어낸 것 같아서 전보다 더욱 편안해졌다. 자신을 믿어주며 얘기를 들어준 유한이 너무나 고마워서 이 고마움을 어떻게 전해야 할지 고민하며 해준은 자기 얼굴을 바라봤다. 화면 비친 무뚝뚝한 그 얼굴. 이제는 평범함을 연기하는 가면을 벗어던지고 정말로 평범한 살 수 있을까. 유한의 도움을 받아 기나긴 악몽에서 벗어나고 그들의 그림자에서 벗어나 남들과 똑같이 웃고 떠들면서 평범하게 살 수 있을까. 간질거리는 기분에 주먹을 쥐고 해준이 씁쓸한 미소를 지었다. 아직 일이 해결되지도 않았는데 벌써 미래를 기대하는 자신이 조금 한심하게 느껴졌다. 하지만 그럼에도 편안해지는 마음만큼은 그 어느 때보다 좋았다.

"해준 씨, 점심 안 먹어?"

"오늘은 안 먹겠습니다."

점심시간이 되어 사무실 밖으로 나가는 팀원들을 배웅하며 해준은 지안의 빈자리로 시선을 옮겼다. 시간이 이렇게 흘렀는데도 지안의 자리는 여전히 공석이었다. 계속 연락을 주지 않는 걸 보면 늦잠 따위는 아니었다. 무슨 일이라도 생긴 걸까. 여러 걱정이 머릿속을 스치던 그때, 휴대폰이 시끄럽게 울리기 시작했다. 전화벨 소리다. 이 시간에 누가….

지안 씨?

화면 속 이름에 지안의 빈자리를 힐끗 바라본 해준은 이상한 기분에 눈살을 찌푸렸다. 또다. 이 알 수 없는 불안감. 발끝에서 올라오는 기분 나쁜 감정에 해준이 입술을 깨물며 휴대폰을 귓가에 갖다 댔다.

"네. 지안 씨."

"…."

"지안 씨, 무슨 일이에요?"

해준의 물음에도 지안은 대답이 없었다. 이상하다. 아무래도 이상했다. 몸속의 장이 꼬이는 불길한 감정에 해준이 주먹을 쥐었다.

“지안 씨.”

대답이 없다. 전화를 걸고 아무 말도 안 할 사람이 아니다.

“지안 씨, 무슨….”

“여보세요.”

낮은 남자 목소리가 수화기 너머로 흘러들어왔다. 낯선 목소리에 해준이 숨이 멎었다.

“누구시죠.”

“서해준 씨. 맞죠?”

해준의 질문에 대답하지 않고 오히려 저쪽이 질문을 던졌다. 침착해야 한다. 동요해선 안 된다. 어느새 힘을 주었던 주먹을 풀고 해준이 천천히 심호흡했다.

“누구시냐 물었습니다.”

“알고 있을 텐데요.”

말에는 아무런 감정도 느껴지지 않았다. 목소리 톤은 일정했다. 저쪽이 어떤 상황인지 모르는 해준만이 초조함을 느꼈지만, 감정을 들키지 않기 위해 애써 침착함을 유지했다.

“지금 말해주는 장소로 혼자 오세요. 말을 어긴다면 이 휴대폰 주인을 죽이겠습니다.”

죽이겠다는 남자의 말에 조용했던 주변에서 소리가 들려왔다. 작고 희미한 그 소리는 여자의 목소리로 추정됐다. 두려워하며 겁에 질린 듯한 여자의 신음….

지안 씨. 지안 씨가 놈의 근처에 있다. 목소리를 들어보니 테이프나 천 등의 물건으로 입을 막아놓은 듯했다.

지안 씨가 위험하다. 끊겨 버린 전화를 바라보던 해준은 빠르게 통화 목록을 눌렀다. 경위님의 도움을 받아야 한다. 도움을 청해야 한다. 하지만 알렸다간 지안 씨가….

끔찍한 상상이 머릿속에서 번복됐다. 그런 일은 일어나선 안 된다. 무슨 일이 있어도 그런 상황이 만들어져서는 안 된다. 휴대폰을 손에 쥔 채 고민하던 해준이 빠른 결정을 내리고 사무실 밖으로 향해 뛰쳐나갔다.

한참을 달려 도착한 곳은 도시와 떨어진 울창한 숲이었다. 길을 따라 산을 오르던 해준의 차량은 작은 별장 앞에서 멈춰섰다.

이곳이다. 놈이 지안 씨의 휴대폰을 이용해 보낸 장소. 주변은 온통 나무뿐이고 인적도 드물다. 일부러 이런 곳을 골랐다. 긴장의 끈을 놓지 않은 채 별장 안으로 걸음을 옮긴 해준이 조심스럽게 손잡이에 손을 뻗었다. 문이 열리는 소리와 함께 해준의 걸음 소리가 별장 안에 울려 퍼졌다. 나무 바닥이 삐거덕거릴 때마다 주위를 경계하며 걷던 해준이 복도를 지나쳐 거실에 도착한 순간이었다.

"오랜만이네?"

벽난로 장식 앞, 값비싼 소파에 앉아 여유롭게 앉아있던 그가 웃으며 손을 흔들었다. 테이블에 올려진 재떨이 위로 담배를 비벼 끈 뒤, 바로 옆에 놓인 검정 모자를 들어 빙빙 돌리며 그가 자리에서 일어나 해준에게 다가왔다.

해준과 비슷한 키, 서늘한 눈매와 날렵한 콧날. 뚜렷한 이목구비. 그리고 왼쪽 뺨의 흉터와 입술 옆 점. 가까이서 보는 남자의 얼굴은 시간이 흘렀음에도 해준과 비슷했다. 흉터와 점을 제외한다면.

"형."

해준의 목소리에 해원이 비릿한 미소를 지었다.

"아니, 오랜만이 아닌가? 저번에 백화점 안에서 봤으니까."

역시. 잘못 본 게 아니었다. 숨을 삼키며 해원을 쳐다보자, 해원이 턱을 쓸며 물었다.

"이렇게 가까이서 보니까 얼굴이 많이 달라진 게 보이네. 많이 컸다. 해준아. 이제 어른이 돼서 그런가?"

"뭐 하는 짓이야."

"왜? 마음에 안 들어? 오랜만에 만나니까 반가워서 서프라이즈 한 번 해본 건데."

어깨를 으쓱거리며 여전히 소름 끼치는 미소를 짓는 해원을 향해 해준이 인상을 찌푸리며 물었다.

"대체 지금까지 무슨 짓을 벌인 거야?"

"알고 있었네. 내가 지금까지 한 짓."

해원의 말에 해준은 대답하지 않았다. 입을 다문 해준을 보며 해원이 고개를 끄덕였다.

"그래, 그런 반응은 이미 익숙해. 하지만 얼굴을 딱 보니 알겠어. 넌 그게 문제야, 얼굴에서 다 티가 나. 여전히…."

해원이 해준의 얼굴을 가리키며 피식 웃더니 천천히 손가락을 접기 시작했다.

"자, 생각해 보자. 은정동에서 사라진 게 여자 하나, 남자 하나, 어린애 하나, 그리고 또 여자 하나. 총 네 명. 맞지?"

손가락을 접으며 숫자를 세듯 얘기하는 해원의 얼굴은 즐거워 보였다. 그 숫자가 의미하는 게 아무렇지 않다는 듯이 웃는 그의 얼굴은 너무나 끔찍했다.

"사람들은 다 실종 사건이라고 부르더라고? 그 사람들이 죽은 줄도 모르고."

재밌다는 듯 웃으며 입가를 가린 해원이 짧은 탄식을 내뱉었다.

"아, 죽이는 게 아니라…. 안식이었지?"

그의 목소리에 해준이 입술을 깨물었다. 차오르는 분노와 서글픔에 저도 모르게 주먹을 쥐었다.

"죽인 거야, 살인이라고."

"무슨 소리야, 배웠잖아 해준아."

"그딴 건 배운 적 없어."

"배운 사람은 있는데 배운 적이 없다니, 그럼 가르쳐준 아버지의 잘못이네."

아버지의 언급이 나오자, 해준의 몸이 움찔했다. 기억 속에서 절대로 지워지지 않던 그 장면이 다시 재생되자 두려움이 스멀거리며 올라왔다.

"아버지가 항상 그랬잖아. 불행한 사람을 구원해야 한다고…. 근데 아버지가 돌아가신 뒤에도 세상에 불행한 사람이 너무 많아서, 내가 나서지 않고서는 안 되겠더라고."

고작 저런 이유로 사람을 죽였다는 사실에 해준은 치가 떨렸다. 저런 놈과 피가 섞인 자기 자신이 너무나 증오스러웠다.

"형은 안식이 목적이 아니라 살인에 관심이 있는 살인자겠지."

“하하하, 그래. 정곡을 찔렀다. 맞아, 맞는 말이지.”

가슴에 손을 얹은 채 해원이 실실 웃었다.

“참, 주말 동안 아버지 집에 경찰들이 찾아갔더라? 네 짓이냐?”

“그럴 리가.”

“하긴 그럴 리가 없나….”

말끝을 늘어뜨리며 해원은 주머니 속으로 손을 넣었다.

“헛소리 그만하고…. 지안 씨, 지금 어딨어.”

“그 여자? 걱정하지 마. 아직은 살아있어.”

주머니에 찔러넣은 손을 빼지 않은 채 여유롭게 여유롭게 다가와 자신을 지나쳐 가는 해원을 잔뜩 경계하며 해준이 머리를 굴리기 시작했다. 해원과 해준은 체격이 제법 비슷했다. 하지만 체력 면에서는 해원이 한 수 위일 것이다. 몸싸움을 통해 해준이 해원을 이길 수 있을까. 최소한 의식을 끊어놓기라도 해야, 이곳에 있을 지안을 찾아 서둘러 빠져나갈 수 있다.

“엄청나게 초조해하네. 그 여자가 그렇게 소중해?”

뒤에서 목소리가 들려왔다. 몸은 고정한 채 고개를 돌린 해준이 입을 열었다.

“장난치지 마.”

“장난 아닌데, 네 눈에는 장난으로 보이나 봐?”

어이없다는 얼굴로 웃음을 터뜨린 해원이 여전히 그 빌어먹을 미소를 유지한 채 앞으로 다가왔다.

“왜 이렇게 감정적으로 굴어. 왜, 소중했던 어머니를 잃은 것처럼 그 여자를 잃을까 걱정하는 거야?”

올라간 입꼬리와는 다르게 너무나도 차분하고 정적인 눈동자는 둘 사이의 괴리감을 느끼게 해주었다. 침착하자. 동요해서는 안 된다. 떨기 시작하는 손에 주먹을 쥐어 평온한 얼굴을 유지한 해준은 해원과는 반대로 진중하고 낮은 목소리로 입을 열었다.

"애초에 그것부터 잘못됐어. 그건 형한테 해당하는 거 아냐?"

"나? 나 말이야?"

웃으며 되묻는 해원의 얼굴은 여전히 기이했다. 가면 속의 진짜 얼굴. 남들이 모르는 그의 진짜 얼굴은 지금의 모습이었다. 작고 작았던 고양이를 죽일 때도 아버지를 죽일 때도 그런 얼굴을 했다. 죽음에 대해 신중하지 않고 즐기는 끔찍한 웃음으로 수많은 사람을 죽였을 것이다.

"가진 것이 많고 일이 뜻대로 안 풀리는 걸 싫어하는 형이 나보다 잃을 게 더 많겠지. 그래서 날 찾아온 거 아냐? 나한테 다 덮어씌우려고."

"재밌는 소릴 하네."

"웃는 얼굴로 사람들을 대하며 사람 좋은 척하는 가짜잖아. 형은 남을 이용할 생각밖에 안 하는 위선자니까."

해준의 말을 듣는 내내 얼굴이 굳어진 해원은 말없이 해준을 바라봤다. 몇 초간의 침묵이 끝나고 다시 미소를 지은 해원이 입을 열었다.

"가짜. 그래, 가짜 좋지. 음…. 맞네. 가짜지."

고개를 끄덕이며 걸음을 옮긴 해원이 해준을 지나쳐 다시 해준의 앞에 모습을 드러냈다.

"해준아, 근데 있잖아. 가짜라는 게 말이야, 나한테만 해당하진 않더라고. 너도 잘 알지 않아??"

고개를 갸웃하며 물어오는 해원의 물음에 대답하지 않자, 해원이 계속하여 말을 이었다.

"사람들과 어울려 놀다가 싫은 사람 있으면 싫은 티를 내지 않기 위해 억지로 좋은 사이인 척하는 가짜. 친한 친구가 너무나 미워도 잔뜩 칭찬해 주며 마음에도 없는 말을 건네는 가짜. 이런 게 모두 가짜라고 말하는 거잖아. 너는?"

해준을 바라보며 고민하던 해원은 이내 말을 이었다.

"근데 해준아. 가짜라고 한다면 나뿐만이 아니라 너도, 네가 소중하게 여기는 그 여자도 세상 모든 사람에게 해당하는 거 아냐? 속마음으로 욕하면서 겉으로는 굽신거리고, 착한 척 선한 척 위세는 다 떨고서는 뒤에 가서는 온갖 비난을 쏟아내며, 모두가 찬양하는 위대한 사람이 사실은 누구보다 악질적인 악인이며 강하고 자신감 있는 사람처럼 살아갔지만, 사실 누구보다 겁쟁이에 자신을 누구보다 혐오하는 사람들 말이야. 그런 사람들은 그럼 가짜가 아닌 건가?"

"맥락을 잘못 짚은 것 같은데. 천천히 생각해 봐, 형. 사람들과 형의 다른 점을 말이야."

해준의 말에 해원이 또다시 얼굴을 굳혔다. 굳은 얼굴을 한 채 자신을 바라보는 해원에게 해준이 입을 열었다.

"평범한 사람들은 형처럼 남을 이용할 목적으로 가짜 얼굴을 짓지 않거든. 형은 모든 사람에게 본모습을 숨기고 대하잖아. 그들에게서 필요한 것을 얻어내기 위해서 말이야."

계속해서 말이 없는 해원에게 해준이 서늘한 눈으로 말했다.

"사람들은 형처럼 모든 인간관계를 이용해 먹을 대상으로 보지 않아. 형의 뜻대로 따라주지 않으면 바로 관계를 끊지도 않고, 교묘하게 속삭이면서 자신을 따르게 만들지도 않아. 게다가 제일 결정적인 건 필요에 따른 살인 따위도 안 해. 살인 같은 건 끔찍한 죄라고 생각한다고. 형처럼 마음에 들지 않는다는 이유로, 죽이고 싶다는 이유로 사람을 죽이진 않아."

해준의 말을 듣기만 하던 해원은 이내 어이없는 얼굴로 웃으며 입을 열었다.

"그래서 말은 다 했어?"

"뭐?"

"너 말이야. 그런 식으로 나오면 안 된다는 거 알고 있을 텐데? 네가 구하러 온 여자가 어디에 있는지 아는 건 나뿐이야."

지안이 언급되자 해준이 몸을 움찔했다.

"하하, 역시…. 조금 협박 좀 했다고 놀라는 건 여전하네."

지안 씨의 위치를 아는 건 서해원뿐이다. 여기서 내가 잘못된다면 지안 씨 또한 잘못될 거야. 끔찍한 상상에 시야가 흔들렸다. 침착하려고 해도 부정적인 상황만이 자꾸만 머릿속에 떠올랐다.

침착하자, 서해준. 침착하게 행동하는 거야. 이곳에서 눈앞에 있는 남자를 막고 지안 씨를 찾아 도망가는 거다. 나머지는….

"괜찮아. 바로 죽일 건 아니거든. 그러니까 대화하는데 이상한 얘기는 하지 말자. 오랜만에 만나는데…."

웃으며 가까이 다가오는 해원의 눈치를 살피던 해준이 그에게 달려들었다. 멱살을 잡혀 테이블 위로 넘어진 해원이 인상을 찌푸리더니 이내 발을 들어 해준의 명치를 걷어찼다. 뒤로 넘어진 해준을 놓치지 않은 해원은 해준의 배를 힘껏 걷어찼다. 복부에 가해진 큰 고통에 해준이 고통스러운 신음을 내뱉었다.

"갑자기 무슨 짓이야? 대화 좀 하자는데."

웃는 얼굴의 해원을 보며 빠르게 몸을 일으킨 해준이 바로 옆 진열장에 놓인 와인을 들어 해원에게로 던졌다. 날아오는 와인을 두 팔로 막은 해원에게 달려가 그의 시야가 가려진 틈을 타 그의 다리를 잡고 넘어뜨렸다.

"대화? 우리 사이에 그딴 건 필요 없어."

넘어진 해원을 향해 주먹을 들고 지금까지 담아두었던 그에 대한 울분을 가득 담아 분노한 얼굴로 외쳤다.

"대체 나한테 왜 그랬어, 왜!"

아픈 주먹으로 계속해서 주먹을 휘두르며 잔뜩 성을 냈다. 어린 시절에 어머니를 지키지 못한 것에 대한 울분, 실종된 사람들에 대한 죄책감, 지안에게 닥친 위험으로 인한 분노가 샘솟았다.

"아버지도 형도! 왜 나한테 그런 짓을 한 거냐고."

하지만…. 그때 아버지의 살인을 보지 않았어도 언젠가는 알게 되었겠지. 그날 형이 고양이를 대신해서 죽이지 않았더라도 언젠가는 비슷한 상황을 겪게 되었겠지.

"난! 평범하게…. 지내고 싶었단 말이야…."

다른 가족들처럼 평범하고 단란한 모습은 애초부터 이루어질 수 없었다. 잘 안다. 너무나 잘 알고 있다. 하지만 그럼에도 끔찍한 아버지와 형이 있어도 불구하고 어머니와 함께 평범해지고 싶었다. 떨리는 목소리로 해원을 보았다. 그런 해준을 똑같이 바라보며 터진 입술로 웃던 해원이 들고 있던 머리를 바닥에 기대며 누웠다.

"평범하게? 넌 절대 평범하게 못 살아. 그날부터 넌! 선택받았으니까!"

웃으며 소리치는 해원에게 해준이 주먹을 꽂기도 전에 굴러다니던 재떨이를 집은 해원이 해준의 머리에 휘둘렀다. 시야가 번쩍하며 머리에서 이명이 들려왔다. 정신을 못 차리는 해준의 몸을 밀쳐 넘어뜨린 해원이 말했다.

"평범한 삶 따위를 원했어? 하하, 왜 그런 생각을 해? 그러니까 내가 이렇게 널 찾아온 거 아냐!"

크게 소리치는 해원의 목소리 탓에 머리가 울렸다. 입술을 깨물며 몸을 일으키려고 하자, 어느새 다가온 해원이 발을 들어 해준의 허리를 힘껏 찼다. 신음을 흘리며 고통스러워하는 해준의 앞에 쭈그린 해원이 웃으며 물었다.

"너 말이야, 다른 사람들과 어울리면서 평범하게 지내더라고? 남들과 다르지 않게 너무 평범해 보여서 이상하게 화가 났어. 그래서 내가 움직일 수밖에 없었던 거야. 해준아."

피가 흐르는 해준의 머리를 툭툭 건드리던 해원이 물었다.

"그렇게 내가 널 찾아가면 네가 예전처럼 두려워하지 않을까…. 생각했는데 내 예상이 맞았네."

시선을 옮겨 해원을 바라보자, 눈을 마주친 그가 미소를 지었다.

"근데 너 궁금하지 않냐? 왜 아버지가 널 선택했는지?"

"그딴 거…. 하나도 안 궁금해."

"내가 예전에 말했던 거 기억나? 아버지는 숭고한 안식에 대한 이상과 함께 인정받고 싶고 성공하고 싶은 욕구도 함께 가지고 있었다고? 그런 아버지의 그 추악한 욕망은 우리 둘에 대한 욕망으로 번졌어. 훌륭한 아들을 둔 아버지. 그 타이틀을 가지고 싶었던 거야. 그래서 사회에서 인정받을 만한 내가 아닌 널 선택하신 거지."

주먹을 쥔 채 해원을 노려보자, 해원이 몸을 일으켜 해준의 손목을 밟았다.

"그런데 네가 고양이 새끼 한 마리 못 죽이니까, 내가 대신 일을 저지른 걸 보고 물어보시더라고. 왜 그랬냐고. 난 솔직하게 말했지. 죽이고 싶어서 죽였다고."

손목에서 발을 뗀 해원이 어깨를 으쓱하더니 몸을 돌려 해준에게서 멀어졌다.

"그런 말을 하니까, 아버지는 눈을 부릅뜨면서 안식에 관해 설명했어. 이건 너도 알겠지. 들었을 테니까. 평소 보지 못한 표정으로 떠들어대는데. 나 원 참, 딱 봐도 이상한 종교에 빠져서는 살인이 죄가 아니라며 지껄이는데. 웃음을 참을 수가 있어야지."

그때를 떠올리기라도 하는 건지, 해원이 웃기 시작했다.

"어머니의 카메라를 고발할 때 아버지의 표정을 네가 봤어야 하는데…. 정말로 처음 보는 얼굴이었어. 아버지는 날 두려워하셨던 걸까? 아니면 자신의 선택이 잘못됐다고 생각하셨던 걸까. 뭐, 이제는 그것에 관해서 물어볼 순 없지만."

뒤돌고 있는 해원을 보며 해준이 비틀거리며 몸을 일으켰다. 머리가 아직도 울렸다. 흐르는 피를 매만지며 해준이 눈살을 찌푸렸다.

"그래도 아버지랑 나름 재밌었어. 선택의 대상을 나로 바뀐 뒤에는 이곳저곳 잘 데려다주면서 즐거운 걸 많이 알려줬거든."

모닥불 장식 앞에서 멈춰 선 해원은 모닥불 위 커튼을 활짝 걷었다. 커튼이 걷히고 모습을 드러낸 것은 기다란 엽총이었다.

"야, 해준아…. 오랜만에 숨바꼭질 한 번 어때?"

걸려 있는 엽총을 들어 익숙하게 매만지던 해원이 해원을 향해 총구를 겨누었다.

"가위바위보. 지면 술래, 이긴 사람은 도망쳐서 꼭꼭 숨고 숨어서 절대 들키지 않는다. 들키게 된다면 죽는 건…. 그 여자다."

희열에 찬 미소를 지으며 해원이 말을 이었다.

"사냥당하는 건 너 혼자가 아니야. 그러니까 잃기 싫으면 잘 도망가야겠지?"

여전히 자신에게 향해있는 총구에 해준이 시야를 막는 피를 닦아내며 이를 악물었다. 움직이지 않는 해준을 향해 해원이 말했다.

"1분 줄게. 1분 내로 숨어서 오늘 해가 질 때까지 나한테 들키지 않고 여자를 찾아 도망가면 살려주지. 단 밤이 되어서도 모습을 보이지 않고 여자를 데려가지 않았다면 겁을 먹고 도망쳤다고 생각하고 그 여자를 죽일게. 이해했지?"

"만약…. 지안 씨가 이 별장에 있다면?"

"여자? 아쉽지만 이 별장에는 없어. 넓은 숲속 어딘가에 잘 숨어있으니까, 잘 찾아봐."

방아쇠에 손을 올리며 해원이 장난스럽게 웃었다. 해원을 주시하며 뒤로 물러난 해준의 귀에 해원의 외침이 들렸다.

"지금부터 준비…. 빵!"

총성과 함께 허공을 향해 총알이 날아갔다. 벽에 박힌 총알을 뒤로한 채 해준이 빠르게 별장 밖을 벗어났다. 흙길을 달리며 수풀 속으로 들어간 해준이 전파가 터지지 않는 휴대폰을 도로 집어넣으며 속도를 높였다. 사전에 확인해 두어서 다행이다. 지끈거리는 머리를 부여잡으며 해준은 점심의 일을 상기시켰다. 해원이 지안을 통해 보낸 주소의 위치는 저 별장이었다. 지도 앱을 통해 별장이 있는 숲의 전체적인 모습을 확인하던 해준의 눈에 띈 하얀색의 건축물은 별장에서 그리 떨어지지 않은 장소에 자리 잡고 있었다.

별장 안에 지안이 없다는 가정하에 지안이 있을 곳은 저 앞에 있는 컨테이너로 추정되는 건축물뿐이다. 그리고 해준이 이런 판단을 내렸다는 걸 저쪽에서 모를 리가 없다. 지금 해야 할 일은 컨테이너 안에 지안이 있는지 확인하는 것. 만약 그녀가 없다면 다시 별장으로 돌아가 별장 안에서 지안을 찾는다.

힘을 쥐어짜며 달리던 해준의 눈에 공터가 펼쳐지고 이어서 하얀 컨테이너가 들어왔다. 지안의 이름을 외치려다 이내 입을 다문 해준은 어머니의 얼굴을 떠올렸다. 또 잃고 싶지 않다. 이번에는 죽게 내버려 두지 않을 것이다. 빠르게 다가가 문고리를 잡아당긴 해준이 성을 내며 열리지 않는 문에 주먹을 꽂았다. 있는 힘껏 몸을 부딪쳐도 야속하게 열리지 않는 문에서 물러나며 해준이 주변을 둘러보았다.

문고리를 부실 만한 걸 찾아야 한다. 튼튼한 물건이 없을까. 고개를 돌리던 해준의 눈에 굴러다니는 철제 양동이가 들어온 순간, 빠르게 양동이를 들어 다시 문으로 다가간 해준은 있는 힘껏 손잡이를 내려쳤다. 단 두 번 만에 부서진 손잡이가 바닥에 떨어지자, 해준은 다시 한번 몸을 부딪쳤다. 큰 소리와 함께 그토록 원하던 문이 벌컥 열리고 어두운 컨테이너 안의 모습이 눈에 들어왔다.

"지안 씨!"

팔다리가 묶인 채 구석에서 떨고 있는 그녀와 마주치자, 해준이 안도하며 지안에게 다가갔다.

"지안 씨, 괜찮아요?"

해준의 물음에 흠칫 놀란 지안이 흐느끼며 뒤로 물러났다. 입을 막은 테이프 탓에 울먹이는 소리가 작았다. 그리고 뒷짐을 쥔 손목과 모여진 발목에 케이블타이 또한 묶여 있다.

"지안 씨, 잠시만 기다려요. 금방 풀어줄게요. 조금만 참아요."

미안한 마음에 얼굴을 찌푸린 채 손을 내밀자, 겁에 질린 얼굴로 지안이 해준에게서 멀어졌다. 벽에 닿은 지안이 거칠게 호흡하며 눈물을 글썽이며 해준을 바라봤다.

"지안 씨…."

이렇게까지 된 건 자신의 탓이었다. 지안 씨가 이런 곳에 끌려온 것도, 이런 고통을 받는 것도 내 탓이다. 울컥한 마음을 눌러 담고 해준이 입을 열었다.

"지안 씨, 진정해 줘요. 구하러 왔어요."

흐느끼는 지안은 해준의 말이 들리지도 않는지 고개를 저으며 해준의 손길을 거부했다.

"진정해요. 부탁이에요."

손을 뻗은 해준이 몸부림치는 지안의 두 어깨를 조심스럽게 붙잡았다. 붙잡힌 어깨에 몸을 떨며 지안이 고개를 숙였다.

"지안 씨, 제 얼굴 보세요. 저예요. 제 눈 봐요."

해준의 말에 지안이 천천히 시선을 들었다. 떨림이 잦아드는 지안의 얼굴을 바라보던 해준이 지안의 어깨에서 천천히 손을 뗐다.

"네. 잘했어요. 진정하고 우리 여기서 나가요."

지안을 진정시키고 다시 밖으로 나온 해준은 해원의 동태를 살피며 컨테이너 옆 잡동사니를 뒤졌다. 굴러 나온 유리병을 힘껏 던져 깨뜨린 뒤 다시 안으로 들어간 해준이 지안의 발목과 손목에 묶인 케이블타이를 끊어냈다. 손목에 남은 붉은 자국에 해준이 눈살을 찌푸리며 조심스럽게 손을 뻗어 남은 테이프를 떼어냈다. 떨어진 테이프를 바라보던 지안이 힘없이 시선을 옮기며 해준을 바라봤다.

"해준 씨…. 해준 씨가 저를…."

"제가 아니에요. 제가 이럴 리가 없잖아요."

"아니죠? 그렇죠?"

울상짓던 지안이 눈물을 터뜨렸다. 많이 운 탓에 붉어진 눈에서 굵은 눈물이 계속 흘러나왔다.

"어디 다친 데는 없어요?"

"아뇨, 없어요…."

"다행이네요. 일어날 수 있겠어요?"

해준의 물음에 고개를 저은 지안이 흐느끼며 말했다.

"집, 집에 가는 길에 누가 뒤에…. 그래서…."

말을 잇지 못하는 지안의 모습이 해준의 눈에는 너무나 작고 여렸다. 자기와 잘못 엮여서 이런 일을 겪고 말았다. 눈시울이 붉어지며 해준이 지안의 몸을 끌어안았다.

"미안해요. 제가 미안해요. 지안 씨."

미안하다는 말밖에 할 수 없다. 지안의 머리카락을 감싸며 해준은 계속해서 미안하다는 말을 반복했다. 미안하다는 사과 또한 너무 염치없게 느껴져서 금방이라도 눈물이 나올 것 같았다. 연신 사과를 전하던 해준을 천천히 밀어낸 지안이 해준의 얼굴을 붙잡았다.

"해준 씨…. 머리에서 피나요."

괴로운 일을 겪었는데도 불구하고 자신을 걱정하는 지안의 행동에 해준의 눈이 글썽였다. 뺨을 잡고있는 두 손 위에 자기 손을 포개며 해준이 입을 열었다.

"미안해요. 지안 씨. 저 때문에 지안 씨가 이런 일에 휘말렸어요."

"아뇨…."

"제 잘못이에요. 형이 지안 씨를 이런 곳에 데려온 건, 모두 제 탓이에요. 저만 없었더라면 지안 씨가…."

"해준 씨."

해준을 부른 지안이 그의 얼굴을 매만지며 입을 열었다.

"아니에요…. 해준 씨 잘못이 아니에요. 해준 씨가 절 이곳에 데려온 게 아니잖아요."

어느새 침착해진 지안은 입꼬리를 올리며 미소를 지어 다정한 목소리로 해준을 안심시켰다.

"저 안 다쳤어요…. 멀쩡해요. 그니까 죄책감 가질 필요 없어요. 전 괜찮아요. 해준 씨가 이렇게 와줬잖아요."

해준을 바라보던 지안의 올라간 입꼬리는 떨고 있었다. 입꼬리뿐만 아니라 손과 몸도 두려움에서 벗어나지 못해 떨리고 있었다. 힘든 상황임에도 불구하고 티를 내지 않고 애써 웃고 있다. 해준을 원망하지 않고, 오히려 위로해 주고 있다.

그런 그녀를 위해서 해준은 해원에게서 지안을 지켜야 한다. 이 미소가 계속 유지될 수 있도록 지켜내야 한다. 포갰던 지안의 손을 꽉 잡은 채 해준이 몸을 일으켰다.

"얼른 이곳에서 나가야 해요. 형이 쫓아올 거예요. 형을 피해서 숲 밖으로 나가요."

지안을 끌고 밖으로 나온 해준이 주변을 살피며 숲을 달리기 시작했다. 해원이 올 방향을 피해 빙 둘러서 간다면 주차된 차량이 있는 곳까지 도착할 수 있을 것이다. 거기서 해원의 모습이 보이지 않는다면 빠르게 차를 타고….

탕-

숲에 울리는 총성에 흠칫 놀란 지안이 멈춰섰다. 주위를 둘러보며 해원의 모습을 찾은 해준이 보이지 않는 그의 모습에 지안의 손을 덥석 잡았다.

"지안 씨, 멈추지 말고 계속 가요."

지안을 끌고 계속해서 달리던 해준의 앞에 넓은 숲길이 나타났다. 아까 달려온 숲길이 아니다. 뒤를 돌아보며 아무도 없는 것을 확인한 해준이 지안의 손을 꼭 잡고 숲길을 달렸다.

아픈 머리 탓에 눈이 어지러웠다. 머리를 흔들며 두 다리에 힘을 준 해준이 손아귀에 잡힌 지안의 손을 놓치지 않도록 힘을 주었다. 비탈진 길을 두 사람이 뛰어 내려가는 그때였다.

"서해준!"

울창한 숲 사이에서 들려오는 해원의 목소리에 두 사람이 걸음을 멈추었다. 소리가 난 방향을 향해 몸을 돌리곤 지안을 자신의 등 뒤로 숨긴 해준이 잔뜩 긴장한 채 숲을 노려봤다. 호흡이 점점 가빠지며 요동치는 심장 소리와 턱에 맺힌 핏방울에 판가름이 흐려지려던 그때였다.

탕-

총성과 함께 강한 통증이 몰려왔다. 힘없이 넘어진 해준의 뒤로 겁에 질린 지안이 쓰러진 해준의 몸을 붙잡았다.

"해준 씨…!"

다리가 잘릴듯한 뜨거운 고통에 눈살을 찌푸리며 총에 맞은 다리를 바라봤다. 상처에서 흘러나오는 피가 흙을 적시기 시작하자 숲에 몸을 숨긴 채 상황을 지켜보던 해원이 모습을 드러냈다.

"찾았다. 두 명 다 여기 있었네."

웃으며 다가온 해원은 망설임 없이 총을 들어 지안에게 겨누었다.

"숨바꼭질의 벌칙은 저 여자의 죽음이었지? 안타깝네, 해준아…. 이번에도 네가 졌어. 아, 그렇다고 여자의 죽음에 너무 상심하지는 마. 너도 금방 죽을 테니까."

그가 방아쇠에 손을 올리는 순간, 힘겨운 얼굴로 호흡하던 해준이 힘을 쥐어짜며 외쳤다.

“잠깐만! 그 전에…. 묻고 싶은 게 있어.”

“뭐야, 머리 굴리는 거야?”

“그런 게 아니야…. 전부터 쭉 궁금한 게 있어서, 죽기 전에 묻고 싶어서 그래. 내 머리로는 이해가 안 돼서 말이야.”

해준의 말에 흥미를 느꼈는지, 어깨에서 총을 내려놓은 해원이 턱을 까딱이며 물었다.

“뭔데? 궁금한 게.”

“은정동에서 실종된 사람들 말이야, 목표 없이 아무나 골라 죽인 건 아닌 것 같은데…. 대체 어떻게 한 거야?”

“어떻게 한 거냐니? 목표를 정한 이유를 묻고 싶은 건가?”

해원의 질문에 말없이 그를 바라보자, 콧바람을 낸 해원이 당연하다는 얼굴로 입을 열었다.

“너 때문이잖아. 불행한 자들의 죽음이라는 말을 들으면 네가 내 존재를 의식할 테니까.”

태연한 해원의 얼굴에 주먹을 쥐자, 그가 턱에 손을 얹었다.

“진짜 힘들었어. 요새 cctv가 많아서 사람 한 명 몰래 데려가는 게 쉽지 않더라고…. 오랫동안 준비하고 또 계획하지 않았더라면 형 벌써 감방 갔을지도 모르겠다. 그렇지?”

“사라진 사람들은…. 도대체 어떻게 데려간 거야?”

“어떻게 한 거냐, 어떻게 데려간 거냐…. 물어볼 게 고작 그거였냐? 넌 너 혼자 스스로 생각하지도 못하고 질문만 해대는구나. 그 머리통은 뒀다가 어디다 쓰냐.”

총을 들어 해준의 머리를 툭 건드리며 해원이 비웃었다. 뜨거운 열기가 느껴져 떨리는 숨을 삼켰다.

"좋아, 알려줄게. 곧 죽을 사람이 알고 싶다는데 알려줘야지."

총구를 거두고 팔짱을 끼며 해원이 턱을 쓸며 설명하기 시작했다.

"목표는 네가 다니는 성당 사람 중에서 눈에 띄는 사람들을 골라 선택했어. 우연을 가장해 다가가서 친해진 뒤에 힘든 상황을 격려하고 위로해 주면서 신뢰감을 쌓는 거지. 신뢰가 쌓여 나를 좋은 사람으로 착각하게 되는 그때. 그때를 노린 거야."

"그때…?"

"박이나가 살던 곳은 동네가 후져서 cctv 사각지대를 잘만 노리면 무탈하게 빠져나갈 수 있어. 귀가하는 시간에 맞춰 기절시킨 다음 캐리어에 넣고 동네를 빠져나왔지. 이것 때문에 박이나를 노린 거야. cctv가 적게 설치된 동네에서 살고 있으니까. 내가 수월하게 움직일 수 있잖아."

해원의 웃음소리에 놀란 지안이 해준의 옷깃을 붙잡았다. 곁눈질로 지안의 모습을 확인한 해준이 해원의 눈치를 살피며 초조한 얼굴로 주위를 둘러봤다. 다행히도 해원은 그런 해준을 의심하지 않고 자신만의 세상에 빠져 환한 얼굴을 짓고 있었다.

"한동식을 처리하는 건 좀 고난일 것 같아서 동네가 아닌 멀리 떨어진 산 근처로 불러냈어. 며칠 전에 미리 만나서 밤에 같이 등산해서 같이 야경을 구경하자니까 좋다고 날짜를 정하더라. 기절시킨 다음 귀찮아서 그 산에 묻어버렸어. 아, 이건 비밀이다?"

검지를 들어 입가를 가리며 씩 웃은 해원을 보며 해준이 이를 악물었다.

"아무래도 어린애가 제일 쉽긴 했지. 캐리어에도 잘 들어가고 또 약하니까. 어린애 동네는 좀 위험해서 더 신경 썼어. cctv 피하랴, 보는 눈 피하랴, 준비해 둔 차량에 싣기까지는 문제가 없었지만, 이대로 차량을 출발하면 분명 의심을 살 테니까 며칠 뒤에 움직여서 처리했지. 썩은 내가 좀 나긴 했는데 뭐 나름 참을 만했어."

"신예선 씨도…. 형이 한 짓이지?"

"아, 맞아…. 그 여자가 있었지? 내가 한 짓 맞아. 이번에는 별로 어둡지 않아서 보는 눈이 많았나 봐. 그 여자가 체격이 좋아서 좀 힘들 것 같아서 약을 좀 썼어. 난 원래 그런 건 안 쓰는데, 빠르고 쉽게 죽이려면 비겁하게…."

해원이 웃으며 말하는 틈을 타, 그에게 달려든 해준이 그와 몸을 부딪쳤다. 해준의 움직임을 뒤늦게 알아챈 해원이 총을 들었으나, 해준의 손에 하늘로 향한 총구는 허공을 향해 총알을 날렸다.

탕- 탕-

총을 잡은 손에 힘을 주고 넘어지는 해원에게서 총을 빼앗은 해준이 해원을 향해 총구를 겨누었다. 옷에 묻은 흙을 털어내며 기막히다는 듯 웃은 해원이 두 손을 들며 해준을 바라봤다.

"네가 쏠 수 있을 것 같아?"

해원을 향한 총구는 사정없이 흔들렸다. 방아쇠 한 번이면 저 남자는 금방 죽을 것이다. 몇십 년 동안 해준에게 지옥이었던 그를 이곳에서 끝낼 수 있다. 망설이지 마. 한 번이면 돼. 단 한 번이면 여기서 지안 씨를 지킬 수 있어. 형은 살인자잖아. 죽어 마땅해.

그리니까 어서 손을 움직여서 저 남자를 죽여야….

"해준 씨! 안 돼요!"

지안의 외침에 화들짝 놀란 해준이 방아쇠를 당기려던 손을 멈추었다.

"저 남자가 살인자라면 여기서 죽이는 게 아니라, 살아서 죗값을 치르게 만들어야 해요. 그러니까 죽이지 말아요."

떨리는 목소리로 해준을 말리는 지안의 얼굴에 해준이 손잡이를 꽉 쥔 채 해원을 바라봤다.

"역시, 못 쏠 거면서 잘난 체하긴."

조소를 퍼부으며 품으로 손을 집어넣은 해원이 작은 권총을 꺼내 해준에게 겨누었다.

"망설이는 순간 죽는 거야, 서해준."

탕-

숲에 또 한 번 총성이 울리고 차가운 권총이 흙바닥으로 떨어져 굴렀다. 해원과 마주하던 해준의 눈에 붉은 핏방울이 들어왔다. 총을 떨어뜨린 해원이 고통스러운 신음을 내며 팔을 부여잡자, 뒤에서 달려온 철민이 해원의 몸을 짓누르며 제압했다.

"서해준 씨!"

달려온 유한이 지안과 해준을 번갈아 보며 물었다.

"둘 다 괜찮습니까?"

고개를 끄덕인 해준이 지안을 바라보자, 지안이 눈물을 글썽이며 고개를 끄덕였다.

"네, 괜찮아요…."

지안의 대답을 듣고 난 뒤, 시선을 옮긴 해준은 제압당한 해원을 바라봤다. 수갑이 채워진 그는 엎드린 채 웃고 있었다.

"크흡…. 큭큭큭."

웃음을 터뜨리기 시작하자, 그는 소리를 참지 못하고 끅끅거렸다.

"너는…. 확실히 달라졌네. 경찰까지 부르고 아주 달라졌어."

해원의 웃음에 싸늘한 시선을 건네자, 그가 멈추지 않고 계속해서 말을 내뱉었다.

"그래, 스스로도 달라졌다고 생각하겠지. 하지만 알아둬. 서해준. 넌 절대로 완전한 평범함은 얻지 못할 거야. 아버지와 내가 언제까지나 널 쫓아갈 테니까."

사악한 미소를 지켜보던 다른 이들이 해준을 바라봤다. 해준의 어깨에 손을 올리며 유한이 말했다.

"서해준 씨, 저 사람 말은…."

"네, 압니다. 듣지 않을 거예요."

몸을 들썩이며 웃는 해원을 보며 알 수 없는 허무함이 몰려왔다. 몇십 년을 쫓겨 다니던 고통스러운 지옥이 하루 사이에 이렇게나 쉽게 끝날 수 있었다면 더 빠른 시기에 끊을 수 있지 않았을까. 그런 생각을 하면서도 잡혀버린 형의 모습이 어색해서 고개를 돌려 외면했다.

—

"해준 씨, 여깁니다."

한적한 카페 안, 몸을 일으켜 해준에게 손을 흔드는 그에게로 향한 해준은 웃으며 그의 맞은편에 앉았다.

"오랜만이네요. 경위님."

"그러네요. 잘 지냈어요?"

유한의 물음에 고개를 끄덕인 해준이 테이블 위에 올려진 커피를 매만졌다.

"바쁘실 텐데, 시간 내주셔서 감사합니다."

"에이, 해준 씨가 더 바빴잖아요. 여기저기 불려 다니느라."

서해원이 붙잡힌 그날 이후, 해준은 증인으로서 자신이 알고 있는 모든것들을 말했다. 아버지와 형. 그리고 자신 사이에 있었던 일들을 털어놓았고 그것을 바탕으로 수사가 시작되었다.

아버지가 소유하던 산에서는 경찰의 수색이 이루어졌다. 경찰의 수색과 해준의 증언으로 기억 속에 존재하는 그 공터가 발견됐다. 그리고 그 자리에서 해준이 보았던 여자와 함께 다른 자들의 시신이 발굴됐다. 아버지의 일이 뉴스를 통해 알려지면서 아버지가 했었던 사업은 타격을 입었고, 사업을 이은 작은아버지는 물론 다른 형제들도 경찰의 조사를 함께 받게 되었다. 그에 대해 해준에게 따지는 수많은 연락이 와도 해준은 모두 무시해 버렸다. 유한을 통해 듣기로는 그들 간에도 나름대로 복잡한 가정사가 있는 모양이었다. 가족이라는 이름으로 포장됐지만, 사실은 서로를 헐뜯기 바쁜 남보다도 못한 관계로 보인다고 유한은 그렇게 전했다. 아버지와 그들의 사정까지 자세히 알고 싶지 않아서 해준은 더 이상의 이야기는 듣지 않기로 했다. 이제 그들을 만나는 일은 없을 거니까. 처음부터 만나지 않았던 것처럼 모르는 사이가 될 거니까. 그러니 그들의 이야기는 알지 않아도 된다고 해준은 생각했다.

서해원의 수사가 진행되는 중에 강지훈은 죄에 대한 판결을 받았다. 여자들을 스토킹하며 소유욕을 느끼던 강지훈은 곽아영이 다른 남자와 어울리는 걸 보며 살인을 계획했다. 신예선의 소개팅 상대인 김성훈을 죽일 계획까지 세운 그는 신예선이 사라질 당시, 해원과 해준이 동일 인물이라 착각했고, 그로 인해 해준에게 증오심을 품은 것이라고 유한이 설명했다. 협박 편지도, 화분도, 꽃바구니도, 택배 상자와 국화꽃 모두 강지훈의 짓이었다. 해준을 몰아붙이며 한계에 도달할 때 끔찍한 방법으로 죽일 것이었다며 강지훈은 실행하지 못한 서해준의 살인 계획을 모두 털어놓았다.

여러 심문 끝에 서해원은 자신의 죄를 인정했고 인정하고 난 뒤에는 자신이 저질렀던 살인에 관한 이야기를 늘어놓았다. 어떤 방식으로 사람을 죽였는지, 어떻게 그들을 만난 건지, 덤덤한 얼굴로 전부 털어놓았다. 여러 심문 도중 그가 해준을 찾았지만, 해준의 안전을 위해 유한은 그의 요구에 불응했다고 했다. 해준 또한 영원히 그를 볼 생각이 없었고 무슨 일이 있어도 만나지 않고, 또 아무 소식도 전하지 않을 거라고 다짐했다. 이제 그 남자와의 긴 악연은 끊어졌으니까.

서해원이 죽인 은정동 실종 사건의 시신들은 한동식을 제외하고 모두 그가 소유한 산에 묻혀 있었다. 서해원의 자백으로 한동식이 갔던 식당 옆 산에서 한동식의 시신 또한 발견했다. 형제가 대치한 별장이 있던 그 산에서 박이나와 이지석의 시신과 함께 신원 미상의 시신들이 추가로 발견됐다. 땅속에 사람을 묻는 행위는 아버지와 똑같아서 이를 알게 된 순간 기분이 나빠졌다.

잘못된 신념을 가지고 신이 내린 안식이라 생각하며 사람을 죽인 아버지와 그저 살인이 목적인 서해원의 끔찍한 만행들은 수십 년이 지나서야 세상에 드러났다. 모든 사람이 그들의 범행을 알게 됐고 피해자들에 대한 추모 또한 이루어졌다. 또한, 같은 일이 반복되지 않도록 은정동에 대한 범죄 예방 조치가 이루어졌고, 다량의 cctv가 추가로 설치되며 연쇄 실종 사건의 여파도 점점 사그라들었다.

그렇게 시간은 또 흐르고 여러 일들이 빠르게 지나갔다. 그 사이에 해준은 직장을 그만두었다. 여러 이유가 있었지만, 이제는 자신의 삶을 찾아보는 게 어떠냐는 유한의 제안으로 인해 결정 내릴 수 있었다.

"다리는 이제 괜찮죠?"

"네, 이젠 멀쩡해요."

유한의 질문에 시선을 내려 제 다리를 확인한 해준에게 유한이 한숨을 쉬며 말했다.

"정말…. 그때만 생각하면 심장이 철렁한다니까요. 갑자기 전화하시곤 서해원이 있는 곳에 곧 도착한다고, 빨리 이리로 와달라는 말만 남기고 끊어버리셨잖아요."

해원이 지안의 휴대폰을 통해 해준에게 연락한 그날, 해당 장소에 도착할 때쯤 해준은 유한에게 사실을 알렸다. 혼자서 해원을 만나 시간을 끌고 후에 경찰이 올 때까지 그의 발을 잡고 있는다. 이것이 해준의 계획이었다. 유한에게 연락한 뒤, 경찰과 함께 간다면 해원이 지안을 헤칠지도 모르고, 또 이를 눈치챈 해원이 도망쳐 버릴지도 모른다는 생각에 바로 연락할 수 없었다. 이것에 대해서는 몇 분이 넘도록 유한의 꾸지람을 들어야 했다. 일어나지 않는 편이 좋지만, 만약 같은 상황에 또 처하게 된다면 다시는 그런 짓을 하지 않겠다는 약속을 하고 나서야 잔소리는 끝이 났다.

"지안 씨는 어떻게 지내요?"

"가벼운 찰과상 정도였으니…. 이젠 상처도 다 사라졌고, 케이블타이로 인한 흉터 같은 것도 다행히 안 남았어요. 숲속에서 있었던 일에 대해서도 이제는 다 추스른 모양이에요. 저도 만난 지 오래돼서 지금은 어떻게 지내는지 잘 모르겠네요."

유한의 말에 고개를 끄덕이며 해준은 생각에 잠겼다. 아버지의 일, 형의 일이 알려지고 해준에 관한 이야기도 여러 사람의 입에 오르내렸다. 해준의 처벌에 대한 논의에서 유한은 적극적으로 해준을 도와주었다. 그 덕분에 해준은 범죄의 혐의에서 벗어날 수 있었다. 하지만 그렇다고 해서, 아무런 죗값을 치르지 않는다고 해서 죄책감을 모두 버리지는 않을 것이다. 아버지에게 형에게 죽임당한 사람들을 위해서 이 죄책감을 끝까지 끌어안고 있어야 했다. 이건 다른 누구의 의견도 아닌 해준 스스로 내린 결정이었다.

"사실…. 해준 씨 사건 조사하면서 피해자 중에 제 동생이 포함되지 않을까 생각했었어요."

유한의 말에 눈을 동그랗게 뜬 해준이 그의 얼굴을 응시했다. 동생에 관한 건 저번에 한 번 들은 적이 있었다. 해준이 과거를 털어놓았던 것처럼 유한은 씁쓸한 얼굴로 자신의 아픔을 모두 얘기했다. 그의 얘기를 듣는 내내 해준은 그가 해줬던 것처럼, 묵묵히 모든 말을 들어주었다.

"동생이 발견되지 않아서 안심되는 한편 여전히 생사를 알 수 없어서 마음이 복잡하더라고요."

턱에 손을 괸 채 창밖을 바라보던 유한이 이내 미소를 지으며 말을 이었다.

"해준 씨가 그랬잖아요. 사라진 동생으로 인해 가족 사이가 멀어졌어도 다가간다면 회복할 수 있을 거라고요. 더 늦기 전에 후회하기 전에 대화를 나눠보라는 말을 듣자마자, 한 대 맞은 것처럼 충격을 받았었어요. 제가 과거의 그 기억에 갇혀서 억지로 죄책감을 끌어안고 있었다는 사실을 그때 깨달은 거죠."

턱을 괴던 손을 떼어내고 유한이 커피잔을 잡았다.

"며칠 전에 부모님을 만나서 긴 대화를 나눴어요. 어릴 때 이후로 자주 대화를 나눠보지 못해 어색했는데 나름 기분은 좋더라고요.

웃을 수 있었어요. 오랫동안 얘기하다 보니까."

"다행이네요."

"그니까 해준 씨도 늦기 전에 다가가요."

"네? 저도요?"

눈을 깜빡이며 묻는 해준에게 유한이 웃는 얼굴을 보였다.

"지안 씨요. 미안하다고 피하지 말고 직접 만나서 얘기해 보라고요. 이제는 괜찮은지 직접 물어보고요."

"하지만…."

"더 늦기 전에 대화를 나눠보라고 했으면서 정작 자기는 발 빼면서 주저할 겁니까."

장난스러운 미소에 해준도 그를 따라 웃었다. 함께 웃던 유한의 얼굴에 웃음기가 사라지고 그가 해준의 눈치를 살피며 말했다.

"참, 그리고…."

말끝을 흐리던 유한이 쑥스러운 듯 머리를 긁적이더니, 이내 고개를 숙이며 말했다.

"해준 씨를 의심해서 죄송했습니다."

고개를 든 그는 해준을 똑바로 바라보며 어색한 미소를 지었다.

"직접 말했어야 했는데 기회를 계속 놓쳐서요."

"아닙니다. 오히려 그 덕분에 서해원을 잡을 수 있었잖아요. 저야말로 감사하다는 말을 하고 싶어요. 악연을 끊게 해주셔서 고맙습니다. 경위님."

함께 웃은 두 사람은 편한 분위기 속에서 더 많은 대화를 나눴다. 남들이 생각하기에는 쓸데없는 대화일지 몰라도 해준에게는 너무나 즐거운 시간이었다. 편한 친구처럼, 사이좋은 형제처럼. 두 사람은 자신의 일상을 얘기하며 그렇게 오랫동안 떠들었다.

"어, 눈이다!"

"이거 첫눈 아니야?"

지나가는 사람들의 목소리에 해준이 고개를 들었다. 아침의 예보대로 저녁 하늘에서는 눈이 내리고 있었다. 손을 들어 하늘거리며 내리는 눈을 바라보던 해준의 귓가에 익숙한 목소리가 들렸다.

"해준 씨!"

손을 흔들며 다가오는 지안이 해준의 앞에 멈춰섰다.

"잘 지냈어요?"

오랜만에 만난 지안의 얼굴은 밝았다. 숲속에서의 그 일 이후, 유한을 통해 소식만 전해 듣던 해준은 고심 끝에 지안에게 연락을 취했다. 문자를 보낸 뒤에 혹여 지안이 자신을 끔찍하게 생각하지 않을까. 염치없게 생각하지 않을까 걱정하던 해준에게 지안의 빠른 답장이 왔고 두 사람은 이렇게, 다시 만나게 되었다.

지금의 지안은 그날의 일을 겪지 않은 사람처럼 잘 웃고 또 밝았다. 이건 그녀가 원래부터 강인한 사람이었기에 가능했던 일이라고 해준은 생각했다.

"해준 씨, 다리는 괜찮아요?"

"네, 멀쩡해요. 지안 씨는요?"

"저야, 다친 데가 없는걸요. 그날의 기억을 지울 수는 없겠지만, 이제는 좀 괜찮아진 것 같아요."

흩날리는 머리카락을 정돈하던 지안이 무슨 생각이라도 났는지 반짝거리는 눈으로 손뼉을 치며 해준을 바라봤다.

"아참, 오늘 해준 씨 자리에 새로운 신입사원이 들어왔어요. 어린 친구인데 엄청 싹싹하고 귀엽더라고요."

오랜만에 만난 해준에게 지안은 지금까지의 근황을 얘기하며 밝게 웃었다. 눈이 오는 거리를 함께 걸으며 이런저런 이야기를 꺼내던 지안이 해준에게 물었다.

"해준 씨는 요즘 뭐 하고 지내요?"

"이사 준비 중입니다. 다른 동네로 이사하려고요."

"이사요?"

지안의 물음에 해준이 서둘러 입을 열었다.

"멀리 가는 건 아닙니다."

"아…. 그렇군요."

머쓱하게 웃으며 고개를 끄덕이는 지안에게 해준이 말을 이었다.

"이사 준비 외에는 좋아하는 걸 찾아볼 생각이에요."

"좋아하는 거요?"

"그간 하지 못했던 것들이나, 도전하지 못했던 것들을 찾아보고 싶어서요. 그동안은 염치없이 즐기면 안 될 것 같아서 외면한 채 지냈는데, 이제는 그러지 말라고 경위님이 그러셔서요."

"좋은 말이네요! 저도 그렇게 생각해요. 이제는 해준 씨가 좋아하는 걸 찾으면서 살아가는 거예요. 바라던 꿈이라던가요."

"음…. 솔직히 말하면 이제 꿈은 없어요. 경위님은 제가 어렸을 때 되고 싶었던 것처럼 경찰이 되는 건 어떠냐고 하셨지만 그건 잠깐의 꿈이었고, 지금의 전 경찰과는 어울리지 않잖아요."

"정말요? 저는 괜찮다고 생각하는데…. 하지만 뭘 하던 해준 씨 나름이니까 어떤 일을 하던 응원할게요. 꼭 꿈이 직업이 아니어도 되잖아요. 원하는 거, 다 하고 살아요. 편안하게요!"

"고마워요."

웃는 얼굴로 해준을 바라보던 지안이 손을 모은 채 조그마한 목소리로 물었다.

"아! 헬스장에서 좀 더 시간을 보내는 건 어때요? 해준 씨 운동하러 자주 갔었잖아요."

지안의 말에 웃음을 터뜨린 해준이 고개를 저었다.

"이젠 안 가도 돼요. 좋아서 다닌 것도 아니고 생각이 정리돼서 다닌 것도 아니었어요. 만약 형이 찾아오면 체력적으로 뒤처지지 않기 위해서 불안해서 다닌 거였어요."

해준의 말에 지안의 두 눈이 흔들리더니 이내 울상을 지었다.

"미안해요. 해준 씨…. 괜히 그런 얘기를 꺼내서…."

"아뇨, 미안해할 필요 없어요. 미안해야 할 건 저잖아요. 지안 씨에겐 형은 끔찍한 존재인데…. 언급하지 말았어야 했어요. 생각이 짧았네요."

"그렇지만 해준 씨는 아니에요. "

고개를 저으며 미소를 지은 지안과 함께 횡단보도에 멈춰 선 해준은 펑펑 내리는 눈을 바라봤다. 그런 해준의 옆에서 나풀거리는 눈을 함께 구경하던 지안이 입을 열었다.

"내일이면 하얀 세상이 되겠어요."

“내일 아침까지 내린다고 했으니까요.”

“하아, 출근할 때 힘들겠다…. 회사 안 가고 집에서 구경하면 정말 예쁠 텐데 말이죠.”

“그렇게 말하셔도 웃으면서 가실 거 아니에요?”

“맞아요.”

실실 웃는 지안을 따라 미소를 지은 해준을 쳐다보던 지안이 조심스럽게 입을 열었다.

“해준 씨, 그럼 혹시 회사로 돌아올 생각은 아예 없으신 거예요?”

“아…. 네. 다시 돌아가진 않을 겁니다. 달가워하지 않을 거예요.”

“아니에요. 모두 저처럼 해준 씨를 걱정하는걸요. 해준 씨가 일을 그만둔 것도 아쉬워해요. 해준 씨가 나쁜 사람이 아니라는 거 다 잘 알고 있어요. 미워하지 않는다고요.”

모두가…. 팀원들의 얼굴을 떠올린 해준이 주먹을 쥐었다.

“제가 잘못 생각했어요. 이번에도 생각이 짧았네요. 지안 씨가 고맙다고 전해 주세요. 그동안 많은 도움을 받아서 정말 고맙다고요.”

“감사 인사는 직접 하는 게 어때요? 연락처도 있잖아요.”

지안이 휴대폰을 흔들며 말하자, 해준이 고개를 끄덕였다.

“네, 그럴게요.”

“꼭 그래야 해요? 알겠죠?”

“꼭 그럴게요.”

“약속해요. 피하지 않고 만나겠다는 약속.”

지안이 내민 새끼손가락을 잡으며 두 사람이 함께 약속했다. 해준과의 약속에 만족한 미소를 짓던 지안이 얼굴을 굳히더니 이내 씁쓸한 미소를 지었다.

“이제 회사에서는 해준 씨 얼굴 못 보겠네요. 이사 가면 더더욱 보기 힘들 거고요.”

지안의 말에 고개를 돌리자, 지안은 해준의 눈을 피해 시선을 돌렸다. 차가 달리는 도로를 바라보던 지안이 시선을 고정했다.

“잘 지냈으면 좋겠어요. 해준 씨. 힘들었던 과거는 잊고 원하는 삶을 찾을 수 있길 바랄게요. 그러니까, 이사 가서도 꼭 건강히 지내요. 새로운 사람들도 많이 사귀면서 사람들한테 의지하고 도움받고 그렇게…. 행복하게 지내요.”

그녀가 말을 끝나자마자, 횡단보도의 초록불이 켜졌다. 두 사람을 제외한 나머지 사람들이 앞을 향해 걷기 시작하고, 사람들 틈에서 우뚝 멈춰 선 해준은 활짝 웃는 지안의 얼굴을 바라봤다.

일을 그만두고 이 동네를 떠나게 되면 지안을 만나는 일이 적어지는 건 이미 알고 있는 사실이었다. 하지만 지안의 입을 통해 직접 듣게 된 그 사실은 오늘따라 더욱 아프게 심장을 조여왔다. 지안은 해준에게 있어 고마운 사람이었다.

지난날, 숲을 빠져나가는 구급차 안에서 지안은 해준을 격려했다. 가족들로 인해 아주 힘들었겠다고. 어릴 적부터 너무 외로웠겠다고. 그렇게 말하는 지안 또한 해원으로 인해 힘들었을 텐데도 남을 챙기는 지안이 해준은 매우 고맙고 또 미안했다. 그래서 얼굴을 마주하기가 두려워 지안을 찾아가지 않았다. 혹여 마음이 바뀌어 자신을 미워하고 있을까 봐, 두려운 마음에 선불리 연락할 수 없었다.

다시 만난 지안은 여전히 그 환한 미소를 해준에게 보여주고 있었다. 오늘이 지나면 볼 수 없는 얼굴을 담아두며 해준이 주먹을 쥐었다. 깜빡이는 신호에 시선을 준 지안이 미소를 지으며 해준을 바라봤다.

“해준 씨, 저는 이제 가볼게요. 만나서 반가웠어요. 길 미끄러우니까, 조심히 들어가요.”

인사를 마친 지안이 몸을 돌려 걸음을 뗐다. 횡단보도로 향하는 지안의 뒷모습을 바라보는 해준의 심장이 빠르게 요동쳤다.

괜찮아, 이미 알고 있었잖아. 다시는 못 볼 거라고 알고 있었잖아. 이렇게 헤어져야 한다는 것도 잘 알고 있잖아.

이대로 헤어진 뒤, 해준은 자신의 인생을 살면서 지안의 행복을 바라면 된다. 활짝 웃는 그 웃음이 계속될 수 있기를 빌면서 각자의 삶을 살아가면 된다. 만나지는 못하더라도 그 미소를 못 보더라도 지안이 행복하기만 하면 된다. 그러면 된다.

하지만….

“지안 씨.”

한 발짝 다가가 지안의 손을 붙잡은 해준이 입술을 달싹였다. 당황한 얼굴로 해준을 바라보는 지안의 얼굴이 두 눈에 선명하게 들어왔다.

지금까지 눌러 담았던 감정들이, 지안을 향한 이 감정들이 무엇인지 해준은 이제야 알 것 같았다. 몰랐던 감정과 대면하자, 요동치던 심장은 터질 듯이 움직이고 이상한 간질거림에 속이 울렁거렸다. 하지만 나쁘지 않은 기분이었다. 그 생각에 얼굴이 뜨거워져 지안을 잡은 손에 더욱 힘을 주었다. 한꺼번에 튀어나오려는 감정들을 전하기 위해, 뒤늦게 자각한 마음을 전하기 위해 해준은 짧게 심호흡한 뒤 입을 열었다.

"계속 연락드려도 괜찮을까요."

해준의 말에 지안이 눈을 깜빡였다. 당황한 얼굴이 붉게 물들더니 이내 미소를 지으며 고개를 끄덕였다.

"네, 당연하죠."

하얀 눈이 내리는 길거리에서 두 사람이 마주 보며 웃었다. 각자의 일상을 보내는 사람들 사이에 섞여 소중한 사람과 마주하고 있는 남자의 얼굴은 다른 사람들과 똑같은 평범한 모습이었다.

작가의 말

이번 작품을 준비하면서 많은 어려움이 있었습니다. 저의 인생에 있어서 처음으로 출판하게 되는 책을 어떤 내용으로 쓸지 수없이 고민하고 여러 시나리오를 구상한 끝에 '표리부동'이라는 제목의 미스테리 소설이 탄생하게 되었네요. 처음 이 작품을 준비할 때는 솔직히 말에 기대보다 후회가 더욱 컸습니다. 작품을 쓰기 위한 관련 지식을 조사하는 데 있어 어려움이 컸고, 현실을 고증해야 하는 부담감에 밤새도록 고민하던 때도 있었습니다. 하지만 그 후회를 뛰어넘는 설렘은 소설의 끝에 도달할 수 있는 원동력이 되었고 이내 저에게 커다란 뿌듯함을 선물해 주었습니다.

저는 성인이 되기 전에 이렇게 책을 출판할 기회가 주어질 거라고는 생각하지 못했습니다. 아주 어렸을 때부터 꿈꿔왔던 작가라는 꿈을 이루기 위해서는 하루빨리 성인이 되어 책을 출판해야 한다고 알고 있었거든요. 예상보다 빠르게 출판할 수 있었던 건 제게 이런 기회를 주신 선생님 덕분이라고 생각합니다. 그래서 그 감사한 마음으로 더욱더 출판 기회를 놓치지 않기 위해 노력했던 것 같습니다. 컨디션이 좋아 술술 잘 풀릴 때도 있었지만, 어떤 때는 손에 잡히지 않아 속상할 때도 있었습니다. 그럴 때마다 도움을 주며 응원해 주신 부모님과 표지와 속지 제작에 도움을 준 제 동생의 도움이 없었더라면 여전히 벽에 막힌 채 끙끙 앓고 있었겠죠.

사실 책 출판을 준비하며 처음 정해둔 시나리오는 따뜻한 내용이 담긴 휴먼 소설이었는데, 이야기의 틀을 잡던 와중 머릿속에 스친 이야기에 흥미가 생겼고 살을 덧붙이며 구상하기 시작하니까 평소 좋아하던 미스터리 장르에 대한 욕심이 점점 생겼습니다. 그 욕심을 그냥 버려두었다면 아마 이 책은 세상에 나오지 않았을 겁니다.

작품을 준비하는 참 많은 일이 있었지만, 고생한 것에 비해 제 인생의 첫 번째 책을 끝냈다는 사실에 대한 기쁨으로 이번 경험은 잊지 못할 추억이 될 것 같습니다. 이 경험을 토대로 더 좋은 작품을 만드는 작가가 되기 위해 열심히 노력하겠습니다.